afgeschreven

D0590172

Ree Drummond

Hoge hakken op de tractor

the house of books

Oorspronkelijke titel
The Pioneer Woman
Uitgave
WILLIAM MORROW, an imprint of HarperCollins*Publishers*, New York

Vertaling
Corry van Bree
Omslagontwerp
Studio Jan de Boer BNO, Amsterdam
Foto voorplat
© Aurelie and Morgan David de Lossy/cultura/Corbi
Foto's achterplat
© Ree Drummond
Auteursfoto
© Ace Cuervo
Opmaak binnenwerk
ZetSpiegel, Best

ISBN 978 90 443 3180 6
D/2011/8899/146
NUR 320

www.thehouseofbooks.com
www.thepioneerwoman.com

Voor mijn kinderen... Mama houdt van jullie
Voor mijn man... Mama houdt ook van jou

Inhoud

Inleiding

Een jaar geleden begon ik aan het verhaal over de manier waarop ik mijn echtgenoot had leren kennen en hoe onze bruiloft was verlopen. Ik kwam tot het midden van het eerste hoofdstuk, stopte abrupt met schrijven, borg het op in een la en ging andere dingen doen. Een tijd later, toen ik werd overvallen door een voor mij onkarakteristieke writer's block, haalde ik het niet afgemaakte verhaal uit de la. Ik was een regelmatige blogger die die dag hersendood was en hoewel ik ervan overtuigd was dat maar weinig mensen mijn liefdesverhaal interessant zouden vinden, wilde ik de bezoekers van mijn site toch iets nieuws te lezen geven. Ik deed een paar weesgegroetjes, hoopte dat ze mijn tekst niet verschrikkelijk zouden vinden en zette hem op mijn website.

Tot mijn verrassing reageerden er lezers. Ze vroegen om een

nieuw hoofdstuk. Dat schreef ik dezelfde avond. Een tweede hoofdstuk leidde tot een derde en daarna tot een vierde. Aangemoedigd door de lezers van thepioneerwoman.com begon ik elke week een aflevering van mijn liefdesverhaal online te zetten, compleet met romantische spanning en cliffhangers aan het eind van elk deel. Meer dan achttien maanden lang vormde het een allesomvattend deel van mijn schrijfroutine en mijn vrienden en lezers volgden elke stap die ik zette. Ik vond het een fantastische ervaring. Het was heerlijk om terug te gaan in de tijd en alle herinneringen op te halen.

Aan het eind van die achttien maanden had ik meer dan veertig hoofdstukken geschreven en was ik bij onze huwelijksdag beland. Ik besloot om met de online-versie te stoppen en begon het volgende deel van het verhaal te schrijven, over het eerste jaar van ons huwelijk.

Dit boek is het complete, samengevoegde verhaal: het onstuimige, romantische liefdesverhaal dat ik op mijn website heb geplaatst (met wat nieuw materiaal). Het begint op de avond dat ik mijn echtgenoot ontmoet en eindigt als we vertrekken voor onze huwelijksreis, en een nieuw deel over het eerste jaar van ons leven als getrouwd stel.

Ik hoop dat jullie ervan genieten.

Ik hoop dat het een glimlach op jullie gezicht brengt.

Ik hoop dat het jullie doet denken aan alle redenen waarom jullie verliefd zijn geworden.

En als je de liefde nog niet hebt gevonden, hoop ik dat het je laat zien dat de liefde jou juist vaak vindt... waarschijnlijk op het moment dat je dat het allerminst verwacht.

Deel een

1

Once upon a time in the midwest

Vergeet het, zei ik tegen mezelf terwijl ik languit op het bed van mijn jeugd lag. Ik was in mijn geboorteplaats in Oklahoma voor een aan mezelf opgelegde pauze. Ik had me omringd met een papieren moeras van studiegidsen, opgeleukte concepten van mijn CV, lijsten met beschikbare appartementen in Chicago en een catalogus van het kledingmerk J.Crew, waaruit ik net een olijfgroene – geen chocoladekleur omdat ik rood haar heb – wollen wintermantel van $495 had besteld. Dit omdat het in Chicago een klein beetje kouder was dan in Los Angeles, dat ik nog maar een paar weken geleden achter me had gelaten. Ik was de hele week in mijn oude kamer bezig geweest met zoeken, herschrijven, winkelen en bestellen en ik was helemaal kapot. Mijn ogen traanden van het lezen, mijn middelvinger was paars van het likken en langs de pagina's bladeren, mijn favoriete donzige sokken stonken en waren smoezelig omdat ik ze al twee dagen droeg. Ik had een onderbreking nodig.

Ik besloot om naar de J-Bar te gaan, een plaatselijke kroeg waar een aantal van mijn vriendinnen naartoe was om een drankje voor Kerstmis te drinken. Ik had eerder die avond gezegd dat ik niet kwam, maar nu leek een glas chardonnay niet alleen heel aantrekkelijk, maar zelfs noodzakelijk. Verplicht. Mijn uiterlijk was echter een ramp, de schaduwzijde van het feit dat ik mijn kamer de afgelopen achtenveertig uur niet uit was geweest. Niet dat ik op iemand indruk hoefde te maken. Ik was tenslotte in mijn geboorteplaats, het stadje waarin ik was opgegroeid, en hoewel de omgeving pittoresk en betrekkelijk welvarend was, was het niet het soort stad dat vereiste dat je tot in de puntjes gekleed was als je een glas wijn ging drinken.

Met dat in gedachten waste ik mijn gezicht, bracht zwarte mascara aan – een absolute noodzaak voor elke roodharige met groene ogen en een lichte huid – en bevrijdde mijn haar uit de paardenstaart. Ik trok een verschoten lichtblauwe coltrui en mijn favoriete spijkerbroek met gaten aan, smeerde wat lippenbalsem op mijn lippen en stormde de deur uit. Een kwartier later bevond ik me in het gezelschap van mijn oude schoolvriendinnen en een glas chardonnay. Ik voelde een aangename roes, die niet alleen werd veroorzaakt door de eerste paar slokken wijn van die avond, maar ook door het feit dat ik was omringd door mensen die ik al mijn hele leven kende.

Op dat moment zag ik hem – de cowboy – aan de andere kant van de zaal. Hij was lang, sterk en mysterieus, dronk een flesje bier en droeg een spijkerbroek en cowboylaarzen. En zijn háár. Het haar van de cowboy was heel kort en zilvergrijs. Veel te grijs voor zijn jeugdige gezicht, maar net grijs genoeg om mijn hoofd te laten exploderen met allerlei fantasieën over Cary Grant in *North by Northwest*. Hij was een droombeeld, deze Marlboro Man-achtige, ruige man aan de andere kant van de zaal. Nadat ik een paar minuten had gestaard, haalde ik diep adem en stond op. Ik moest zijn handen zien.

Ik laveerde nonchalant naar het deel van de bar waar hij stond. Om mijn belangstelling te camoufleren, pakte ik vier kersen van de serveerschaal en legde ze op een papieren servet terwijl ik naar zijn handen gluurde. Ze waren groot en sterk. Bingo.

Binnen een paar minuten waren we in gesprek.

Hij was een vierde generatie veehouder met een ranch die op een uur afstand van mijn beschaafde, bedrijvige geboortestad lag. Zijn betovergrootvader was rond 1800 vanuit Schotland hiernaartoe geëmigreerd en had geleidelijk een bestaan opgebouwd in het midden van het land. Hij had een meisje ontmoet, was met haar getrouwd en was een succesvol koopman geworden. Zijn zoons waren de eersten in de familie die land kochten en daar vee op hielden, en hun nakomelingen zouden zich uiteindelijk als veehouders in het gebied vestigen.

Natuurlijk wist ik daar niets van toen ik die avond op mijn Donald Pliner-laarsjes tegenover hem stond en zenuwachtig in de zaal rondkeek. Ik keek naar beneden, ik keek naar mijn vrienden… Alles om niet in zijn ijsblauw-groene ogen te staren of, erger nog, te gaan kwijlen. Bovendien had ik die avond andere dingen te doen: studeren, mijn CV bijschaven, mijn geliefde zwarte pumps poetsen, een verjongend masker aanbrengen, misschien voor de 3944ste keer naar mijn videoband met *West Side Story* kijken. Maar voordat ik het wist was er een uur voorbij en daarna twee. We praatten urenlang, de ruimte rondom ons vervaagde, net als bij de dans in *West Side Story*, als Tony en Maria elkaar voor het eerst zien te midden van een groep mensen. 'Tonight, tonight, it all began tonight.' Mijn vriendinnen giechelden en dronken wijn aan de tafel waar ik ze eerder die avond in de steek had gelaten. Ze waren zich niet bewust van het feit dat hun roodharige *amiga* net was getroffen door een bliksemflits.

Voordat ik inwendig aan het volgende couplet kon beginnen, verkondigde mijn versie van Tony – deze mysterieuze cowboy – abrupt dat hij moest gaan. Gaan? dacht ik. Waar naartoe? Er is geen andere plek op aarde dan deze rokerige bar… Maar die was er voor hem wel: zijn broer en hij gingen kerstkalkoen klaarmaken voor een aantal hulpbehoevende mensen in het kleine stadje waar hij woonde. Mmm, hij is ook nog eens aardig, dacht ik terwijl ik vanbinnen een steek voelde.

'Tot ziens,' zei hij met een vriendelijke glimlach. Daarna liep hij op zijn prachtige laarzen de J-Bar uit, zijn donkerblauwe Wrangler-spijkerbroek rond een onderstel waarvan ik zeker wist dat het uit graniet gehouwen was. Ik kreeg het benauwd, en ondanks de rooklucht die in de bar hing, rook ik nog steeds zijn geur. Ik wist zijn naam niet eens. Ik hoopte vurig dat het niet Billy Bob was.

Ik was ervan overtuigd dat hij de volgende ochtend rond

09.34 uur zou bellen. Het was een betrekkelijk klein stadje, dus hij kon me vinden als hij dat wilde. Hij belde niet. Hij belde ook niet om 11.13, of om 14.49, of op elk ander tijdstip die dag, of week, of maand. Telkens als ik terugdacht aan zijn ogen, zijn biceps, zijn smeulende, kalme manier van doen, die zo dramatisch anders was dan van de onnozele stadsjongens met wie ik het de afgelopen jaren had moeten doen, werd ik overspoeld door een golf van teleurstelling. Maar het was toch niet belangrijk, hield ik mezelf voor. Ik vertrok binnenkort naar Chicago, naar een nieuwe stad, een nieuw leven. Ik had er helemaal geen behoefte aan om hier bij iemand betrokken te raken, laat staan bij een in Wrangler geklede cowboy met peper-en-zoutkleurig haar. Cowboys reden tenslotte op paarden, droegen bandana's rond hun nek, plasten in de vrije natuur en deden aan houtsnijden. Ze noemden hun kinderen Dolly en Travis en luisterden naar countrymuziek.

Hij was mijn absolute tegenpool.

Zes maanden eerder vertelde ik J boven een schaal sushi dat ik van plan was weg te gaan uit Los Angeles. 'Ik ga naar huis om er even tussenuit te zijn,' zei ik tegen hem. Hij nam zenuwachtig een hap van zijn zee-egel.

Ik had jarenlang in L.A. gewoond en had vier jaar daarvan met hem doorgebracht. Sinds ik de stad als eerstejaarsstudent was binnen gestormd, had ik alle stedelijke genoegens die de stad op culinair en winkelniveau te bieden had in me opgezogen. Ik was afkomstig uit het relatief rustige Middenwesten en voelde me in L.A. als een kind in een snoepwinkel. Mijn vier jaar aan de USC werden niet alleen gekenmerkt door colleges volgen, examens afleggen en scripties schrijven, maar ook door beroemdheden spotten, genieten van het heerlijke eten en jongens. Ik maakte het allemaal mee: feesten op de Sunset Strip, Sean en Madonna tegenkomen in de bioscoop, James Garner kussen in de lift en de rellen na de gewelddadige arrestatie van Rodney King. En vreemd genoeg wist ik plotseling dat ik er genoeg van had toen ik die avond met J in de sushibar zat.

Niet van Los Angeles, maar van J.

De lieve jongen uit Zuid-Californië die tegenover me zat had er geen idee van dat er ten oosten van de Mojave-woestijn nog een Amerika bestond. We waren sinds de universiteit onafscheidelijk geweest. Nu, vier jaar later, verkondigde ik boven de komkommerrolletjes en tamago dat ik weliswaar uit Los Angeles vertrok, maar niet met hem meeging naar San Francisco, waar hij een week eerder een nieuwe baan als ingenieur had geaccepteerd. Hij had de baan aangenomen omdat het een fantastische kans was en omdat hij ervan uit was gegaan dat ik met hem mee zou gaan. Het leek een logische volgende stap voor een stel dat al vier jaar een relatie had. In eerste instantie dacht ik ook dat ik zou gaan, maar ergens in de week waarin hij de baan had aangenomen had mijn gezonde verstand me stevig bij mijn schouders gepakt en door elkaar geschud.

Ik wilde niet in Californië blijven. Ik wilde niet bij J blijven. Ik wilde weg. Het gevoel was er al een tijdje. In het begin als een vlaag heimwee naar het leven dat ik vroeger had geleid, maar het gevoel werd intenser toen J zijn nieuwe baan had geaccepteerd. Ineens was ik vastbesloten om terug te gaan naar het Middenwesten, waarschijnlijk naar Chicago. Het zou dichter bij huis zijn: maar één korte vlucht in plaats van twee, soms drie keer overstappen en een hele dag reizen. Ik zou dichter bij mijn vrienden en familie zijn.

En het klimaat was geschikter voor mijn teint.

Het voornaamste was echter dat ik zou kunnen ontsnappen aan de wurggreep van mijn uitzichtloze relatie met J. Als ik nu niet wegging zou het alleen moeilijker worden.

'Ik ga niet mee,' zei ik tegen hem. 'Het voelt gewoon niet goed.' Het was de eerste van een bombardement aan oneliners.

'Ik kan niet zomaar met je mee.'

'Ik moet op mijn eigen benen leren staan.'

'Ik weet gewoon niet meer wat ik hier doe.'

De pathetische clichés stroomden uit mijn mond, zo dik als de wasabipasta die ik door mijn sojasaus roerde. Ik haatte de manier waarop ik klonk.

'Ik ga gewoon een tijdje naar huis om eh... om alle spinnenwebben weg te vegen,' ging ik verder.

'Maar je komt toch terug, nietwaar?' vroeg J. Hij nam een flinke slok sake.

J.

Hij snapte het nog steeds niet helemaal.

Een paar weken later liep ik het huis van mijn ouders binnen. Mijn van nature bleke huid met sproeten was geforceerd goudbruin van alle keren dat ik de afgelopen jaren in L.A. heen en weer was gelopen naar mijn auto. Ik zette mijn Californische koffers in de hal op de grond, rende naar boven en liet me met mijn gezicht naar beneden op het bed van mijn jeugd vallen. Ik viel bijna onmiddellijk in slaap en verliet gedurende een week nauwelijks de troost van mijn 300-draads perzikkleurige lakens. Mijn geliefde mopshondje Puggy Sue kroop tegen me aan en verroerde zich dagenlang niet, haar zachte fluwelen oren waren de perfecte troostdeken voor mijn verwarde, onzekere hart.

Soms kwam mijn broer Mike bij me zitten. Hij was achttien maanden ouder dan ik en had niets beters te doen. Door zijn ontwikkelingsstoornis was hij er volkomen tevreden mee om op mijn hoofd te kloppen, me te vertellen hoe mooi ik was en me mee te delen of hij een broodje met ragout of een 'k-k-k-kaas-omelet' bij het ontbijt had gehad. Ik nam het allemaal in me op alsof ik naar de State of the Union-toespraak luisterde. Het was zo heerlijk om thuis te zijn. Het eindigde er altijd mee dat Mike me vroeg of ik hem naar Brandweerkazerne nr. 3 wilde rijden, zijn gebruikelijke hangplek. Ik antwoordde dan steevast dat dat niet ging omdat ik het te druk had. Daarna ging hij mokkend weg en probeerde ik nog een tijdje te slapen. Het was fantastisch.

Af en toe was ik lang genoeg wakker om wat te lezen in de lachwekkend oude tijdschriften op mijn nachtkastje – een exemplaar van *Seventeen* had Phoebe Cates op het omslag – of mijn nagelriemen terug te duwen. Soms staarde ik ook alleen naar mijn taupekleurige bloemetjesbehang terwijl ik de sierlijke witte bloemen in gedachten herschikte, zoals ik als klein meisje altijd had gedaan.

Ik huilde soms ook. De waarheid was dat ik J veel, heel veel had gegeven. Hoewel ik altijd had willen geloven dat ik sterk en zelfverzekerd was, had ik het mezelf op de een of andere manier toegestaan om veel te afhankelijk van hem te worden. Ik schaamde me dat ik in die valkuil terecht was gekomen, die diepe greppel van onzekerheid en angst waarin zoveel jonge vrouwen minstens een keer in hun leven verdwijnen. Eén keer, als ze geluk hebben. Ik huilde ook als reactie op de enorme opluchting die ik voelde, alsof er 80.000 pond samengedrukte emotionele lucht uit mijn ingewanden vrijkwam. Ik ademde dagen- en dagenlang uit. Het bleef naar buiten komen in een constante, sissende stroom. Ik huilde omdat ik weg was bij J, niet andersom, wat echt erg zou zijn geweest.

Ik huilde omdat hij lief was en omdat hij een gewoonte was geworden.

Ik huilde omdat ik hem miste.

Om de tijd door te komen ging ik uit eten met mijn oma Ga-Ga en haar vriendinnen, in hun stadje dat vijfendertig kilometer verderop lag. Ze hadden op dinsdagavond een vaste eetafspraak in Ideal Café en hadden me uitgenodigd mee te gaan. Mijn eerste etentje met Ga-Ga, Ruthie, Delphia en Dorothy bleek uitputtend en beestachtig te zijn; ik bestelde vegetarische bijgerechten, zoals aardappelpuree en sperziebonen uit blik, terwijl de dames afgrijselijke dingen aten, zoals lever met uien, gebakken kipfilet en gehaktbrood. Ze praatten over de aanstaande feestmaaltijd in de kerk, hoeveel de taartverkoop van de vereniging voor gepensioneerde leerkrachten had opgeleverd en hoe groot de buurkinderen waren geworden. Daarna deelden ze twee stukken taart – altijd rabarber en citroenmeringue – terwijl ik nog een Cola light bestelde en rusteloos op mijn horloge keek. Ik kon niet geloven dat ze dit allemaal zo belangrijk leken te vinden. Wisten ze niet hoe klein hun stad was? Hoe groot Los Angeles was? Wisten ze niet dat daarbuiten een hele wereld was? Verveelden ze zich nooit? Ik hield heel veel van Ga-Ga, maar haar kleinsteedse omgeving kon ik nauwelijks verdragen. Ik was bestemd voor grotere dingen dan dit.

Veel grotere dingen.

Toen de taart eindelijk op was namen we afscheid van elkaar. Ik reed naar mijn ouderlijk huis terug en bleef daar nog twee dagen in bed liggen.

Uiteindelijk sprong ik een paar weken later op een ochtend uit bed zonder me rot te voelen. Waarover zou ik nu eigenlijk treuren? Ik had wat geld op de bank en geen onkosten, dankzij mijn gratis kamer in het huis van mijn ouders aan de rand van de golfbaan. Ik kon de tijd nemen om plannen voor Chicago te maken. En J, mijn voortdurende metgezel van de afgelopen 1460 dagen (en pakweg een uur), was uit beeld. Het duurde niet lang voordat ik me realiseerde dat ik nog jong was en dat ik vrij was.

Ook al besefte J dat nog niet helemaal.

Tracy, een knappe, blonde advocaat uit mijn geboortestad, was mijn eerste afspraakje na mijn relatie met J. We gingen vier keer met elkaar uit en lachten de hele tijd, maar hij was veel te oud – bijna dértig – en vond me waarschijnlijk frivool. Na Tracy kwam Jack, een Engelse tennisleraar bij de country club. Hij was adembenemend en ik hield van zijn accent, maar omdat hij twee jaar jonger was dan ik was hij véél te jong. De volgende was een ex-verkering van het kerkkamp die in een afgelegen stadje woonde en had gehoord dat ik terug was in Oklahoma. Lief, maar niet voor de lange termijn. Daarna volgde een aantal routineuze, niet noemenswaardige eetafspraken.

Tot ik mr. B ontmoette, een man die zestien jaar ouder was dan ik, een handicap drie had en best goed kon zoenen.

Dat is in principe wat mr. B en ik samen deden – we zoenden. Tracy was goed geweest voor een paar films en twee etentjes, Jack en ik hadden een paar wandelingen met zijn hond gemaakt, maar mr. B en ik lebberden elkaar af. Dat was helemaal zíjn idee. Het was alsof hij voor mij nog nooit van het concept zoenen had gehoord en mijn lippen waren voortdurend gebarsten. Maar het was fantastisch: er waren geen voorwaarden, geen risico's, geen grote beloningen. Na een maand had ik er eerlijk gezegd genoeg van om zoveel lippenbalsem te moeten kopen, dus maakte ik het voorzichtig uit met hem. Hij belde me de volgende avond huilend op om me te vertellen dat hij me tot enige begunstigde van zijn levensverzekering had benoemd. Tijdens die bewuste maand had mr. B besloten dat ik de ware was, het antwoord op zijn ongetrouwde gebeden. Hij had bedacht dat we zouden trouwen en hij kon gewoon niet geloven dat ik een eind aan onze relatie maakte terwijl we duidelijk zo perfect voor elkaar waren. Hij was ons huwelijk al aan het plannen, tot aan het menu voor het diner en de middelste naam van ons derde kind, dat rood haar, blauwe ogen en een bleke huid zou hebben. Hij verspilde geen tijd.

Mr. B praatte maar door en huilde twee uur lang. En terwijl ik luisterde en probeerde mijn best te doen om vriendelijk en meelevend te zijn, merkte ik dat ik J miste, die nooit een zoener was geweest of het romantische, aanhankelijke type. Aan de andere kant maakte hij ook geen verwarde, belachelijke plannen en barstte hij niet in tranen uit.

Na mr. B begon ik het stadsleven te missen en begon ik me serieus op Chicago te richten. Hoe enthousiast ik ook was geweest om L.A. te ontvluchten, nu ik een tijdje thuis was wist ik weer helemaal dat ik thuishoorde in een stedelijke omgeving. Ik miste de voorzieningen: de koffiebarretjes op elke hoek en de boekwinkels die tot middernacht open waren. Ik miste de overvloed aan keuzes voor afhaalmaaltijden, de kleine make-upwinkels en de Koreaanse nagelsalons waar de manicures enthousiast om me heen zwermden en mijn schouders met tussenpozen van vijf minuten masseerden tot mijn geld op raakte.

Ik miste de anonimiteit, de mogelijkheid om snel even naar de markt te gaan zonder mijn leerkracht van groep vijf tegen het lijf te lopen.

Ik miste het nachtleven, de wetenschap dat er, als ik dat wilde, altijd een reden was om me mooi aan te kleden en uit eten te gaan of een drankje te gaan drinken.

Ik miste de restaurants, de Aziatische, de Thaise, de Italiaanse, de Indiase. Ik had nu al genoeg van sperziebonen uit blik en aardappelpuree.

Ik miste de cultuur en het veilige gevoel van op de mailinglist van de belangrijkste Broadway-musicals te staan.

Ik miste het winkelen, de hippe boetieks, de exclusieve winkels, het neuzen.

Ik miste de stad. Ik moest beter mijn best doen om naar het stadsleven terug te keren.

Op dat moment belde Kev. Kév. Mijn eerste liefde, mijn eerste obsessie voor iets wat niet gerelateerd was aan Billy Idol of Duran Duran. We kregen verkering op de middelbare school en waren de afgelopen acht jaar regelmatig overvallen door een intens 'je was mijn eerste liefde'-gevoel. We hadden in die periode natuurlijk relaties met anderen gehad, maar Kev was altijd op de achtergrond geweest. Hij was tenslotte van mij geweest voordat hij van iemand anders was. En ik was van hem geweest. Toen ik zijn naam zag op de avond dat ik het had uitgemaakt met mr. B, was het alsof er vers bloed door mijn aderen werd gepompt.

Kev – wat een fantastisch idee! Hij had zijn rechtenstudie net afgerond en probeerde waarschijnlijk te beslissen wat hij nu zou gaan doen. Ja, natuurlijk. Kév. Eindelijk. We waren inmiddels volwassen, we waren vertrouwd met elkaar, kenden elkaar en waren vrij. De mogelijkheden tolden razendsnel door mijn hoofd en binnen seconden had ik de situatie heel helder voor me: Kev en ik samen kon de perfecte oplossing zijn. Ik wist alles wat er over hem te weten was; er zouden geen vreselijke geheimen onder de oppervlakte verborgen zijn en we zouden het irritante flirtstadium kunnen overslaan, een aantrekkelijk vooruitzicht met het oog op de afspraakjes die ik had gehad. In plaats van helemaal overnieuw beginnen, konden Kev en ik de draad gewoon oppakken op het punt waar we gebleven waren. Ik kon binnen twee dagen gepakt hebben en met hem meegaan naar de stad die hij had uitgekozen: Chicago, Philadelphia, D.C., het kon me niet schelen. Ik moest weg van de lippen en levensverzekering van mr. B.

'Hallo... met Kev,' zei de stem aan de andere kant van de lijn. Hij klonk nog precies hetzelfde.

'Kev!' zei ik met een combinatie van opwinding, verwachting, nostalgie en hoop.

'Hé, raad eens?' zei hij. Mijn fantasie sloeg op hol. *Hij heeft een baan en wil dat ik met hem meega. Toe dan, Kev. Ik ben er klaar voor. Het antwoord is een volmondig 'ja'.*

'Ik ga trouwen,' zei Kev. Mijn knieën werden slap.

De volgende dag begon ik plannen voor Chicago te maken.

Een maand later ontmoette ik de cowboy die mijn ziel vertrapte in de rokerige bar. In de vier maanden die volgden bleef ik voorbereidingen treffen om te vertrekken. Terwijl ik af en toe werd achtervolgd door beelden van de ruige Marlboro Man die ik met Kerstmis in de bar had ontmoet, bleef ik mezelf vertellen dat het goed was dat hij nooit had gebeld. Ik kon niets gebruiken wat mijn voornemen om naar de beschaving terug te keren zou saboteren.

Terug naar de plek waar normale mensen leefden.

Ik besloot thuis te blijven tot na het huwelijk van mijn oudste broer Dave, dat in april zou plaatsvinden, en een paar weken later naar Chicago te vertrekken. Het was altijd mijn bedoeling geweest dat mijn periode thuis tijdelijk zou zijn, en binnenkort zou Chicago mijn nieuwe woonplaats zijn. Ik had het er altijd heerlijk gevonden: het levenstempo, het klimaat, de schattige katholieke jongens. Het leek heel natuurlijk om naar Chicago te verhuizen en het zou J duidelijk maken dat we uit elkaar waren.

J en ik waren nooit officieel uit elkaar gegaan. Ik was inmiddels maanden weg uit Californië en we waren zelfs af en toe bij elkaar op bezoek geweest, maar in de weken voor mijn broers bruiloft nam ik afstand van hem. Hoe langer ik bij hem weg was, des te duidelijker realiseerde ik me hoezeer onze relatie gebaseerd was geweest op mijn afhankelijkheid van hem. Hij kwam uit Orange County en was geboren en getogen in Newport Beach. Bij J (en zijn ouders) vond ik een gezellig, veilig thuis ver weg van mijn eigen thuis. Ik had een plek om in de weekenden naartoe te gaan, als de campus van de USC een spookstad was; ik had familie die altijd blij was om me te zien als ik op bezoek kwam; ik had een vertrouwde plek gevonden. Behaaglijk. Comfortabel.

Rond deze tijd begon J me te bellen en druk op me uit te oefenen om terug te komen naar Californië, iets waarvan ik wist dat het niet zou gebeuren hoewel ik nog niet voldoende moed had verzameld om hem dat te vertellen. Chicago zou die gelegenheid bieden. Ik moest gewoon nog even volhouden voordat ik hem het nieuws vertelde. J wilde weer bij elkaar zijn, wilde zorgen dat het klopte, wilde ernaartoe werken om te trouwen. *Ernaartoe werken om te trouwen.* Er was iets aan het gebruik van het woord 'werken' dat gewoon niet leek te kloppen. J hield echter vol: hij wilde dat het weer werd zoals eerst. Toen ik nog in Californië was. Toen ik nog helemaal van hem was.

Maar ik was over J heen. Mijn assortiment afspraakjes van de afgelopen paar maanden hadden er alleen toe gediend om duidelijk te maken dat ik er helemaal niet klaar voor was om me te settelen. De hartstocht die ik tijdens het eerste jaar van onze relatie voor J had gevoeld, was niet lang daarna vervangen door een behoefte aan stabiliteit, omdat Los Angeles ondanks alle feesten en winkels en glitter en glans van de nachten soms een verschrikkelijk eenzame plek kon zijn.

In de week voor het huwelijk van mijn broer besloot ik dat het tijd was. Omdat ik te laf was en te weinig welbespraakt om het op een behoorlijke manier door de telefoon uit te leggen, schreef ik J een lange, zoetsappige brief. Daarin raadde ik hem af om naar de bruiloft van mijn broer te komen en somde ik alle redenen op waarom we onze relatie volgens mij moesten beeindigen. Tot mijn verrassing stemde hij ermee in om niet naar de bruiloft te komen, maar hij vermeed het om over onze relatie te praten. 'Je kunt hier toch een paar weken naartoe komen,' zei hij. Ik wist niet zeker of hij zich realiseerde wat er in mijn brief had gestaan, maar zo was mijn relatie met J nu eenmaal geweest: duidelijk communiceren was niet ons sterkste punt.

Het weekend van de bruiloft van mijn broer bracht ik door in het gezelschap van Walrus, de beste vriend van mijn broer uit Connecticut. Met zijn bril en hartelijke manier van doen bleek hij precies de grappige afleiding te zijn die ik dat weekend nodig had. Mijn zus Betsy huilde en dreinde en knarsetandde omdat ze te jong was om uit te gaan met iemand van zevenentwintig. Walrus was heel erg lief en we waren onafscheidelijk. We zaten naast elkaar bij het repetitiediner en dolden tijdens het feest na afloop. We bleven die avond lang op, praatten, dronken bier en deden niets waar we spijt van zouden krijgen. Tijdens de plechtigheid glimlachte en knipoogde Walrus naar me. Ik glimlachte terug, voornamelijk omdat ik vrij was en me licht in mijn hoofd voelde over Chicago. Over mijn vrijheid. Over mijn toekomst.

Walrus was precies wat de dokter had voorgeschreven, al was het alleen voor dat weekend. Hij was het perfecte afspraakje, nam na de receptie afscheid van me met een kus en zei tegen me: 'Tot ziens op de volgende bruiloft.' Toen alle feestelijkheden voorbij waren en mijn broer en zijn bruid onderweg waren naar Hawaii, ging op zondagmiddag mijn telefoon over. Ik was ervan overtuigd dat het Walrus was die van het vliegveld belde om nog wat te kletsen en misschien te vertellen hoe fantastisch we het met elkaar hadden gehad.

Ik nam mijn telefoon op. 'Hallo?'

'Hallo, Ree?' zei de krachtige stem aan de andere kant van de lijn.

'Hallo, Walrus!' gilde ik enthousiast. Er viel een lange stilte.

'Walrus?' herhaalde ik.

De krachtige stem begon weer te praten. 'Misschien weet je niet meer wie ik ben, maar we hebben elkaar vlak voor Kerstmis in de J-Bar ontmoet.'

Het was de Marlboro Man.

2

Jonge harten in vuur en vlam

We hadden elkaar precies vier maanden geleden ontmoet. Vier maanden sinds we bij de bar in elkaars ogen hadden gekeken. Vier maanden sinds zijn ogen en haar mijn knieën hadden veranderd in te lang gekookte noedels. Het was vier maanden geleden dat hij me de volgende dag, week, maand niet terugbelde. Ik was natuurlijk niet stil blijven staan, maar het stoere beeld van Marlboro Man had een onuitwisbare indruk achtergelaten.

Ik was begonnen aan het plannen van mijn verhuizing naar Chicago toen ik hem die avond ontmoette en daar was ik de volgende dag mee verdergegaan. En nu, eind april, stond ik op het punt om te vertrekken.

'O, hallo,' zei ik nonchalant. Ik vertrok bijna. Ik had dit niet nodig.

'Hoe is het met je?' vroeg hij. Hemel, die stem. Rasperig en diep en fluisterend en dromerig, allemaal tegelijk. Ik wist tot dat moment niet dat hij al een permanent plekje in mijn lichaam had. Mijn ziel herinnerde zich die stem.

'Goed,' antwoordde ik terwijl ik probeerde nonchalant, zelfverzekerd en krachtig over te komen. 'Ik ben mijn verhuizing naar Chicago aan het voorbereiden.'

'Echt waar?' vroeg hij. 'Wanneer ga je?'

'Over een paar weken,' antwoordde ik.

'O...' Hij zweeg even. 'Tja... wil je komende week een keer met me uit eten gaan?'

Dit was altijd het gênante deel. Ik was blij dat ik geen man was.

'Eh, natuurlijk,' zei ik. Ik wist dat het geen nut had om met hem uit te gaan, maar ik wist ook dat ik een etentje met de eerste en enige cowboy tot wie ik me ooit aangetrokken had gevoeld niet kon afslaan. 'Ik heb deze week niet veel te doen, dus...'

'Wat denk je van morgenavond?' ging hij verder. 'Ik haal je rond zeven uur op.'

Hij wist het niet, maar dat moment waarop hij de touwtjes in handen nam en van verlegen, stille cowboy naar zelfverzekerde, commanderende aanwezigheid transformeerde, had een intense invloed op me. Mijn interesse was officieel gewekt.

De volgende avond deed ik de voordeur van het huis van mijn ouders voor hem open.

Zijn gesteven blauwe denim overhemd viel me op, en seconden daarna zijn net zo blauwe ogen.

'Hallo,' zei hij glimlachend.

Die ogen. Hij keek intens in mijn ogen en ik in die van hem, seconden langer dan gebruikelijk was bij het allereerste begin van een eerste afspraakje. Mijn knieën – de knieën die op die avond vier maanden geleden in een aanval van onlogische begeerte in elastiek waren veranderd, waren weer net zo stevig als gekookte spaghetti.

'Hallo,' antwoordde ik. Ik droeg een zijdeachtige, zwarte broek, een paars shirt met v-hals en zwarte laarsjes met naaldhakken; een in het oog springend contrast met het natuurlijke, verbleekte denim dat hij had gekozen. Op het gebied van mode waren we elkaars tegenpolen. Terwijl ik moeizaam op mijn dunne hakken over de oprit liep, zag ik dat hij het ook in de gaten had.

We praatten tijdens het diner; áls ik al at was ik me daar niet van bewust. We praatten over mijn jeugd op de golfbaan en over zijn jeugd op het platteland. Over mijn vader, die arts was en over zijn vader, de veehouder. Over mijn levenslange toewijding aan ballet, over zijn levenslange passie voor football. Over mijn broer Mike, over zijn oudere broer Todd, die was overleden toen hij een tiener was. Over Los Angeles en beroemdheden, over koeien en landbouw. Aan het eind van de avond had ik er geen idee van wat ik allemaal had gezegd. Het enige wat ik wist, was dat ik naast een cowboy in zijn Ford F250 diesel pick-up zat en dat er geen plek op aarde was waar ik liever wilde zijn.

Hij liep met me mee naar de deur, de deur waar ik al veel vaker door puisterige middelbare-schooljongens en een paar aanbidders naartoe was gebracht. Dit keer was het echter anders. Gróter. Ik voelde het. Ik vroeg me heel even af of dat ook voor hem gold.

Plotseling bleef de hak van mijn laars haken in wat verbrokkelde specie tussen de steenrode bestrating van de oprit. In een fractie van een seconde zag ik mijn leven en elk greintje trots dat ik bezat aan me voorbijflitsen terwijl mijn lichaam naar voren schoot. Ik ging vallen – recht voor de voeten van de Marlboro Man. Ik was een idioot, zei ik tegen mezelf, een sukkel, een enorme klungel. Ik wilde wanhopig graag met mijn vingers klikken en mezelf naar Chicago toveren, waar ik thuishoorde, maar mijn handen hadden het te druk met voor mijn lichaam fladderen in een poging mijn lichaam te beschermen bij de val.

Ik werd echter opgevangen. Was het een engel? Op een bepaalde manier wel. Het was Marlboro Man, die dankzij zijn ervaring met vee de snelle reflexen had die nodig waren om mij, zijn ongecoördineerde afspraakje, van een zekere ondergang te redden. Toen het gevaar eenmaal geweken was lachte ik zenuwachtig en gegeneerd. Marlboro Man grinnikte vriendelijk. Hij hield mijn armen nog steeds vast, met dezelfde sterke cowboygreep die hij daarnet had gebruikt om me te redden. Waar waren mijn knieën? Ze hoorden niet langer bij mijn lichaam.

Ik keek naar Marlboro Man. Hij grinnikte niet meer. Hij stond recht voor me en hield mijn armen nog steeds vast.

Ik was altijd gek op jongens geweest. Van de middelbareschooljongens die in het zwembad als badmeester werkten toen ik een klein meisje was tot de Izod-dragende caddies die over de golfbaan slenterden; leuke jongens waren gewoon een van mijn favoriete onderwerpen. Toen ik midden twintig was, was ik enthousiast uitgeweest met zowat elke categorie leuke jongen onder de zon zoals Kev de Ierse katholiek, Skipper de Lichtgeraakte, Shane de Vechtersbaas, Colin de Speelse, J de Surfer, mr. B de Onstabiele en daartussendoor nog vele anderen.

Eén categorie had ik echter nog nooit gehad. Een cowboy. Ik had nog nooit gepraat met een cowboy, laat staan dat ik er een had gekend, laat staan dat ik er ooit met een was uitgeweest, en ik had er beslist, absoluut, heel zeker nog nooit een gekust. Tot die avond op de veranda van mijn ouders, een paar weken voordat ik aan mijn nieuwe leven in Chicago zou beginnen. Nadat hij me manmoedig had gered van een smak op mijn gezicht, voegde ik de categorie cowboy, het westernfilmkarakter dat voor me stond, na een krachtige, romantische, heerlijke, perfecte kus aan mijn datingrepertoire toe.

De kus. Ik zal me deze kus herinneren tot mijn laatste ademhaling, dacht ik. *Ik zal me elk detail herinneren. De sterke, eeltige handen die mijn bovenarmen vastpakken. De stoppelbaard die zacht tegen mijn kin wrijft. De vage geur van het leer van zijn laarzen. Het gesteven denim overhemd onder mijn handpalmen, die langzamerhand hun weg hebben gevonden rond zijn slanke, gebeeldhouwde middel...*

Ik weet niet hoe lang we daar stonden in de eerste omarming

van ons leven samen. Maar ik weet wel dat mijn leven zoals ik me dat altijd had voorgesteld na die kus voorbij was.

Ik wist het alleen nog niet.

Hij belde de volgende ochtend om zeven uur. Ik was diep in slaap en droomde over de kus die mijn bestaan de vorige avond op zijn grondvesten had laten schudden. Marlboro Man was echter al op vanaf vijf uur. Hij legde uit dat hij twee uur had gewacht voordat hij me belde, omdat hij veronderstelde dat ik het type niet was om vroeg op te staan. En dat was ook zo. Ik had nooit begrepen waarom een normaal mens vóór acht uur 's ochtends op zou moeten staan en bovendien was de kus behoorlijk wereldschokkend geweest. Ik moest hem al slapende verwerken.

'Goedemorgen,' zei hij. Ik gaapte. Die stem weer.

'O, hallo,' antwoordde ik terwijl ik uit bed sprong en probeerde te doen alsof ik al uren op was en steps had gedaan en de azaleastruiken van mijn moeder had gesnoeid en een wandeling had gemaakt.

'Sliep je?' vroeg hij.

'Nee, nee, helemaal niet,' antwoordde ik. 'Natuurlijk niet.' Mijn stem was dik en krakerig.

'Je sliep, hè?' Ik vermoedde dat hij een uitslaper herkende als hij er een hoorde.

'Nee, dat is niet zo, ik sta altijd heel vroeg op,' zei ik. 'Ik ben een echt ochtendmens.' Ik probeerde te verbergen dat ik hartgrondig gaapte.

'Dat is vreemd. Je stem klinkt alsof je nog sliep,' drong Marlboro Man aan. Hij liet me er niet mee wegkomen.

'O... eh... dat komt gewoon omdat ik vandaag nog met niemand heb gepraat en bovendien heb ik wat voorhoofdsholteproblemen,' zei ik. Dat klinkt aantrekkelijk, Ree. 'Maar ik ben al een tijd op.'

'Ja? Wat heb je allemaal gedaan?' vroeg hij. Hij genoot.

'O, je weet wel, dingen.' Dingen. Dat is een goeie, Ree.

'Echt? Wat voor dingen bijvoorbeeld?' vroeg hij. Ik hoorde hem zachtjes grinniken, net als hij de vorige avond had gedaan toen hij me had opgevangen. Zijn lachje kon stormachtige wateren tot bedaren brengen. Wereldvrede realiseren.

'O, gewoon dingen. Vroege-ochtend-dingen. Dingen die ik doe als ik 's ochtends heel vroeg opsta...' Ik probeerde opnieuw overtuigend te klinken.

'Tja,' zei hij. 'Ik wil je niet afhouden van je "vroege-ochtend-dingen". Ik wilde je alleen vertellen... Ik wilde je alleen vertellen dat ik het gisteravond heel erg naar mijn zin heb gehad.'

'Is dat zo?' antwoordde ik terwijl ik de slaap uit mijn rechterooghoek veegde.

'Ja,' antwoordde hij.

Ik glimlachte en deed mijn ogen dicht. Wat gebeurde er met me? Deze cowboy – deze sexy cowboy die zo plotseling mijn leven was binnen gegaloppeerd en me onmiddellijk had ondergedompeld in een ouderwetse liefdesroman – belde me een paar uur nadat hij me bij mijn voordeur had gekust om me te vertellen dat hij het naar zijn zin had gehad.

'Ik ook,' was het enige wat ik kon uitbrengen. Jezus, ik was lekker bezig. 'Gewoon dingen' en 'ik ook' in één gesprek. Marlboro Man zou beslist verpletterd zijn door mijn welbespraaktheid. Ik was zo verliefd dat ik niet eens samenhangende zinnen kon formuleren.

Ik had een ernstig probleem.

Die avond gingen we voor de tweede keer uit en daarna een derde keer en daarna een vierde keer. Na elk afspraakje belde mijn nieuwe liefdesromannetjesheld me om onze afspraak te bezegelen met een paar lieve woordjes.

Voor afspraak nummer vijf nodigde hij me uit in zijn huis op de ranch. Er ontwikkelde zich duidelijk iets tussen ons en hij wilde dat ik zag waar hij woonde. Ik was niet in de positie om nee te zeggen.

Omdat ik wist dat zijn ranch nogal afgelegen lag en er niet veel restaurants in de buurt waren, bood ik aan om boodschappen mee te nemen en voor hem te koken. Ik piekerde er urenlang over wat ik moest maken voor deze gespierde nieuwe man in mijn leven; het was duidelijk dat de gemiddelde keuken niet voldeed. Ik dacht terug aan alle gerechten uit mijn mondaine stadsmeisjesrepertoire, waarvan ik er veel had opgepikt tijdens mijn jaren in Los Angeles. Uiteindelijk besloot ik een niet-vegetarisch gerecht te maken: linguini met mosselsaus, een favoriet van onze gezinsvakanties in Hilton Head.

Ik maakte het heerlijke, aromatische meesterstuk van boter, knoflook, mosselen, limoen, wijn en room in Marlboro Mans keuken met grenenhouten kasten. Terwijl ik daar stond en de overgebleven witte wijn dronk, bewonderde ik de vruchten van mijn culinaire werk. Ik was ervan overtuigd dat het een succes zou zijn.

Ik had echter geen idee waar ik mee bezig was. Ik had geen idee dat deze veehouder van de vierde generatie geen gehakte mosselen at, laat staan gehakte mosselen die baadden in wijn en room en die werden opgediend met lange, onhandige slierten die lastig te eten waren.

Toch at hij. En gelukkig voor hem ging zijn telefoon toen hij iets meer dan de helft van zijn bord leeg had. Hij verwachtte een belangrijk telefoontje, zei hij, en hij verontschuldigde zich. Het duurde ruim tien minuten. Ik wilde niet dat hij honger zou hebben – deze grote, sterke veehouder – dus toen ik vermoedde dat het telefoongesprek bijna klaar was, liep ik met zijn bord naar het fornuis en schepte een nieuwe dampende berg vis met pasta op zijn bord. Marlboro Man glimlachte beleefd toen hij weer aan tafel ging zitten en at de helft van de tweede portie voordat hij zijn stoel bij de tafel wegduwde en verkondigde: 'Jezus, wat zit ik vol.'

Ik realiseerde me op dat moment niet hoe romantisch het gebaar was geweest.

Later die avond, toen ik weer thuis was, glimlachte ik toen mijn telefoon overging. Ik begon er gewend aan te raken om zijn stem te horen.

'Hallo,' zei de stem aan de andere kant van de lijn. Maar de stem was anders. Hij was helemaal niet rasperig.

'We moeten praten,' zei de stem.

Het was J.

3

Nog een poging

In de weken voor Dougs bruiloft had ik mijn bezorgdheid over onze relatie voorzichtig met J gedeeld en net voor de bruiloft had ik hem verteld over mijn plan om naar Chicago te verhuizen. Maar omdat ik in L.A. altijd klaar had gestaan voor J, besefte hij niet dat ik het echt ging doen. Ik dacht dat ik duidelijk genoeg was geweest toen ik maanden geleden niet met hem mee was gegaan naar San Francisco, maar hij beschouwde het gewoon als een tijdelijke bevlieging. J ging ervan uit dat het slechts een kwestie van tijd was voordat ik terug zou zijn. Ik kon het hem niet kwalijk nemen. Er was een tijd geweest waarin ik dat inderdaad gedaan zou hebben. In de dagen na de bruiloft van mijn broer werd hij steeds ongeruster omdat hij voelde dat ik me van hem losmaakte.

Hij kon het gewoon niet geloven.

Intussen bracht ik elke avond door met Marlboro Man, mijn nieuwe, spannende cowboyheld, en ik raakte met elke dag die voorbijging dieper onder de indruk van hem. Ik had die hele week nauwelijks aan J gedacht. Naïef misschien, maar dat effect had Marlboro Man op me: ik kon niet meer helder nadenken.

'Ik kom morgen naar je toe,' zei J met een onvriendelijke klank in zijn stem.

O, nee. Wat was dit?

'Kom je morgen híér naartoe?' vroeg ik hem. 'Waarom?' Mijn stem was koud. Ik vond mezelf niet prettig overkomen.

'Wat bedoel je daarmee?' vroeg hij. 'Ik moet met je praten, Ree.'

'We praten nu toch…' antwoordde ik. 'Laten we nú praten.' (En schiet alsjeblieft een beetje op, want Marlboro Man kan elk moment bellen.)

'Het kan even duren,' zei hij.

Ik keek op mijn horloge. 'Ik dacht dat we alles min of meer uitgepraat hadden,' zei ik. 'Ik dacht dat je begreep hoe het ervoor staat.'

'Hoe het ervoor staat?' snauwde J. 'Waar heb je het verdomme over?' Dit gesprek ging snel bergafwaarts.

'Ik weet niet wat er verder nog te bespreken is,' antwoordde ik. 'Ik heb je verteld… dat ik denk dat we allebei onze eigen weg moeten gaan.'

'Daar neem ik geen genoegen mee,' antwoordde hij. 'En ik kom naar je toe zodat we erover kunnen praten.'

'Wacht even,' zei ik. 'Heb ik daar niets over te zeggen?'

'Nee, dat heb je inderdaad niet,' ging hij verder. 'Ik denk dat je niet goed weet waar je mee bezig bent.'

Ik had slaap, mijn hoofd tolde, ik was high van de geur van Marlboro Mans aftershave en ik was niet van plan om me dat af te laten pakken door J's zwartgalligheid. 'J,' zei ik terwijl ik zo direct mogelijk probeerde te zijn. 'Kom niet. Er is geen enkele reden om hier naartoe te komen.' Ik zei dat hij me de volgende dag mocht bellen als hij dat wilde en we hingen op.

Ik voelde me melancholiek en haalde diep adem. Ik wilde dat relaties die niet meer liepen op een gemeenschappelijke basis konden eindigen en dat de ex-partners bevriend konden blijven, zonder dat een van de partijen zich gekwetst en afgewezen voelde. Daarna viel ik in slaap en droomde de droom die ik wilde dromen, over Marlboro Man en zijn laarzen en zijn lippen en zijn sterke, onmogelijk mannelijke omhelzing. En toen mijn telefoon de volgende ochtend om zeven uur overging, was ik blijer dan ooit om de stem van Marlboro Man te horen. We maakten een afspraak voor die avond en ik dacht er helemaal niet aan dat J de vorige dag had aangekondigd dat hij naar Oklahoma zou vliegen om me te spreken. Op de een of andere manier dacht ik dat het voldoende was dat ik 'kom niet' had gezegd. Nu realiseer ik me hoe iemand kan opgaan in een nieuwe liefde, of het nu een echtgenoot is die vreemdgaat of een opstandige tiener of een frivool stadsmeisje in de armen van een cowboy. Op dat moment was ik gewoon zo dronken van de opwinding die Marlboro Man me bezorgde dat niets wat J had gezegd – zelfs niet 'ik kom morgen' – echt tot me was doorgedrongen.

Ontkenning is een sterke reactie.

Het enige wat ik de volgende ochtend aan mijn hoofd had was mijn afspraak met Marlboro Man. Hij was mijn nieuwe hobby geworden, mijn nieuwe bezigheid, mijn interesse in het leven. Marlboro Man had me op zijn ranch uitgenodigd en had gezegd dat hij dit keer zou koken. Het kon me niet veel schelen wat de plannen waren; ik wilde hem gewoon weer zien. Ik wilde bij hem zijn. Ik wilde meer over hem te weten komen en hem een uur lang kussen bij het afscheid. Of twee uur. Dat was het enige waaraan ik dacht toen ik die ochtend van de oprit van mijn ouders wegreed om boodschappen te gaan doen.

Op het moment dat mijn auto plotseling over een hobbel reed, wist ik dat er iets vreselijks was gebeurd. Ik keek in mijn achteruitkijkspiegel en zag tot mijn afgrijzen dat ik Puggy Sue had overreden. Puggy Sue, de dikke mopshond die zich in mijn armen had genesteld op de dag dat ik was teruggekomen uit Californië en die min of meer mijn kind was geworden nu ik thuis was, lag jankend, kronkelend en niet in staat om haar achterpoten te bewegen op de oprit van mijn ouders.

Mijn moeder, die Puggy's gejank had gehoord, rende naar buiten, pakte haar op en ging meteen met haar naar de dierenarts. Binnen een halfuur belde ze me om het nieuws te vertellen waarbij ik me eigenlijk al had neergelegd: Puggy Sue, mijn kleine hoopje lichtbruine liefde, was dood.

Ik bracht de uren daarna door in foetushouding, waarbij mijn hersenen de plotselinge dood van Puggy telkens weer afspeelden. Mijn broer Mike kwam zodra hij het nieuws had gehoord naar me toe en troostte me langer dan een uur. Hij streelde mijn haar teder en zei: 'Het is g-g-goed... je k-k-kunt een andere m-m-mopsh-h-hond nemen,' waardoor ik nog harder begon te huilen.

Maar toen de telefoon rond het middaguur overging, sprong ik uit bed en beval Mike om geen woord te zeggen. Daarna haalde ik diep adem, veegde mijn tranen weg en zei vrolijk: 'Hallo?'

Het was Marlboro Man, die belde om me de ingewikkelde weg naar zijn ranch nog een keer uit te leggen en te vragen hoe laat ik zou komen omdat hij met de minuut ongeduldiger werd. Ik bedacht dat J in alle jaren dat we een relatie hadden gehad nog nooit zoiets tegen me had gezegd. Mijn maag verkrampte en mijn keel voelde dik terwijl ik met mijn nieuwe vlam probeerde te praten alsof er niets aan de hand was. Toen ik had opgehangen, zei Mike: 'W-w-w-wie was dat?' Ik snoof, snoot mijn neus en vertelde dat het een man was.

'Wie?' vroeg Mike.

'Een of andere cowboy,' zei ik. 'Ik ga vanavond naar zijn huis.'

'Oooo, m-m-mag ik mee?' Hij had een duivels glimlachje op zijn gezicht.

Ik zei dat hij niet mee mocht en dat hij moest weggaan omdat ik ging douchen. Mike vertrok beledigd.

Terwijl ik mijn haar föhnde ter voorbereiding op de avond die voor me lag, probeerde ik niet meer aan Puggy Sue te denken door me te concentreren op wat ik zou dragen: mijn Anne Klein-spijkerbroek, een antracietgrijze, geribbelde coltrui en mijn vertrouwde zwarte laarzen met naaldhakken. Perfect voor een avond in het huis van een cowboy. Voordat ik mijn make-up aanbracht, rende ik naar de keuken om de twee lepels te pakken die ik altijd in de vriezer bewaarde. Ik legde ze op mijn ogen om de zwelling te verminderen – een truc die ik had gelezen in een boek van Brooke Shields uit het midden van de jaren tachtig. Ik wilde er niet uitzien alsof ik de hele dag had gehuild om de dood van een huisdier.

Even later begon ik aan de rit naar zijn ranch, die een uur duurde. Marlboro Man had me de vorige avond opgehaald en weer thuisgebracht, maar dat durfde ik hem niet opnieuw te vragen en bovendien hield ik van autorijden. De langzame overgang van de wegen in de bewoonde wereld naar de onverharde plattelandswegen kalmeerde me en wond me tegelijkertijd op. Waarschijnlijk omdat de man op wie ik elke dag gekker werd aan het eind van die onverharde plattelandsweg woonde. Ik wist niet zeker hoe lang ik – of mijn zielige banden – dit vol zou houden.

Mijn Toyota was net de grens van mijn district naar dat van hem gepasseerd toen het doordringende geluid van mijn autotelefoon klonk. Ik nam aan dat het Marlboro Man was die wilde weten waar ik was.

'Hallo?' Ik nam op, kwijlend van romantische verwachting.

'Hallo,' zei de stem. Het was J.

'O, hallo,' zei ik. Ik voelde me ineenschrompelen van teleurstelling.

'Ik ben op het vliegveld,' zei hij.

Haal diep adem. Kijk naar de prairie. Kon deze dag nog erger worden? Adem uit. 'Je bent op het vliegveld?' vroeg ik.

'Ik had je toch verteld dat ik zou komen,' zei hij.

'J, nee... Echt...' smeekte ik. Dit kon ik er niet bij hebben. 'Ik heb tegen je gezegd dat ik het geen goed idee vond.'

'En ik heb tegen je gezegd dat ik toch kwam,' antwoordde hij.

Ik antwoordde zo helder en eenvoudig als ik kon. 'Stap niet op het vliegtuig, J. Kom hier niet naartoe. Ik bedoel... begrijp je wat ik zeg? Ik vraag je niet te komen.'

'Ik sta op jóúw vliegveld,' zei hij. 'Ik ben er al.'

Ik stopte in de berm van de tweebaansweg, kneep met mijn duim en wijsvinger in mijn neusrug, deed mijn ogen dicht en probeerde uit alle macht om terug te spoelen naar het moment vóór ik de telefoon had opgepakt zodat ik mezelf ervan kon overtuigen dat ik dat níét had gedaan. 'Je bent hier?' vroeg ik. 'Je maakt een grapje, nietwaar?'

'Nee, ik maak geen grapje,' zei J. 'Ik ben hier. Ik moet je spreken.'

Ik stond verbijsterd en beteuterd in de berm. Dit had ik niet gepland voor vanavond.

'J...' Ik wachtte even en dacht na. 'Ik weet niet wat ik moet zeggen. Ik bedoel, ik heb je gevraagd om niet te komen. Ik heb tegen je gezegd dat het geen goed idee was.' Ik dacht aan de zachte, fluweelachtige oren van Puggy Sue.

'Waar ben je?' vroeg hij.

'Ik... ben op weg naar een vriend,' antwoordde ik. *Vraag me alsjeblieft geen details.*

'Tja, dan denk ik dat je je plannen moet veranderen, vind je niet?' vroeg hij.

Het was een redelijke vraag. En terwijl ik in de berm van de provinciale weg stond en naar de ondergaande zon keek, wist ik niet wat ik moest doen. Aan de ene kant was ik de vorige dag heel duidelijk tegen J geweest, zo duidelijk als mogelijk was. Er had geen greintje dubbelzinnigheid in mijn 'kom niet' gezeten. Aan de andere kant was J – die in minder intense omstandigheden heel fatsoenlijk was – lange tijd belangrijk voor me geweest en had hij 2700 kilometer gevlogen om met me te kunnen praten. Toch vroeg ik me af wat het zou opleveren als ik hem zag. We konden nauwelijks door de telefoon met elkaar praten zonder dat het gesprek vastliep. Hoeveel beter zou dat onder vier ogen zijn, vooral omdat ik honderd procent zeker wist dat de relatie wat mij betreft voorbij was. Bovendien was ik over Puggy Sue heen gereden: ik had niet veel emotionele reserves meer.

En daarnaast… wachtte Marlboro Man op me.

Ik stuurde mijn auto de weg op en reed verder in westelijke richting naar de ranch. 'J, ik kom niet,' zei ik. De stilte aan de andere kant van de lijn leek eindeloos te duren. De daaropvolgende klik, van J die ophing, was zo zacht dat het bijna oorverdovend was.

4

Een hysterische vrouw

De rest van de rit naar de ranch van Marlboro Man wachtte ik gespannen tot de telefoon opnieuw en opnieuw en opnieuw zou overgaan. Ik wisselde tussen wanhoop omdat ik Puggy op de oprit had zien worstelen en janken en stuiptrekken en een knagend gevoel van berouw omdat ik mijn relatie met J had verbroken via de telefoon. Ik vond het niet prettig om de wanhoop te horen in zijn stem, die altijd zo ontspannen en kalm was. Ik vond het niet prettig om iemand anders pijn te doen.

Ik had het verbreken van onze relatie doelbewust langzaam aangepakt, meelevend en voorzichtig, en had mijn uiterste best gedaan om de man die gedurende mijn jaren in Californië het meest voor me had betekend geen pijn te doen. Maar terwijl ik over de stille weg reed realiseerde ik me dat het niet mogelijk was om iemands hart geleidelijk te breken, hoezeer je ook dacht dat het zou helpen als je het proces rekte. Er komt altijd een moment waarop het breken werkelijk plaatsvindt, waarop het mes uiteindelijk in de ingewanden verdwijnt, waarop alle plannen en hoop voor de relatie een gewelddadige, bloederige dood sterven. Het moment waarop de echte pijn begint.

Was het verkeerd van me om niet om te draaien en J een uur van mijn tijd te gunnen? Maar wat zou een gesprek onder vier ogen kunnen opleveren? Tranen? Smeken? Een aanzoek misschien? Alles was op dit moment mogelijk en ik kon geen van deze dingen verdragen. Goed of fout, ik wist dat ik in westelijke richting naar Marlboro Man moest blijven rijden. Mijn leven met J was voorbij.

Mijn telefoon zweeg tot ik de grindoprit bij Marlboro Mans huis op reed. Ik controleerde mijn make-up in de achteruitkijkspiegel en slikte heftig in een poging het brok in mijn keel met de omvang van een grapefruit weg te krijgen. Daarna dacht ik weer aan Puggy. Ik was zo gek op die hond. Ze hoorde niet in de aarde, ze hoorde op mijn schoot. En haar oren hoorden tussen mijn vingers. Ik hield van die fluwelen oren.

Ineens zag ik iemand naast mijn portier staan. Het was Marlboro Man, die naar buiten was gekomen om me te begroeten. Zijn spijkerbroek was schoon, zijn gesteven overhemd zat in zijn broek. Ik kon zijn gezicht niet zien, hoewel ik dat dolgraag wilde. Ik stapte uit de auto, glimlachte en keek met samengeknepen ogen naar hem op. De zonsondergang op de prairie vormde de achtergrond voor zijn gebeeldhouwde lichaam. Het was een prachtig plaatje en een sterk contrast met alle lelijkheid die me die dag had omringd. Hij deed het portier achter me dicht en kwam naar me toe voor een omhelzing die alle emotionele brandstof bevatte die ik nodig had om te blijven ademhalen. Op dat moment voelde ik eindelijk dat het goed zou komen.

Ik glimlachte en deed of ik vrolijk was. Ik volgde hem naar de keuken en liet hem niet merken dat ik zo'n afschuwelijke dag achter de rug had gehad. Ik was nooit goed geweest in het tonen van mijn gevoelens en ik was absoluut niet van plan om daar nu mee te beginnen, op de zesde afspraak met de meest sexy, mannelijke man die ik ooit had ontmoet. Maar ik wist dat ik machteloos was op het moment dat Marlboro Man naar me keek. 'Is alles goed?' vroeg hij.

Weet je hoe het voelt als je je niet goed voelt en iemand vraagt of je je goed voelt, en je zegt dat je je goed voelt en je doet alsof je je goed voelt, maar je begint te beseffen dat je je écht niet goed voelt? Je neus begint te prikken en je keel zwelt op en je kin begint te trillen en je zegt tegen jezelf: in de naam van alles wat goed en heilig is, doe dit niet. *Doe dit niet...* Maar je bent niet bij machte om het tegen te houden en je probeert het gevoel weg te knipperen en uiteindelijk denk je dat je jezelf onder controle hebt. Maar dan komt de cowboy voor je staan en glimlacht teder en zegt: 'Weet je dat zeker?'

Die vier eenvoudige woorden openden de sluizen. Ik glimlachte gegeneerd, zelfs toen er twee grote, dikke tranen over mijn wangen rolden. Ik bleef lachen en blies een explosie van snot uit mijn neus. Van alle dingen die die dag waren gebeurd, was dat moment misschien het ergst.

'O, lieve hemel, ik kan niet geloven dat ik dit doe,' zei ik terwijl er twee nieuwe tranen naar beneden rolden. Ik haastte me naar het aanrecht, pakte een stuk keukenrol en veegde het zoute vocht van mijn gezicht en het overvloedige slijm van mijn neus. 'Het spijt me zo.' Ik haalde diep adem en mijn borstkas trok samen en verkrampte. Dit was een erge huilbui. Het was afgrijselijk.

'Hé... wat is er aan de hand?' vroeg Marlboro Man. De arme man voelde zich net zomin op zijn gemak als ik. Hij was tenslotte opgegroeid op een veeranch, met twee broers, zonder zussen, en een moeder die waarschijnlijk net zo weinig theatraal was als ik op dat moment wilde zijn. Hij had een rustig leven op de ranch geleid, geïsoleerd van de dramatiek van het stadsleven. Afgaand op wat hij me tot nu toe had verteld, had hij niet veel vrouwen over de vloer gehad voor het avondeten. En nu had hij er een in zijn keuken die onbeheerst snikte. Ik kan beter stoppen met huilen en van deze avond genieten, hield ik mezelf voor. Hij nodigt me hierna niet meer uit voor etentjes. Ik snoot mijn neus in het stuk keukenrol en wilde me het liefst in de badkamer verstoppen.

Hij pakte mijn arm, veel voorzichtiger dan toen hij me na ons eerste afspraakje had opgevangen. 'Kom eens hier,' zei hij terwijl hij me naar zich toe trok en zijn armen rond mijn middel sloeg. Ik stierf duizend doden terwijl hij fluisterde: 'Wat is er aan de hand?'

Wat kon ik zeggen? *O, niets, het komt gewoon doordat ik de relatie met mijn vriend uit Californië langzaam verbreek en dat ik heb gezegd dat hij vorige week niet naar de bruiloft van mijn broer mocht komen en dat ik dacht dat alles in orde was en gisteravond belde hij toen ik weer thuis was nadat ik linguini met mosselsaus voor je had gemaakt wat je zo lekker vond en hij zei dat hij vandaag hiernaartoe zou vliegen en ik antwoordde dat hij dat niet moest doen omdat we niets meer te bespreken hadden en ik dacht dat hij het begreep en terwijl ik daarnet hiernaartoe reed belde hij me en het blijkt dat hij op dit moment op het vliegveld staat maar ik heb besloten om niet naar hem toe te gaan omdat ik geen groot emotioneel drama wil* (Je bedoelt zo een als zich op dit moment in de keuken van Marlboro Man afspeelt?) *en ik merk dat ik twijfel tussen verdriet over het eind van onze relatie die vier jaar heeft geduurd en berouw omdat ik niet naar hem toe ga en verwarring over mijn aanstaande verhuizing naar Chicago en waar blijven jij en ik en onze brandende liefde dan?*

'Ik heb mijn hond vandaag overreden!' snikte ik en ik kreeg opnieuw een enorme huilbui. Marlboro Man had zijn armen stevig om me heen geslagen. Hij wist heel goed dat hij me op dit moment alleen zijn armen kon bieden. Ik had mijn gezicht tegen zijn hals gedrukt en ik bleef lachen, riep af en toe 'het spijt me' tussen mijn snikken door en hoopte tevergeefs dat het lachen uiteindelijk de overhand zou krijgen. Ik wilde hem over J vertellen, het hele verhaal achter mijn onverwachte uitbarsting, maar het enige wat ik kon uitbrengen was dat ik mijn hond had overreden. Dat was gemakkelijker uit te leggen. Marlboro Man kon dat begrijpen. Maar de niet uitgenodigde ex-vriend die op het vliegveld rondhing? Dat was meer informatie dan ik vanavond kon delen.

Hij bleef me vasthouden tot ik kalmeerde en de stroom snot

begon op te drogen. Ik deed mijn ogen open en zag dat ik in een ander land was, Het Land Van Zijn Omhelzing. Het was een vredige, rustgevende, veilige plek.

Marlboro Man gaf me een laatste troostende omarming voordat onze lichamen eindelijk scheidden en leunde daarna nonchalant tegen het aanrecht. 'Hé, als het je een beter gevoel geeft,' zei hij, 'kan ik je vertellen dat ik zoveel honden heb overreden dat ik het niet eens meer kan tellen.'

We deelden de maaltijd die door Marlboro Man was bereid en die bestond uit ribeye, gebakken aardappelen en maïs. Ik was zeven jaar lang vegetariër geweest voordat ik naar Oklahoma terugkeerde en in die tijd was geen stukje vlees mijn lippen gepasseerd, waardoor mijn eerste hap ribeye een schokkende ervaring was. De stress van de dag was weggesmolten in Marlboro Mans armen en nu redde diezelfde man me voor altijd van een leven zonder vlees. Wat er ook tussen de cowboy en mij ging gebeuren, ik wilde nooit meer zonder biefstuk leven, dacht ik.

We deden de afwas en praatten over de ranch, over mijn baan in L.A., over het stadje dat het dichtst bij zijn ranch lag, over onze familie. Daarna gingen we op de bank zitten om naar een actiefilm te kijken. Af en toe stopten we met kijken om elkaar eraan te herinneren waarom God lippen had uitgevonden. Ik vond het eigenaardig dat Marlboro Mans ademhaling, hoewel hij sexy en vurig was, niet versnelde. Het verbaasde me omdat hij niet alleen mannelijk en viriel was, maar ook bijzonder afgelegen woonde, met een beperkt aantal vrouwen binnen een straal van dertig kilometer. Je zou verwachten dat hij zich gemakkelijker dan anderen zou kunnen verliezen in een verhit moment. Dat was echter niet zo. Hij was door en door een heer, weliswaar een zinderende heer die me liet kennismaken met een heel nieuw universum van dierlijke aantrekkingskracht, maar toch een heer. En hoewel mijn kwik snel steeg, leek dat van hem geen haast te hebben.

Na de aftiteling liep hij met me naar de auto en bood aan om achter me aan te rijden als ik dat wilde. 'O nee,' zei ik. 'Ik kan alleen rijden, dat is geen enkel probleem.' Ik had jarenlang in L.A. gewoond, dus alleen rijden maakte me niet uit. Ik startte de motor en keek hem bewonderend na terwijl hij naar de voordeur terugliep. Hij draaide zich om en zwaaide, en toen hij naar binnen liep voelde ik meer dan ooit dat ik een ernstig probleem had. Waar was ik mee bezig? Waarom was ik hier? Ik bereidde mijn verhuizing naar Chicago voor – thuisland van de Cubs en Michigan Avenue en de metro. Waarom begon ik hier dan aan?

En waarom voelde het zo ongelooflijk goed?

Ik reed van Marlboro Mans oprit rechtsaf de onverharde weg op. Ik haalde diep adem om mezelf voor te bereiden op de kalme rit die voor me lag en mijn gedachten gingen plotseling naar J. God alleen wist waar hij op dit moment was. Ik wist niet of hij me de hele avond had gebeld, want in het midden van de jaren negentig bezaten autotelefoons geen gemiste-oproepfunctie. Ik wist ook niet of J met een kettingzaag of bijl naar het huis van mijn ouders was gegaan, want ze waren de stad uit. Aan de andere kant was J nooit het kettingzaag-type geweest.

Terwijl ik in de inktzwarte nacht over de bochtige, stoffige plattelandsweg reed, merkte ik dat ik tevreden en tegelijkertijd van streek was – een vreemde combinatie die werd veroorzaakt door de gebeurtenissen van die dag – en ik begon na te denken over mijn verhuizing naar Chicago en mijn plannen om rechten te gaan studeren. Was het de juiste keus? Was het verstandig? Of was het gewoon de gemakkelijkste weg? Een poging om te ontsnappen aan creativiteit? Aan het nemen van risico's?

Het luide gerinkel van mijn autotelefoon onderbrak mijn overpeinzingen. Geschrokken nam ik op, waarschijnlijk was het J die vanaf het vliegveld belde en dat de hele avond al deed. Opnieuw een telefonische confrontatie, maar in elk geval was ik er dit keer op voorbereid. Ik had net een vier uur durende dosis Marlboro Man gehad. Ik kon alles aan.

'Hallo?' zei ik terwijl ik mezelf schrap zette.

'Hallo,' zei de stem. De stem. Die stem. Die ene die mijn dromen vulde.

Het was Marlboro Man, die belde om te zeggen dat hij me miste, nog geen vijf minuten nadat ik bij zijn huis was weggereden. En zijn woorden waren niet geforceerd of van te voren bedacht, zoals de verplichte bos bloemen die na een afspraakje werd gestuurd. Ze waren impulsief. Spontaan. Het waren de woorden van een man die binnen seconden nadat hij iets bedacht ernaar handelde. Een man die, in zijn drukke leven op de ranch, geen tijd of behoefte had om te wachten voor hij een meisje belde, alleen om cool te zijn. Een man die gevoelens had voor een vrouw en haar belde net nadat ze net bij hem weg was gereden, gewoon om te vertellen dat hij wilde dat ze was gebleven.

'Ik mis jou ook,' zei ik, hoewel ik het moeilijk vond om dat te zeggen. Ik had mezelf aangepast na zoveel jaar met J, wiens koele karakter tot uiting kwam in bijna elk aspect van zijn leven. Hij was niet teder. Na een relatie van ruim vier jaar, kon ik me niet herinneren dat hij me ooit na een afspraakje had gebeld om te zeggen dat hij me miste. Zelfs nadat ik maanden geleden uit Californië was vertrokken, had hij me niet vaker dan om de drie of vier dagen gebeld, en soms zelfs nog minder. En hoewel ik mezelf nooit had beschouwd als een behoeftig meisje, was het feit dat J nooit zei dat hij van me hield uiteindelijk overduidelijk geworden.

Ik hing op nadat ik welterusten had gezegd tegen Marlboro Man, de geïsoleerde cowboy die er helemaal geen moeite mee had om de telefoon te pakken en 'ik mis je' te zeggen. Ik huiverde bij de gedachte dat ik het zo lang zonder had moeten stellen. En afgaand op de elektrische schokken die door elke cel van mijn lichaam raasden, realiseerde ik me wat een fundamentele menselijke behoefte dat is.

Ik merkte al snel dat richtingsgevoel in het donker net zo'n fundamentele menselijke behoefte is, namelijk op het moment dat ik me realiseerde dat ik de weg kwijt was. Hoe meer afslagen ik nam in mijn pogingen de juiste weg te vinden, des te erger ik verdwaalde. Het was bijna middernacht, het was koud en alle kruisingen zagen er hetzelfde uit. Ik voelde een enorme, onlogische paniek opkomen. Terwijl ik reed, herinnerde ik me alle horrorfilms met een landelijke setting die ik ooit had gezien. *Children of the Corn.* De kinderen van het maïs verstopten zich tussen het prairiegras, ik wist het gewoon. *Friday the 13th.*

Natuurlijk, die had zich afgespeeld in een zomerkamp, maar hetzelfde kon op een ranch gebeuren. *The Texas Chain Saw Massacre*. O, nee. Ik was dood. Leatherface kwam er aan, of erger nog, zijn krankzinnige, broodmagere, cynische broer.

Ik bleef nog een tijdje rijden, maar stopte toen langs de kant van de weg. Terwijl ik de weg voor me met mijn koplampen verlichtte, belde ik Marlboro Man op mijn autotelefoon en zocht tegelijkertijd naar Leatherface. Mijn hart sloeg razendsnel van pure angst en schaamte, mijn gezicht gloeide. Verdwaald en hulpeloos op een provinciale weg op dezelfde avond dat ik emotioneel was ingestort in zijn keuken... dat was niet hoe ik graag wilde overkomen bij deze nieuwe man in mijn leven. Maar ik had geen keus, behalve doelloos over de ene na de andere naamloze weg blijven rijden of in de berm parkeren en gaan slapen, wat eigenlijk geen optie was nu Norman Bates door het gebied zwierf. Samen met Ted Bundy. En Charles Manson. En Grendel.

Marlboro Man nam op. 'Hallo?' Waarschijnlijk sliep hij bijna.

'Eh... eh... hoi,' zei ik, scheel kijkend van schaamte.

'Hallo,' antwoordde hij.

'Met Ree,' zei ik. Ik wilde er zeker van zijn dat hij dat wist.

'Ja... dat weet ik,' zei hij.

'Eh, er is zoiets grappigs gebeurd,' ging ik verder terwijl ik me aan het stuur vastklampte. 'Het lijkt erop dat ik een verkeerde afslag heb genomen en dat ik misschien een heel klein beetje verdwaald ben.'

Hij grinnikte. 'Waar ben je?'

'Eh, tja, dat is het hem nu juist,' antwoordde ik terwijl ik in de inktzwarte duisternis om me heen keek op zoek naar een greintje overgebleven trots. 'Ik weet het niet.'

Marlboro Man nam het heft in handen. Hij vertelde me dat ik door moest rijden tot ik bij een kruising kwam en daar de cijfers op de kleine, groene, provinciale wegbordjes moest oplezen, cijfers die voor mij geen enkele betekenis hadden – ik had zelfs nog nooit van de term provinciale weg gehoord – maar het zou Marlboro Man helpen om me te lokaliseren. 'Oké, daar gaan we,' riep ik. 'Er staat... eh... CR 4521.'

'Hou vol,' zei hij. 'Ik ben er zo.'

Marlboro Man wás er zo, binnen vijf minuten. Toen ik eenmaal had geconstateerd dat de witte pickup die naast mijn auto stopte van hem was en niet van Jason Voorhees, draaide ik het zijraam naar beneden. Marlboro Man deed hetzelfde en zei met een brede glimlach: 'Heb je problemen?' Hij genoot ervan, net als hij ervan had genoten dat hij me een paar dagen geleden uit een diepe slaap had gewekt. Het ging me erg goed af: de rol van onnozele angsthaas in onze zich snel ontwikkelende relatie.

'Volg me maar,' zei hij. Dat deed ik. Ik volg je overal naartoe, dacht ik terwijl ik in de stofwolk achter zijn pick-up reed. Binnen een paar minuten waren we weer op de hoofdweg en ik slaakte een zucht van verlichting omdat ik het zou overleven. Ik voelde me vernederd en wilde hem niet langer lastigvallen, dus was ik van plan om vriendelijk naar hem te zwaaien en schaamtevol weg te rijden, maar ik zag dat Marlboro Man naar mijn auto liep. Terwijl ik naar zijn spijkerbroek staarde, draaide ik mijn raampje opnieuw naar beneden zodat ik kon horen wat hij wilde zeggen.

Hij zei helemaal niets. Hij maakte het portier open, trok me uit de auto en kuste me zoals ik nog nooit was gekust.

We zoenden wild op de kruising van een provinciale weg en een landelijke hoofdweg; de stofdeeltjes in de lucht dansten in de gloed van mijn koplampen en creëerden een plattelandsversie van de bekende Londense mist. Het zou een perfecte omslag voor een roman zijn geweest als mijn autotelefoon niet plotseling was gegaan.

‘Je telefoon gaat,’ zei Marlboro Man, zijn mond niet meer dan een centimeter van de mijne. Ik hield mijn ogen dicht en trok hem dichter naar me toe, voorzover dat mogelijk was, in een poging het gerinkel van de autotelefoon buiten te sluiten door de hartstocht tussen ons nog meer aan te wakkeren. Het was een prachtig moment: de donkere, landelijke omgeving maakte het heel makkelijk om net te doen of we op een andere plek in een andere tijd waren, in een andere wereld. Behalve het rinkelen van de telefoon en de koplampen van onze auto's konden we om het even welke twee mensen in de geschiedenis zijn.

Maar het rinkelen stopte niet en het werd onmogelijk om het te negeren. ‘Wie is dat?’ vroeg Marlboro Man. ‘Het is een beetje laat om te bellen.’ Zijn stevige omarming werd iets losser.

Het was inderdaad laat, net na middernacht. Veel te laat voor een moeder of een broer of de meeste oppervlakkige vrienden om te bellen.

Het was ook te laat voor J. We waren lang samen geweest en hij had het nooit nodig gevonden om zijn liefde en genegenheid op deze manier te uiten. Pas nu hij zich realiseerde dat ik weg was, nu hij besefte dat ik een beslissing had genomen, besloot hij eindelijk om zijn gevoelens te tonen. En natuurlijk was dat precies op het moment dat ik omhelsd werd door de man op wie ik elke dag verliefder werd. Het was veel te laat voor J. Te laat voor iedereen behalve Marlboro Man.

Eindelijk stopte het rinkelen, halleluja, en we kusten elkaar weer. Marlboro Mans greep verstrakte en ik werd opnieuw weggevoerd naar die andere tijd en plek. Daarna begon het gerinkel opnieuw en werd ik teruggehaald naar de realiteit.

'Moet je niet opnemen?' vroeg hij.

Ik wilde opnemen. Ik wilde uitleggen dat ik het voor elkaar had gekregen om te verzwijgen dat ik net een vierjarige relatie achter de rug had. Dat ik het de afgelopen paar weken voorzichtig had uitgemaakt en dat de situatie de laatste twee dagen was geëscaleerd. Dat hij op het vliegveld stond en me wilde zien. Dat ik dat had geweigerd... omdat ik aan niets anders kon denken dan naar de ranch gaan.

Hoe praat je met een nieuwe liefde over een oude relatie, vooral als het allemaal nog zo pril is? Als ik eerder deze week over mijn relatie met J had verteld, was ik veel te vroeg veel te openhartig geweest. En bovendien, als ik bij Marlboro Man was dacht ik niet aan J. Ik had het te druk met in zijn ogen staren. Met zijn spieren in mijn geheugen prenten. Met zijn mannelijkheid inademen. Met dronken worden van zijn geur.

Nu ik echter in het donker stond en me zo dicht bij hem voelde, wilde ik dat ik Marlboro Man het hele verhaal had verteld. Want hoe ongemakkelijk de waarheid ook was, de onophoudelijke telefoontjes na middernacht waren erger. Marlboro Man zou kunnen denken dat het mijn volgende afspraakje was, of nog erger, mijn rijke oude minnaar Rocco die wilde weten waar ik was. Het geluid van de telefoon zou veel beter geklonken hebben als ik meer informatie had gegeven. 'Het klinkt alsof je moet gaan,' zei hij toen de realiteit de prachtige mist wegvaagde. Hij had gelijk. Hoewel hij weinig wist over de telefoontjes die bleven komen, wist hij dat het iets was wat ik moest afhandelen.

Wat kon ik zeggen? *O, het is alleen mijn vriend maar... Totaal onbelangrijk.* Dat klonk afgezaagd en banaal. En het was wel degelijk belangrijk, misschien niet voor mij maar zeker voor J. Aan de andere kant wilde ik niet meer drama creëren door het verhaal over J die naar me toe was gevlogen om me te zien terwijl ik dat niet wilde te vertellen, vooral niet omdat ik eerder die avond in zijn keuken was ingestort. Maar zwijgen was ook geen optie, omdat dat heel oppervlakkig zou lijken. Ik zou kunnen liegen en zeggen dat het mijn broer Mike was die belde omdat hij naar de brandweerkazerne gebracht wilde worden, maar Mike was nooit zo laat wakker. En bovendien, ik wilde niet uitleggen waarom mijn volwassen broer bij brandweerkazernes rondhing. Ik moest íéts.

Ik koos dus voor de middenweg. 'Yep,' beaamde ik. 'Ik kan maar beter gaan. Ex-vriendje. Sorry.' Meer kwam er niet uit mijn mond.

Ik verwachtte een plotselinge verandering in de atmosfeer en was er 100 procent zeker van dat het woord 'ex-vriendje' een drastische verlaging van de omgevingstemperatuur tot gevolg zou hebben. Dat Marlboro Man afscheid zou nemen, in zijn pick-up zou stappen en weg zou rijden. En daar zou hij alle reden toe hebben. Tenslotte kende hij me nog niet zo lang. Behalve wat goede gesprekken en een paar vurige kussen wist hij niet veel over me. Het zou gemakkelijk voor hem geweest zijn om zich achter een masker te verschuilen en een stap terug te doen tot hij voldoende tijd had gehad om de situatie te beoordelen.

In plaats daarvan sloeg hij zijn stevige armen rond mijn middel, tilde me van de grond en liet me het pijnlijke moment vergeten met een warme, geruststellende omhelzing. Daarna duwde hij zijn voorhoofd tegen het mijne en zei alleen: 'Welterusten.'

Ik stapte weer in mijn auto en zag Marlboro Man wegrijden. Ik gaf gas, haalde diep adem, zuchtte en beantwoordde mijn rinkelende telefoon. Het was J, die vanuit een deprimerend luchthavenhotel belde om te zeggen dat hij er kapot van was en dat hij een ring – en een huwelijksaanzoek – bij zich had.

Ik had het verwacht. Hij had me zo dringend willen spreken dat ik wist dat hij een vastomlijnd doel voor ogen had. In dat opzicht was ik blij dat ik niet had toegegeven aan zijn verzoek om naar het vliegveld te komen. Het zou afschuwelijk zijn geweest: een pijnlijke omhelzing, beperkt oogcontact, de presentatie van de wanhoopsdiamant, de ongemakkelijke stilte, de onvermijdelijke weigering, de tranen, de vernedering en de pijn.

'Het spijt me,' zei ik nadat ik drie kwartier had geluisterd naar alles wat J kwijt wilde. 'Het spijt me echt. Ik vind het verschrikkelijk dat het vandaag zo gelopen is.'

'Ik wilde je gewoon zien,' antwoordde J. 'Ik weet zeker dat je dan van gedachten was veranderd.'

'Waarom denk je dat?' vroeg ik.

'Ik weet dat je je realiseert wat we samen kunnen hebben als je de ring ziet.'

Ik zei niet dat ik de ring zou zien als het tastbare, dure symbool van de paniek die J voelde bij het vooruitzicht dat hij een verandering onder ogen moest zien. We hadden het heel lang bijzonder comfortabel met elkaar gehad. Ik was er altijd voor hem geweest en ik was nooit veeleisend geweest. Mij kwijtraken betekende het einde van dat comfort, die eenvoud.

Mijn telefoon ging die avond niet meer over. Toen ik bij het huis van mijn ouders was gearriveerd, liet ik me uitgeput op mijn bed vallen. Ik staarde in het donker naar het plafond, draaide aan mijn haar en merkte dat het me vreemd genoeg niet lukte om in slaap te vallen. Allerlei gedachten tolden door mijn hoofd: over mijn geliefde Puggy Sue, die me de volgende ochtend niet zou begroeten met haar speelse geblaf; over J, die verdriet had; over onze relatie, die uiteindelijk na zoveel jaar voorgoed voorbij was; over Chicago en alles wat ik nog moest doen om mijn verhuizing voor te bereiden.

Over Marlboro Man…

Marlboro Man…

Marlboro Man…

Ik werd de volgende ochtend vroeg wakker van het geluid van mijn telefoon. Ik was de afgelopen vierentwintig uur zo vaak gebeld dat ik niet zeker wist of ik blij moest zijn met het geluid of gillend mijn slaapkamer uit moest rennen. Slaperig, met mijn ogen dicht, tastte ik in het donker tot mijn hand de hoorn vond. Ik wreef in mijn ogen in een poging wakker te worden en zei zachtjes en op mijn hoede: 'Hallo?'

'Je slaapt toch niet?' zei Marlboro Man met zijn kenmerkende lachje.

Ik deed mijn ogen open en glimlachte.

5

Verdwijn, lotsbeschikking!

De week na de afschuwelijke opritdood van Puggy Sue, het ongelukkige verrassingsbezoek van J en mijn inzinking in de keuken van Marlboro Man werd gekenmerkt door terugkerende 'weet je zeker dat het voorbij is'-telefoontjes van J en afspraakjes met mijn nieuwe vriend. Elk moment dat ik met hem doorbracht was geweldiger dan het moment ervoor. Op dag tien van onze nieuwe relatie was ik krankzinnig, belachelijk, duizeligmakend verliefd, ook al naderde de datum van mijn verhuizing naar Chicago snel.

Chicago was maandenlang mijn toekomst geweest en plotseling merkte ik dat ik het onderwerp ontweek alsof het de pest was. Was ik stapelgek geworden? Had ik mijn verstand verloren? Zodra ik mezelf toestond om erover na te denken, voelde ik een hevige, onprettige steek. Ik voelde me schuldig, alsof ik spijbelde of mezelf bedroog. Plotseling komt er een cowboy langs en kan ik aan niets anders meer denken dan aan hem. Ik werd week zodra ik zijn stem aan de andere kant van de lijn hoorde, als hij goedemorgen of welterusten zei of me plaagde omdat ik om zes uur 's ochtends nog sliep. Als ik hem hoorde grinniken floepte alles – Chicago en zelfs de hele staat Illinois – gewoon uit mijn hersenen, samen met alle andere heldere gedachten die ik in zijn nabijheid probeerde te hebben. Ik was verloren.

In de stad werd me af en toe gevraagd hoe het ervoor stond met mijn verhuizing. Ik gaf altijd hetzelfde antwoord: Yep, ik vertrek over een paar weken. Ik ben nog wat losse eindjes aan het vastknopen. Ik vertelde er niet bij dat de losse eindjes zich 's avonds rond mijn middel en schouders en hart wikkelden. Verstandelijk gezien wist ik dat deze man geen reden mocht zijn om niet te doen wat ik echt wilde doen met mijn leven. Maar het zou tijd kosten om voldoende realiteitszin te verzamelen om een eind te maken aan wat er tussen ons was. Ik had hem gewoon nog niet vaak genoeg gekust.

Na nog een paar afspraakjes in de stad nodigde Marlboro Man me opnieuw uit om naar zijn huis op de ranch te komen. Omdat hij de eerste maaltijd die ik voor hem had gemaakt zo heerlijk had gevonden, bood ik vol zelfvertrouwen aan om opnieuw voor hem te koken. 'Ik kook voor je.' Omdat ik de schelpdierenroute al had bewandeld, besloot ik om zijn ranchachtergrond te eren door iets met rundvlees te maken. Nadat ik mijn ex-vegetarische hersenen had gepijnigd op zoek naar rundvleesgerechten die ik de afgelopen vijfentwintig jaar had gegeten, dacht ik uiteindelijk aan mijn moeders gemarineerde biefstuk van de haas. Die was zelfs na alle tofu en zeewier die ik in Californië had gegeten in mijn culinaire geheugen blijven hangen.

Om het gerecht te maken marineer je de biefstuk van de haas vierentwintig uur in een mengsel van sojasaus, sesamolie, geperste knoflook, verse gember en rode wijn, waarna je het vlees grilt. De smaak – met zijn Aziatische invloed – is buitenaards, en gecombineerd met de zachtheid van de biefstuk is het een feest voor het verhemelte. Ik besloot tagliarini quattro formaggi bij de biefstuk te maken, mijn favoriete pastagerecht van restaurant Intermezzo in West-Hollywood. Het wordt gemaakt met engelenhaarpasta en een verrukkelijk mengsel van parmezaanse kaas, romano, fontina en geitenkaas. Ik was er verslaafd aan geweest tijdens mijn jaren in L.A.

Ik kocht alle ingrediënten en reed naar Marlboro Mans huis. Ik negeerde het feit dat gemarineerde biefstuk gemarineerd moet worden. Bovendien wist ik niet hoe ik met een barbecue moest omgaan – de appartementencomplexen in Los Angeles hebben er verordeningen tegen – dus besloot ik het vlees in de oven te bakken. Omdat ik jarenlang geen vlees had gegeten, was ik vergeten hoe belangrijk het is om het niet te lang te bakken. Ik nam gewoon aan dat steak net als kip was en dat het net zo lang gebakken moest worden tot het vlees niet roze meer was. Ik martelde de mooie, smakelijke biefstuk van de haas net zo lang tot het een lap leer was.

Al mijn aandacht was gericht op het verpesten van het hoofdgerecht. Daardoor kreeg ik het voor elkaar om de engelenhaarpasta ruim vijf minuten te lang te koken, en toen ik de kaas erdoor roerde die ik zo zorgvuldig met de hand had geraspt, leek mijn tagliarini quattro formaggi op een soepachtige kaasbrij. Hoe erg kon het zijn? vroeg ik mezelf af terwijl ik de brij, net als ze bij Intermezzo deden, in de met knoflook ingewreven kommen schonk. Ik nam aan dat Marlboro Man het niet zou merken.

Eenmaal aan tafel werkte hij mijn eten plichtsgetrouw naar binnen. Ik was me er niet van bewust dat hij tijdens het eten serieus overwoog om een van de cowboys te bellen om hem te vragen een prairiebrand te beginnen zodat hij een excuus had om weg te komen.

Het was een prachtige voorjaarsavond en na het eten gingen we naast elkaar op de veranda zitten. Marlboro Man pakte mijn hand in de zijne, legde zijn cowboylaarzen op de balustrade en zijn hoofd tegen de leuning. Het was stil. Het vee loeide in de verte en af en toe jankte er een coyote.

Plotseling, om een onverklaarbare reden, begon ik onder de zwarte hemel met de onmogelijke hoeveelheid sterren, zonder actiefilm of andere afleiding op de achtergrond, aan Chicago te denken. Ik moet pakken, dacht ik. Maar dat doe ik niet, ik ben hier. Bij deze man. Op deze plek.

Nu ik een aantal maanden thuis was geweest, realiseerde ik me meer dan ooit dat ik het leven in de stad miste: de cultuur, de anonimiteit, de actie, het ritme. Ik voelde me daar gelukkig en levendig en compleet. Het was buitengewoon vreemd dat ik op dit punt in mijn leven op de veranda van een cowboy zat en me heel prettig voelde, kalm en met het gevoel dat ik er thuishoorde.

Het werd met de minuut kouder. Ik huiverde en was niet in staat om het klapperen van mijn tanden tegen te gaan. Nog steeds met mijn hand in de zijne trok Marlboro Man me op zijn schoot. Hij sloeg zijn armen om mijn bovenlichaam en omhelsde me stevig terwijl mijn hoofd op zijn sterke schouder lag. 'Mmm...' zei hij terwijl hetzelfde geluid tegelijkertijd uit mijn mond kwam. Het was zo warm, zo perfect, zo vanzelfsprekend. We bleven zo een hele tijd zitten, kusten elkaar af en toe en gingen daarna weer over op 'mmm...' We praatten niet en de koele avondlucht was zo kalm dat ik die naar mijn hoofd voelde stijgen.

Zonder geluiden om het bonken van mijn hart in mijn borstkas te camoufleren, was ik overgeleverd aan mijn eigen gedachten. *Ik moet aan de slag. Dit wordt alleen moeilijker. Ik hoor hier niet thuis. Ik hoor thuis in de stad. God, wat voelen zijn armen heerlijk. Wat doe ik hier? Ik moet dat appartement regelen voordat het weg is. Ik bel morgenochtend. Het is fantastisch geweest, maar dit is de realiteit niet. Het is niet slim. Ik vind de geur van zijn overhemd heerlijk. Ik zal de geur van zijn overhemd missen. Ik zal dit missen. Ik zal hem missen...*

Ik sliep half – bedwelmd door zijn muskusachtige geuren – toen ik voelde dat Marlboro Man zijn gezicht voorzichtig naar mijn oor bracht. Hij haalde diep adem en ademde uit, waarna de woorden 'ik hou van je' zo zachtjes uit zijn mond ontsnapten dat ik niet zeker wist of ik het gedroomd had.

Ik kende hem net tien dagen en de woorden waren in een onverwachte fluistering uit zijn mond ontsnapt. Het leek alsof het puur instinctief was geweest, iets wat absoluut niet de bedoeling was. Hij was duidelijk niet van plan geweest om die woorden die avond tegen me te zeggen: dat was niet zijn manier van doen. Hij was een man die een idee kreeg en daar onmiddellijk naar handelde, wat hij demonstreerde met zijn lieve, fluisterende telefoontjes na afloop van onze afspraakjes. Hij besteedde geen tijd aan het berekenen van zijn daden, hij had wel betere dingen te doen met zijn tijd. Terwijl we elkaar op die kille voorjaarsavond vasthielden en zijn gevoelens naar de oppervlakte kwamen, had hij geen behoefte gevoeld om ze tegen te houden. De woorden waren er in één adem uitgekomen: 'Ik hou van je.' Het was alsof hij het moest zeggen, net als hij moest ademhalen. Het was onvrijwillig. Noodzakelijk. Natuurlijk.

Maar hoe mooi en warm het moment het ook was, ik verstijfde ter plekke. Toen ik me realiseerde dat het echt was – dat hij die woorden echt had gezegd – leek het te laat om te reageren: het raam was gesloten, de luiken zaten ervoor. Ik reageerde op de enige manier die mijn lafheid me toestond: ik pakte hem steviger vast en drukte mijn gezicht nog wat meer tegen zijn hals, terwijl ik me zowel stom als onbehaaglijk voelde. Waarom doe je zo moeilijk? vroeg ik mezelf. Ik bevond me in wat misschien het meest romantische, emotioneel geladen moment van mijn leven was, in de armen van een man die niet alleen alles belichaamde wat ik ooit van het begrip hartstocht had verwacht, maar ook alles waar ik ooit over had gedroomd in een man. Hij was lang, sterk, mannelijk en zwijgzaam, maar hij was veel meer dan dat. Hij was eerlijk en oprecht, liefdevol en toegankelijk. Heel anders dan J en de meeste mannen met wie ik was omgegaan sinds ik van Los Angeles naar huis was gekomen. Ik was in een vreemd land en ik wist niet wat ik moest doen.

Ik hou van je, had hij net gezegd. Ik wist dat zijn woorden oprecht waren. Ik wist het omdat ik het ook voelde, ook al kon ik het niet zeggen. Marlboro Man bleef me stevig vasthouden, niet afgeschrikt door mijn zwijgen, met de kalmerende wetenschap dat hij in elk geval had kunnen zeggen wat hij voelde.

'Ik kan maar beter naar huis gaan,' fluisterde ik. Het was alsof ik plotseling werd weggetrokken door een denkbeeldige kracht. Marlboro Man knikte en hielp me overeind. Hand in hand liepen we rond het huis naar mijn auto, waar we bleven staan voor een laatste omhelzing en twee kussen. Of acht. 'Bedankt voor de uitnodiging,' kon ik nog net uitbrengen.

'Graag gedaan,' antwoordde hij terwijl zijn armen rond mijn middel lagen voor de laatste kus. Het was een droom. Ik was blij dat mijn ogen dicht waren, omdat ze helemaal naar de achterkant van mijn hoofd rolden. Het zou geen aantrekkelijke aanblik zijn geweest.

Hij deed het portier van mijn auto open en ik stapte in. Terwijl ik achteruit van de oprit reed, liep hij naar zijn voordeur en draaide zich om voor zijn karakteristieke zwaai in zijn karakteristieke Wrangler. Ik voelde me vreemd. Ik gloeide en tintelde en voelde me tegelijkertijd bezwaard, verward en bedrukt. Na een halfuur belde hij. Ik begon afhankelijk te worden van zijn telefoontjes.

'Hoi,' zei hij. Die stem. Help me.

'O, hallo,' antwoordde ik in een poging verrast te doen, ook al was ik dat niet.

'Hé, ik...' begon Marlboro Man. 'Ik wil echt niet dat je weggaat.'

Ik giechelde. Wat lief. 'Tja... ik ben al op de helft,' antwoordde ik, een speelse toon in mijn stem.

Er volgde een lange stilte.

Daarna ging hij ernstig verder. 'Daar heb ik het niet over.'

Ik hoorde aan zijn stem dat hij het meende.

Marlboro Man had het over Chicago en mijn naderende verhuizing. Ik had hem de eerste keer dat we elkaar door de telefoon hadden gesproken over mijn plannen verteld en hij was er een of twee keer over begonnen tijdens onze twee heerlijke weken samen. Maar hoe meer tijd we met elkaar doorbrachten, hoe minder we erover hadden gesproken. Vertrekken was het laatste waarover ik het wilde hebben als ik bij hem was.

Ik kon niet reageren. Ik had er geen idee van wat ik moest zeggen.

'Ben je er nog?' vroeg Marlboro Man.

'Ja,' zei ik. 'Ik ben er nog.' Het was het enige wat ik uit mijn mond kreeg.

'Tja... ik wilde alleen welterusten zeggen,' zei hij kalm.

'Ik ben blij dat je dat doet,' antwoordde ik. Ik was een idioot.

'Welterusten,' fluisterde hij.

'Welterusten.'

Ik werd de volgende ochtend wakker met dikke, gezwollen ogen. Ik had als een blok geslapen en had de hele nacht over Marlboro Man gedroomd. Het waren levendige, krankzinnige dromen geweest, dromen waarin we praatten en schaakten en op elkaar schoten met serpentinespray. Hij was al zo'n permanente waarde in mijn bewustzijn geworden, dat ik elke nacht moeiteloos over hem droomde.

We gingen die avond uit eten en bestelden biefstuk en praatten op onze gebruikelijke dromerige manier, waarbij we het belangrijke, dreigende onderwerp vermeden. Toen hij me naar huis bracht was het laat en de lucht was zo mooi dat ik me niet bewust was van de temperatuur. We stonden voor mijn ouderlijk huis, op dezelfde plek waar we twee weken eerder hadden gestaan, vóór de linguini met mosselsaus en J's verrassingsbezoek, vóór de doorbakken biefstuk van de haas en mijn besef dat ik hopeloos verliefd was. Op de plek waar ik bijna was gevallen, de plek waar hij me voor het eerst had gekust en mijn hart in vuur en vlam had gezet.

Marlboro Man liet er geen gras over groeien. We kusten elkaar of het onze laatste keer was. Daarna omhelsden we elkaar stevig.

'Wat doe je met me?' vroeg ik retorisch.

Hij grinnikte en duwde zijn voorhoofd tegen het mijne. 'Wat bedoel je?'

Natuurlijk was ik niet in staat om antwoord te geven.

Marlboro Man pakte mijn hand en nam het heft in handen. 'En, hoe zit het met Chicago?'

Ik trok hem dichter tegen me aan. 'Eh...' kreunde ik, 'ik weet het niet.'

'Wanneer ga je?' Hij omhelsde me steviger. 'Ga je echt?'

Ik trok hem nog dichter tegen me aan terwijl ik me afvroeg hoe lang we hiermee door konden gaan zonder te stikken vanwege zuurstofgebrek. 'Ik... ik... Eh, ik weet het niet,' zei ik. Ik was opnieuw Miss Welbespraaktheid. 'Ik weet het gewoon niet.'

'Ga niet,' fluisterde hij in mijn oor. Hij wond er geen doekjes om.

Ga niet. Wat betekende dat? Hoe werkte dat? Het was veel te vroeg voor plannen, te vroeg voor beloftes. Veel te vroeg voor de belofte van een vaste verbintenis. Te vroeg voor alles, behalve een klagerige, emotionele oproep: *Niet doen. Ga niet. Vertrek niet. Laat het niet eindigen. Verhuis niet naar Chicago.*

Ik wist niet wat ik moest zeggen. We waren de afgelopen twee weken elke dag samen geweest. Ik was heel onverwacht stapelverliefd op een cowboy geworden. Ik had een eind gemaakt aan mijn langdurige relatie. Ik had biefstuk gegeten. En ik begon twijfels te krijgen over mijn plannen om naar Chicago te verhuizen, iets waar ik al maandenlang mee rondliep. Ik was sprakeloos.

We kusten elkaar nog een keer, en toen onze lippen eindelijk uit elkaar gingen, zei hij zachtjes: 'Welterusten.'

'Welterusten,' antwoordde ik, waarna ik de deur opendeed en naar binnen ging.

Ik liep mijn slaapkamer in, keek naar de stapel dozen en koffers bij de deur en liet me op mijn bed vallen. Ik kon die avond niet slapen. Stel dat ik mijn vertrek naar Chicago gewoon uitstelde, voor een maand of zo? Uitstellen, niet afzeggen. Een maand kon geen kwaad, toch? Tegen die tijd was hij vast en zeker uit mijn gedachten, dan zou ik genoeg van hem hebben. Een maand gaf me alle tijd die ik nodig had om een eind aan deze belachelijke situatie te maken.

Ik lachte hardop. Genoeg van Marlboro Man krijgen? Als hij me 's avonds had afgezet, hield ik het geen vijf minuten vol voordat ik aan mijn kleding rook omdat ik zijn geur miste. Hoeveel erger zou mijn afhankelijkheid over een maand zijn? Ik schudde mijn hoofd gefrustreerd, stond op, liep naar de kast en haalde mijn kleren van de kleerhangers. Ik begon vastbesloten truien en jasjes en pyjama's op te vouwen met maar één ding in mijn hoofd: geen enkele man – en al helemaal geen boerenkinkel uit de provincie – zou mijn verhuizing naar de grote stad dwarsbomen. En terwijl ik vouwde en alles in de open kartonnen dozen bij mijn deur legde, probeerde ik mijn lot uit alle macht met twee handen weg te duwen.

Ik had er geen idee van hoe vergeefs mijn pogingen waren.

6

De brandende schuur

Hij was geen boerenkinkel uit de provincie. Hij was zelfbewust, fatsoenlijk, intelligent. En hij was geen gewone man, in elk geval niet zoals de mannen die ik had gekend. Hij was anders. Opvallend anders.

Marlboro Man was in zichzelf gekeerd en stil, maar niet onzeker: het resultaat van een leven lang vroeg opstaan, hard werken en kalme, zwijgzame avonden op kilometers afstand van de beschaving. Hij had al heel jong geleerd om tevreden te zijn met stilte. Ik was daarentegen absoluut allergisch voor stilte. Praten was altijd een van mijn sterkste punten geweest. Wij mensen hadden zoveel ruimte gekregen en ik zag het nut er niet van om die niet te vullen met gepraat. Bovendien had ik als middelste kind gewoon veel aan de wereld te vertellen.

In Marlboro Man had ik uiteindelijk mijn tegenpool gevonden. Met zijn stille manier van doen op de avond dat we elkaar hadden ontmoet, had het hem vijf seconden gekost om me te veroveren. Hoe meer ik de afgelopen twee weken van die stilte had meegemaakt, des te meer raakte ik ervan overtuigd dat dit soort man – hoewel dat niet per se deze man hoefde te zijn – perfect bij me paste. In de korte tijd dat we samen waren, had ik duidelijke voorbeelden gezien van hoe onze verschillen elkaar aanvulden. Ik vulde vroeger razendsnel elke leegte in een gesprek met onbetekenende woorden, maar nu begon ik te zwijgen als ik bij hem was, lang genoeg om de stilte tussen ons zijn magie te laten verspreiden. Hij had nooit geleerd om linguini rond zijn vork te draaien, maar ik was er om hem te laten zien hoe hij dat moest doen. Zodra ik gegeten had rende ik normaal gesproken naar de telefoon om vrienden te verzamelen om iets te gaan drinken, maar nu niet: hij deed de afwas en daarna keken we naar een film. Of we gingen op de veranda zitten als het weer dat toeliet, om te luisteren naar de jankende coyotes en na te denken over het leven.

We leefden ons leven in totaal verschillende tempo's. Zijn dag begon om vijf uur 's ochtends en zijn werk was afmattend, zweterig en uitputtend. Ik werkte om overdag iets te doen te hebben, om een plek te hebben waar ik mijn zwarte pumps kon dragen en om een nachtleven vol gourmetmaaltijden en kleurige drankjes te kunnen bekostigen. Voor Marlboro Man betekende het nachtleven ontspannen, een beloning na een lange dag werken. Voor mij betekende het nachtleven een gelegenheid om iets nieuws aan te trekken en lipgloss op te doen.

Soms verontrustten die verschillen me. Kon ik een relatie hebben met een man die nog nooit sushi had gegeten? Kon ik, een voormalige vegetariër, een relatie hebben met een man die bij elke maaltijd rood vlees at? Ik had daar nog nooit over nagedacht. En, het meest verontrustend, kon ik ooit zo afgelegen op het platteland wonen dat ik acht kilometer over grindpaden moest rijden om de bewoonde wereld te bereiken?

Een stem in mijn hoofd gaf het antwoord: PERSPECTIEF NIET GOED.

En waarom dacht ik trouwens over een huwelijk na? Ik wist heel goed dat er met Marlboro Man, een rancher die leefde op het land dat al jaren in het bezit van zijn familie was, een ding vaststond: hij was waar hij was en zijn toekomst zou op zijn terrein plaatsvinden en niet op het mijne. Ik kon niet naar Chicago vertrekken met de hoop dat Marlboro Man daar misschien op een dag naartoe zou verhuizen. Het centrum van Chicago staat niet bekend om zijn overvloedige weilanden. Zijn leven vond op de ranch plaats, waar hij waarschijnlijk voor altijd zou blijven. Zijn vader werd ouder, wat betekende dat Marlboro Man en zijn broer de toekomst van de ranch in hun bekwame, eeltige handen hadden.

En dus bevond ik me in de maar al te vertrouwde positie dat ik moest beslissen of ik mijn leven zou opbouwen rond de omstandigheden van de man in mijn leven. Ik had dezelfde situatie meegemaakt met J, toen hij wilde dat ik met hem naar Noord-Californië ging. Het was moeilijk geweest, maar ik had stevig vastgehouden aan mijn trots en had er in plaats daarvan voor gekozen om uit Californië te vertrekken. Het was een persoonlijke prestatie geweest om mezelf te bevrijden van het comfortabele keurslijf van onze vierjarige relatie, en het was de juiste beslissing geweest. En dat gold ook voor mijn beslissing om aan mijn plannen voor Chicago vast te houden, hoe moeilijk het ook zou zijn om mijn twee weken durende liefdesrelatie met Marlboro Man te beëindigen. Ik was een sterke vrouw. Ik had eerder geweigerd een man te volgen en dat kon ik opnieuw doen. Het zou misschien een tijdlang pijn doen, natuurlijk, maar uiteindelijk zou het goed voor me zijn.

Mijn telefoon ging, waardoor ik opschrok uit mijn inwendige feministische tirade. Het was laat. Marlboro Man had me een halfuur geleden afgezet en was waarschijnlijk halverwege zijn huis. Ik hield van zijn telefoontjes. Zijn 'laat op de avond, ik denk aan je, ik wilde alleen welterusten zeggen'-telefoontjes. Ik pakte de telefoon.

'Hallo?'

'Hoi,' zei hij.

'Hoi,' antwoordde ik.

'Wat ben je aan het doen?' vroeg hij nonchalant.

Ik keek naar de stapel hemdjes die ik net had opgevouwen. 'O, ik lees een boek,' antwoordde ik. Leugenaar.

Hij ging verder. 'Heb je zin om te praten?'

'Natuurlijk,' zei ik. 'Ik ben niets belangrijks aan het doen.' Ik nestelde me op de gemakkelijke stoel in mijn kamer.

'Mooi… kom dan maar naar buiten,' zei hij. 'Ik sta op je oprit.'

Mijn maag kromp ineen. Hij maakte geen grapje.

'Je staat... waar? Wáár ben je?' Ik stond op en keek naar mijn spiegelbeeld. Ik had me omgekleed in een satijnen pyjama, een versleten USC-trui en gestippelde sokken, en had mijn haar nonchalant boven op mijn hoofd vastgezet met een Tigonderogapotlood nr. 2. Wie zou me zo willen?

'Ik sta op je oprit,' herhaalde hij, waarna hij zijn vertrouwde lachje ten beste gaf, alleen om extra gemeen te zijn. 'Kom naar buiten.'

'Maar... maar...' stamelde ik terwijl ik het potlood haastig uit mijn haar trok, op zoek naar mijn favoriete verbleekte spijkerbroek door de kamer rende en mijn zielige huiskleren uittrok. 'Maar... maar... ik heb mijn pyjama al aan.'

Opnieuw het vertrouwde gegrinnik. 'En?' vroeg hij. 'Je kunt maar beter naar buiten komen, anders kom ik je halen.'

'Oké, oké...' antwoordde ik. 'Ik ben zo beneden.' Hijgend koos ik mijn op een na favoriete spijkerbroek en mijn favoriete sweater, een verschoten lichtblauwe coltrui die ik zo vaak had gedragen dat hij bijna een deel van mijn lichaam was geworden. Ik poetste mijn tanden in precies tien seconden en rende de trap af.

Marlboro Man stond naast zijn pick-up, zijn handen in zijn zakken, zijn rug tegen het portier aan de bestuurderskant. Hij grinnikte, en terwijl ik naar hem toe liep zette hij zich af en liep ook naar mij toe. We ontmoetten elkaar in het midden – tussen zijn auto en de voordeur – en zonder een moment van aarzeling begroetten we elkaar met een lange, emotionele kus. Er was niets grappigs of luchtigs aan. Die kus betekende dat het menens was.

Onze lippen gingen heel even uit elkaar. 'Ik vind je trui mooi,' zei hij terwijl hij naar de lichtblauwe katoenen ribbels keek alsof hij ze nog nooit had gezien. Het was de trui die ik haastig had aangetrokken op de avond dat we elkaar hadden ontmoet.

'Ik denk dat ik hem die avond in de J-Bar droeg,' zei ik. 'Herinner je je dat nog?'

'Eh... ja,' zei hij terwijl hij me nog dichter naar zich toe trok. 'Ik herinner het me.' Misschien had de trui magische krachten. Ik moest ervoor zorgen dat ik hem niet kwijtraakte.

We kusten elkaar weer en ik huiverde in de kille avondlucht. Omdat hij niet wilde dat ik het koud had, nam hij me mee naar zijn pick-up die nog steeds warm was, alsof er een kampvuur op de achterbank brandde. Ik keek naar hem, giechelde als een schoolmeisje en vroeg: 'Wat heb je al die tijd gedaan?'

'O, ik was op weg naar huis,' zei hij terwijl hij met mijn vingers speelde. 'Maar toen ben ik omgekeerd; ik kon er niets aan doen.' Zijn hand gleed naar mijn rug en hij trok me dichter tegen zich aan. De ramen besloegen. Ik had het gevoel dat ik weer zeventien was.

'Ik heb een probleem,' zei hij tussen twee kussen door.

'Ja?' vroeg ik onnozel. Mijn hand rustte op zijn linkerbicep. Zijn aantrekkingskracht steeg huizenhoog. Hij liefkoosde mijn achterhoofd en maakte mijn haar in de war, maar het kon me niet schelen; ik had andere dingen aan mijn hoofd.

'Ik ben gek op je,' zei hij.

Inmiddels zat ik op zijn schoot, op de bestuurdersstoel van zijn Diesel Ford F250, met hem te zoenen alsof ik die handeling net had ontdekt. Ik had geen flauw idee hoe ik hier terecht was gekomen, in de diesel pick-up of op zijn schoot, maar ik was er. En terwijl ik mijn gezicht tegen zijn hals legde, zei ik zachtjes: 'Ik ben ook gek op jou.'

Ik was meer dan mijn halve leven geteisterd door acute jongensgekte, maar wat ik voor Marlboro Man voelde was onbeschrijflijk krachtig. Het was een primaire aantrekkingskracht, mijn hartslag en ademhaling versnelden zodra ik zijn stem hoorde, ik had een bijna onbeheersbare behoefte om mijn armen en benen om hem heen te slaan zodra ik in zijn ogen keek en twaalfduizend baby's van hem krijgen terwijl ik niet eens zeker wist of ik kinderen wilde.

'Luister...' ging hij verder.

Op dat moment hoorden we hard kloppen op het raam van de pick-up. Ik vloog overeind – het was na twee uur 's nachts. Wie kon dat in vredesnaam zijn? Het was de Son of Sam-seriemoordenaar, dat moest wel! Marlboro Man draaide het raam naar beneden en een enorme wolk hartstocht en stoom ontsnapte. Het was de Son of Sam niet. Het was erger: mijn moeder in haar grijze, kasjmieren ochtendjas.

'Ree?' vroeg ze. 'Ben jij dat?' Ze boog zich naar voren en tuurde naar binnen.

Ik gleed van Marlboro Mans schoot en zwaaide halfslachtig naar haar. 'Eh... hoi, mam. Ik ben het maar.'

Ze lachte. 'O, oké... pfff! Ik wist niet wie het was. Ik herkende de auto niet.' Ze keek naar Marlboro Man, die ze nog maar een keer eerder had gezien, toen hij me ophaalde voor een afspraakje.

'Hallo!' riep ze terwijl ze haar gemanicuurde hand uitstak.

Hij pakte haar hand en schudde die voorzichtig. 'Dag, mevrouw,' antwoordde hij, zijn stem dik van begeerte en emotie.

Ik leunde achterover op mijn stoel. Ik was volwassen en werd om twee uur 's nachts door mijn moeder in ochtendjas betrapt. Ze had de beslagen ramen gezien. Ze had me op zijn schoot zien zitten. Ik had het gevoel dat ik net huisarrest had gekregen.

'Oké, goed dan,' zei mijn moeder, waarna ze zich omdraaide. 'Welterusten dan maar.' En met die woorden drentelde ze terug naar het huis.

Marlboro Man en ik keken elkaar aan. Ik verborg mijn gezicht in mijn handen en schudde mijn hoofd. Hij grinnikte, opende het portier en zei: 'Kom... je moet naar huis, anders mag je de deur straks niet meer uit.' Ik verborg mijn gezicht nog steeds in mijn bezwete handen.

Hij liep met me mee naar de deur en we bleven op het stoepje staan. Hij sloeg zijn armen om mijn middel, gaf een kus op mijn neus en zei: 'Ik ben blij dat ik teruggekomen ben.' Hij was zó lief!

'Ik ben ook blij dat je dat hebt gedaan,' antwoordde ik. 'Maar...' Ik zweeg even om moed te verzamelen. 'Was er iets wat je tegen me wilde zeggen?'

Het was brutaal, gedurfd zelfs, maar ik was niet van plan dit moment voorbij te laten gaan. We zouden tenslotte niet veel momenten meer samen hebben, want binnenkort ging ik naar Chicago. Dan kon ik om elf uur 's avonds in een koffiebarretje zitten als ik dat wilde. En werken. En een opleiding gaan doen.

Ik was absoluut niet van plan om te missen wat hij een paar minuten geleden wilde gaan zeggen, net voordat mijn moeder in haar ochtendjas opdook en alles verpestte.

Marlboro Man keek naar me en glimlachte, blijkbaar tevreden dat ik zo zelfverzekerd was. Ik was een extravert middelste kind, maar bij hem was ik kalm en verlegen geworden, een tot nu toe onbekende versie van mezelf. Hij had mijn hart zo onverwacht en compleet gestolen dat ik mijn vermogen om te praten was kwijtgeraakt. Hij had een angstaanjagende manier om de woorden uit me te trekken en niets achter te laten, behalve pure, onvervalste hartstocht.

Hij pakte me nog steviger vast. ‘Tja, ten eerste,’ begon hij, ‘vind ik je heel, heel leuk.’ Hij keek in mijn ogen alsof hij elk woord rechtstreeks naar mijn ziel wilde sturen. Mijn lichaam werd helemaal slap.

Marlboro Man was bereid om zich helemaal bloot te geven en hij was niet bang om zijn ware gevoelens te tonen. Ik was dat niet gewend. Ik was gewend aan spelletjes, tactieken, apathie, afzijdigheid. Als het op liefde en romantiek aankwam had ik een enorme tolerantie voor middelmatigheid ontwikkeld, maar in twee korte weken had Marlboro Man dat allemaal naar het rijk der fabelen verwezen.

Er was niets middelmatigs aan Marlboro Man.

Hij had meer te zeggen en wachtte mijn reactie niet af. In zijn universum gedroeg een echte man zich zo.

‘En...’ Hij aarzelde.

Ik luisterde. Zijn stem klonk ernstig. Geconcentreerd.

‘En ik wil gewoon absoluut niet dat je weggaat,’ verkondigde hij terwijl hij me dicht tegen zich aan trok, zijn kin op mijn wang, zijn mond bij mijn oor.

Ik nam een aanloop. 'Tja...' begon ik.

Hij onderbrak me. 'Ik weet dat we dit nog maar twee weken doen en ik weet dat je al plannen hebt gemaakt, en ik weet dat we niet weten wat de toekomst in petto heeft, maar...' Hij keek naar me en legde een hand rond mijn gezicht en zijn andere hand op mijn arm.

'Ik weet het,' beaamde ik terwijl ik antwoord probeerde te geven. 'Ik...'

Hij onderbrak me opnieuw. Hij had dingen te zeggen. 'Het zou gemakkelijker zijn als ik de ranch niet had,' zei hij. Mijn hartslag versnelde. 'Maar ik... Mijn leven ligt hier.'

'Ik weet het,' zei ik opnieuw. 'Ik zou nooit...'

Hij ging verder. 'Ik wil je plannen niet dwarsbomen. Ik wil alleen...' Hij pauzeerde en gaf een kus op mijn wang. 'Ik wil niet dat je weggaat.'

Zoals gewoonlijk wist ik niet wat ik moest zeggen. Het was zo vreemd voor me dat ik zulke sterke gevoelens had voor iemand die ik nog maar zo kort kende. Het zou voorbarig zijn om over onze toekomst te praten, maar het zou ook niet goed zijn om te negeren dat we iets speciaals hadden. Het was een onbetwistbaar feit dat er iets buitengewoons tussen ons was ontstaan. Alleen liet de timing veel te wensen over.

We waren allebei uitgeput en vielen zowat in slaap in elkaars armen. Er zou vanavond niets meer gezegd worden. Het zou niet opgelost worden. Hij wist het, ik wist het, dus namen we genoegen met een ellenlange kus en een allesomvattende omhelzing voordat hij zich omdraaide en wegliep. Hij startte zijn diesel pick-up, stuurde de oprit van mijn ouders af en reed terug naar zijn ranch.

Ik kon alleen nog aan mijn bed denken en kroop onder het dekbed met een brok in mijn keel. *Waarom is dat? Ga weg, stop ermee. Laat me met rust. Ik haat huilen. Daarvan gaat mijn hart pijn doen. Mijn ogen zwellen ervan op.* Het brok werd plotseling twee keer zo groot. Ik kon niet slikken, en plotseling, hoewel ik dat niet wilde, begonnen de tranen te rollen, net voordat ik in een diepe, heel diepe slaap viel.

Mijn telefoon, die de volgende ochtend om acht uur overging, haalde me uit mijn coma.

'Hallo, Ree?' zei een vriendelijke vrouwenstem. Het was Marlboro Man niet.

'Ja?' antwoordde ik. Ik rook de heerlijke geur van Marlboro Man nog. Zelfs als hij er niet was deed alles aan hem denken.

'Je spreekt met Rhonda,' ging de stem verder. 'Ik bel je over het eenkamerappartement in Goethe Street.'

Het was een fantastische plek, vlak bij de woning van mijn oudere broer. Witte verf, houten vloeren, een goede locatie. Niet enorm groot of chic, afgaand op de foto's die ze hadden gestuurd, maar perfect voor wat ik wilde. Ik had een flinke aanbetaling op het appartement gedaan zodra het een week voor de bruiloft van mijn broer was vrijgekomen, in de wetenschap dat ik er binnen een maand zou wonen. Het appartement was niet al te duur en zou binnenkort mijn thuis, mijn toevluchtsoord zijn. Er was voldoende ruimte voor al mijn zwarte pumps en een comfortabel bed, maar absoluut geen ruimte voor een man.

De vastgestelde verhuisdatum was echter gekomen en gegaan. Ik hield de boot af, treuzelde, stelde het onvermijdelijke uit terwijl ik zoende met een cowboy en elke dag in zijn armen stierf.

'Ben je nog steeds van plan om er deze week in te trekken?' ging Rhonda de makelaar verder. 'We moeten de eerste maand huur namelijk zo snel mogelijk op onze rekening hebben.'

'O.' Ik ging rechtop zitten. 'Het spijt me zo, ik ben aan het pakken en me aan het voorbereiden op mijn vertrek, maar het gaat langzamer dan ik had gedacht.'

'O, dat is geen enkel probleem,' zei ze. 'Dat is prima. We moeten de huur alleen aan het eind van de week binnen hebben, anders gaat de flat de markt weer op. Er zijn namelijk meer belangstellenden.'

'Oké, bedankt voor het bellen,' antwoordde ik. 'Tot gauw.'

Ik hing op, liet me achterover vallen en staarde naar het plafond. Ik had dingen te doen, ik moest aan de slag. Ik strompelde naar de badkamer, draaide mijn haar in een knot en gooide ijskoud water in mijn gezicht. Terwijl ik mijn tanden poetste en naar mijn spiegelbeeld keek, wist ik ineens wat ik moest doen. Oké, zei ik tegen mezelf. Ik doe het gewoon.

Terug in mijn slaapkamer pakte ik de telefoon en ging naar nummerweergave en zocht het telefoonnummer van Rhonda, en terwijl de telefoon overging, inhaleerde ik reinigende lucht en ademde uit.

'Hallo Rhonda... Nog even met Ree,' zei ik toen ze had opgenomen. 'Luister, het spijt me maar mijn plannen zijn gewijzigd. Ik kan het appartement uiteindelijk toch niet nemen.'

'O... Ree, weet je dat zeker?' vroeg Rhonda. 'Dat betekent dat je de aanbetaling kwijt bent.'

'Ja, ik weet het zeker,' zei ik terwijl mijn hart in mijn keel bonkte. 'Geef de flat maar vrij.'

Ik liet me op mijn bed vallen. Mijn gezicht prikte van onbehagen en ik voelde me net een verward paard dat een brandende schuur in rent. Zo zeker was ik van mijn beslissing.

7

Adiós Chicago

Wacht eens even... Wát had ik net gedaan? Wat had dit allemaal te betekenen? Ik keek naar mijn dozen met bezittingen en mijn tassen met kleren, netjes opgestapeld bij mijn slaapkamerdeur. Ze waren opzettelijk en vastberaden ingepakt. Mijn nieuwe start als onafhankelijke vrouw van het Middenwesten zou naadloos verlopen. En nu, in een oogwenk, was dat gevoel verdwenen.

Wat had ik gedaan? Ik hield van dat appartement. Ik had er zo vaak over gedroomd: waar ik mijn bed zou neerzetten, waar ik mijn collectie zwart-witfoto's van Mikhail Baryshnikov zou ophangen. Over een paar maanden, als ik uiteindelijk tot mijn positieven was gekomen en naar Chicago vertrok zoals ik in eerste instantie van plan was geweest, zou ik nooit meer zo'n appartement vinden.

In een vlaag van plotselinge paniek pakte ik de telefoon en drukte haastig de herhaalknop in. Ik moest Rhonda vertellen dat ze moest wachten, geen actie moest ondernemen, het appartement niet mocht laten gaan... *Ik weet het niet zeker, hou het vast, geef me nog een dag... of twee... of drie.* Toen ik haar nummer had ingetoetst, hoorde ik haar telefoon niet overgaan. In plaats daarvan, in een perfecte combinatie van ironie, toeval en lotsbeschikking, hoorde ik de stem van Marlboro Man aan het andere eind van de lijn.

'Hallo?' zei hij.

'O,' antwoordde ik. 'Hallo?'

Ik zou Rhonda de makelaar niet bellen. Na drie seconden praten maakte Marlboro Man mijn knieën week, verpestte mijn gerichtheid, ruïneerde mijn vastberadenheid. Als ik zijn stem hoorde, kon ik er alleen nog maar aan denken dat ik hem terug wilde zien, in zijn nabijheid wilde zijn, hem wilde opzuigen, als boter in zijn onmogelijk sterke armen wilde smelten. Als ik zijn stem hoorde, werd Chicago niet meer dan een vage herinnering.

'Wat ben je aan het doen?' vroeg hij. Ik hoorde het vee op de achtergrond.

'O, gewoon een paar dingen afwerken,' zei ik. 'Ik probeer wat losse eindjes aan elkaar te knopen.'

'Je verhuist vandaag toch niet naar Chicago?' vroeg hij, waarna hij grinnikte. Het was maar half grappig bedoeld.

Ik lachte, rolde me om in mijn bed en frunnikte aan de ruche van mijn sprei. 'Nee, vandaag niet,' antwoordde ik. 'Wat ben je aan het doen?'

'Ik kom je straks ophalen,' zei hij. Ik vond het heerlijk als hij de leiding nam. Mijn hart sloeg een slag over, ik bloosde en voelde me heerlijk opgewonden worden. Na vier jaar met J was ik de surfermentaliteit spuugzat. Ik had ontdekt dat ik geen man meer wilde die ontspannen achterover leunde. En als het aankwam op Marlboro Mans genegenheid voor mij, leunde hij bepaald niet ontspannen achterover. 'Ik ben er om vijf uur.' Yes, sir. Je zegt het maar. Ik zal klaarstaan. Graag.

Ik begon me om drie uur klaar te maken. Ik douchte, schoor, poederde, parfumeerde, borstelde en krulde twee uur lang, waarna ik een lichtroze shirt en mijn favoriete spijkerbroek aantrok, waarbij het de bedoeling was dat het leek alsof ik op het laatste moment iets had aangeschoten.

Het werkte. 'Jezus,' zei Marlboro Man toen ik de deur opendeed. 'Je ziet er fantastisch uit.' Ik kon me echter niet concentreren op zijn compliment, ik was veel te veel afgeleid door zijn uiterlijk. Hemel, wat was hij knap. In een periode waarin de meeste mensen nog steeds melkwit zijn had hij een prachtige, goudbruine kleur doordat hij bijna altijd buiten was. Hij had zijn karakteristieke spijkeroverhemd verwisseld voor een stemmige, donkergrijze polo. Het soort shirt dat de nadruk perfect legt op biceps die niet zijn gevormd op de sportschool, maar door hard, praktisch werk. En zijn voortijdig grijze, gemillimeterde haar was gewoon de kers op de slagroom. Ik zou deze man kunnen opeten.

'Jij ook,' antwoordde ik terwijl ik probeerde mijn opspelende hormonen tot bedaren te brengen. Hij trok het portier van zijn witte pick-up open en ik klom erin. Ik vroeg niet eens waar we naartoe gingen. Het kon me niet schelen. Maar toen we rechts afsloegen naar de hoofdweg en de stad uit reden wist ik precies waar hij me naartoe bracht: naar zijn ranch… naar zijn grond… naar zijn huis op de ranch. Hoewel ik het niet van hem verwachtte of eiste, vond ik het stiekem heerlijk dat hij een uur reed om me op te halen. Het was uit een andere tijd, deze explosie van ridderlijkheid en hofmakerij. Terwijl we reden praatten we aan een stuk door: over onze vrienden, onze families, films en boeken en paarden en vee.

We praatten over van alles, behalve Chicago.

Ik wilde het hem dolgraag vertellen, maar ik kon het niet. Ik wilde hem vertellen dat ik vanochtend binnen een tijdsbestek van vijf minuten impulsief had besloten dat ik niet wegging. Dat ik mijn plannen om te verhuizen voor onbepaalde tijd had uitgesteld, als ze al niet helemaal verdwenen waren. Dat ik een nieuw plan had: bij hem zijn. Om de een of andere reden wilden de woorden echter niet komen.

In plaats van door te rijden over de hoofdweg tot we de grindweg bereikten die naar zijn huis leidde, nam Marlboro Man een andere route. 'Ik moet wat vee verplaatsen,' zei hij. Het kon me niet schelen, ik was overal voor in. Hij reed over een aantal kronkelende, verwarrende wegen – wegen die ik nooit uit elkaar zou kunnen houden – en stopte bij een weiland vol zwart vee. Hij zwaaide een paar hekken open, maakte wat armgebaren en binnen de kortste keren stond het vee op de plek waar het moest zijn. Deze man had er een handje van om allerlei wezens – of dat nu runderen of roodharige vrouwen van halverwege de twintig waren – naar zijn pijpen te laten dansen.

We namen de lange weg terug naar zijn huis en reden langs de meest noordelijke punt van de ranch toen de zon onderging. 'Wat is dat mooi,' riep ik uit terwijl ik de schoonheid ervan bewonderde.

Marlboro Man remde en zette de pick-up stil. 'Dat is het inderdaad, hè?' antwoordde hij terwijl hij uitkeek over het land waar hij was opgegroeid. Hij had er gewoond sinds hij vier dagen oud was, hij had er als kind gewerkt, hij had van zijn vader en grootvader en overgrootvader geleerd hoe hij een rancher moest zijn. Hij had geleerd om hekken te bouwen en met dieren te werken en prairiebranden te blussen en vee in alle kleuren, vormen en maten te fokken. Hij had geholpen met het begraven van zijn oudere broer in het familiegraf bij het huis en hij had geleerd om zich schrap te zetten en door te gaan ondanks het verdriet van die verschrikkelijke tragedie. Deze ranch was een deel van hem en zijn liefde ervoor was tastbaar.

We stapten uit en gingen in de laadbak zitten, hielden elkaars hand vast en keken naar de scharlakenrode zonsondergang terwijl het langzaam donker werd. De avond was warm en perfect stil, zo stil dat we elkaar hoorden ademhalen. En nadat de zon uiteindelijk achter de horizon was verdwenen en de hemel donker was, bleven we in de bak van de pick-up zitten en omhelsden en kusten elkaar alsof we elkaar tijdenlang niet hadden gezien. Ik voelde een onmetelijke hartstocht.

'Ik moet je iets vertellen,' zei ik terwijl de vlinders in mijn buik wild rondfladderden.

Marlboro Man stopte, zijn ogen doordringend op me gericht. We hadden in de laadbak van zijn pick-up gezeten terwijl we naar de zonsondergang keken, onze benen speels over de rand bungelend. Nu de zon verdwenen was en de hemel steeds donkerder werd, lagen we in de laadbak met onze benen verstrengeld en zoenden elkaar steeds hartstochtelijker.

Ik wilde niet wachten tot hij weer over het gevreesde onderwerp Chicago begon. Ik had het de afgelopen paar dagen vermeden als de pest, omdat ik de realiteit van mijn aanstaande verhuizing niet onder ogen wilde zien, omdat ik niet zo snel nadat we elkaar hadden gevonden weg wilde bij mijn nieuwe liefde. Maar nu was het onderwerp niet zo angstaanjagend meer. Ik had de beslissing genomen om te blijven, in elk geval voorlopig. Ik moest het alleen nog aan Marlboro Man vertellen. En eindelijk, tussen twee kussen door, borrelden de woorden dapper naar de oppervlakte. Ik kon ze niet langer binnenhouden. Maar voordat ik de kans had om ze uit te spreken, deed Marlboro Man zijn mond open en begon te praten.

'O, nee,' zei hij met een gekwelde uitdrukking op zijn gezicht. 'Vertel me niet dat je morgen weggaat.' Hij gleed met zijn vingers door mijn haar en duwde zijn voorhoofd tegen het mijne.

Ik glimlachte om het geheim dat ik zo meteen zou prijsgeven. Een kudde koeien loeide in de verte. Het was als een serenade.

'Eh... nee,' zei ik terwijl ik nauwelijks kon geloven wat ik op het punt stond te vertellen. 'Ik... eh... ik... Ik ga niet.'

Hij zweeg even en duwde me een stukje van zich af, zodat er net genoeg afstand tussen ons was om zich te kunnen concentreren. 'Wat?' vroeg hij, met zijn sterke vingers nog steeds in mijn haar. Er verscheen een aarzelende glimlach op zijn gezicht.

Ik ademde de avondlucht diep in en probeerde mijn schoolmeisjesachtige zenuwen te bedwingen. 'Ik... eh...' ging ik verder, 'ik heb besloten om hier nog een tijdje te blijven.' Daar. Ik had het gezegd. Nu was het officieel.

Zonder een moment te aarzelen sloeg Marlboro Man zijn brede armen om mijn taille. Daarna, in wat minder dan een seconde leek, tilde hij me op zodat we tegenover elkaar stonden en zijn ijsblauwe ogen op dezelfde hoogte als de mijne waren.

'Wacht... meen je dat?' vroeg hij terwijl hij zijn handen rond mijn gezicht legde. Hij keek diep in mijn ogen. 'Ga je niet?'

'Nee,' antwoordde ik.

'Wauw,' zei hij. Hij glimlachte en gaf me een lange, vurige kus. 'Ik kan het niet geloven,' ging hij verder terwijl hij me stevig omhelsde.

Onze knieën knikten van begeerte en voor ik het wist waren we terug in onze oude positie. We rolden door de laadbak en kusten elkaar fanatiek. Af en toe raakte mijn arm een koevoet of sloeg mijn hoofd tegen een reserveband of een veeprikstok of een krik; het kon me niet schelen. Ik had gezegd wat ik die avond wilde zeggen. Al het andere – zelfs lichte hoofdwonden – waren niet belangrijk.

We bleven daar heel lang, de zachte avondlucht gaf ons geen goede reden om weg te gaan. Onder de ontelbare sterren, te midden van alle omhelzingen en kussen en geluiden van het omringende vee, voelde ik me plotseling tevreden over mijn beslissing. Ik voelde me thuis, prettig, behaaglijk, fantastisch. Mijn leven was die dag veranderd op een manier die ik me nooit had kunnen voorstellen. Mijn plannen voor de grote stad – plannen die ik maanden geleden had gemaakt – waren verpulverd door een één meter drieëntachtig lange cowboy met mest aan zijn laarzen. Een cowboy die ik nog geen drie weken kende. Het was het krankzinnigste wat ik ooit had gedaan. Ik had besloten om een impulsieve wandeling over een nieuw en onbekend pad te maken. En terwijl ik me stiekem afvroeg hoe lang het zou duren voordat ik spijt van mijn beslissing zou krijgen was ik heel ontspannen, in elk geval vanavond, in de wetenschap dat ik de moed had gehad om zo'n enorm risico te nemen.

Het was laat. Tijd om te gaan. 'Zal ik je nu naar huis brengen?' vroeg Marlboro Man terwijl onze vingers verstrengeld waren en hij de rug van mijn hand kuste. 'Of wil je...' Hij zweeg even en dacht na over zijn woorden. 'Wil je op de ranch blijven slapen?'

Ik gaf niet meteen antwoord. Ik had het te druk met genieten. De heerlijke avondlucht, de geluiden van de moederkoeien in een afgelegen weiland, de biljoenen sterren boven ons hoofd, het gevoel van zijn vingers verstrengeld met de mijne. De avond kon niet perfecter zijn. Ik weet niet zeker of iets, zelfs met hem naar de ranch gaan, het nog beter zou kunnen maken.

Ik wilde net mijn mond opendoen, maar Marlboro Man was me te snel af. Hij stond op, tilde me van de laadbak en droeg me in de stijl van Rhett Butler uit *Gejaagd door de wind* naar de passagierskant. Nadat hij me had neergezet en het portier had geopend, zei hij: 'Nu ik erover nadenk geloof ik dat ik je beter naar huis kan brengen.' Ik glimlachte, ervan overtuigd dat hij mijn gedachten kon lezen.

De sfeer tussen ons was onmiddellijk en merkbaar veranderd. Voordat ik mijn appartement in Chicago had afgezegd en hem had verteld dat ik van plan was te blijven, was de hartstocht tussen ons urgent geweest, gehaast. Het was alsof een denkbeeldige kracht ons dwong om ogenblikkelijk uiting aan onze gevoelens te geven omdat we die kans binnenkort niet meer zouden hebben. Tot dat moment was er een stille wanhoop in onze relatie geweest, gevoelens van opwinding en begeerte vermengd met een onaangename dreiging van onheil en angst. Maar nu mijn verhuizing van de baan was, waren onheil en angst vervangen door een heerlijk gevoel van behaaglijkheid. Plotseling hadden Marlboro Man en ik, hoewel we stapelverliefd waren, geen haast meer.

'Ja,' zei ik terwijl ik knikte. 'Dat vind ik ook.'

Jezus, ik wist mijn woorden wel te kiezen.

Hij bracht me via allerlei kronkelende wegen op zijn ranch en de provinciale weg naar het huis van mijn ouders aan de golfbaan terug. Toen hij met me meeliep naar de deur verbaasde het me hoe anders het voelde. Telkens als ik met Marlboro Man op de veranda had gestaan, had ik gevoeld hoe de dozen naar me gebaarden om binnen te komen, om het pakken af te maken, om me klaar te maken voor mijn vertrek. Inpakken na onze afspraakjes was een regelmatige activiteit geworden, een ritueel, een poging van mijn kant om aan mijn verhuizing te werken, in weerwil van mijn groeiende genegenheid voor deze nieuwe en onverwachte man in mijn leven. En nu ik vanavond in zijn armen lag, hoefde ik alleen nog maar uit te pakken. Of alles zo laten: het kon me niet schelen. Ik ging nergens naartoe. Op dit moment niet in elk geval.

'Ik had dit niet verwacht,' zei hij met zijn armen om me heen.

'Ik ook niet,' zei ik lachend.

Hij zocht mijn mond voor een laatste kus, een perfect einde van onze avond. 'Je hebt mijn dag goedgemaakt,' fluisterde hij voordat hij naar zijn pick-up liep en wegreed.

Terwijl ik me omdraaide om naar mijn slaapkamer te gaan, voelde ik de zenuwuiteinden in mijn hele lichaam tintelen. Als dit geen liefde was, dan wist ik het ook niet meer, dacht ik. Ik liep mijn kamer binnen en keek met een kriebelende combinatie van melancholie en blijdschap naar de dozen, liet me op mijn comfortabele bed vallen, schopte mijn schoenen uit en zuchtte dromerig.

Het luide gerinkel van mijn telefoon maakte me een uur later wakker: ik was met mijn kleren aan in slaap gevallen. 'Hallo?' zei ik slaperig. Gedesoriënteerd, verward en dronken van begeerte en de plattelandslucht.

'Hé... met mij,' zei een zachte, ernstige stem aan de andere kant van de lijn. Het was J.

'Hoi,' zei ik terwijl ik mezelf dwong om rechtop te gaan zitten, met mijn dekbed over mijn schouders geslagen. 'Wat ben je aan het doen?' *Zeg alsjeblieft dat je niet op het vliegveld staat.*

'Ik wilde je stem gewoon horen,' zei hij. Hij klonk gedeprimeerd. 'Het is al een tijdje geleden.'

Het was meer dan een week geleden sinds hij de wanhoopsvlucht naar mijn geboortestad had genomen. Het verbreken van onze relatie was pijnlijk en moeilijk geweest, in elk geval voor hem, omdat hij geen troost kon zoeken in een nieuwe, opwindende liefde. Ik vond het verschrikkelijk dat hij er zo onder leed, maar de relatie van J en mij was gedoemd geweest te mislukken en ik nam aan dat zoiets nooit prettig was.

'Hoe is het met je?' vroeg ik met een steriele klank in mijn stem.

Zijn stem was monotoon. 'Goed. En met jou?'

'Prima,' zei ik. Ik besloot niet te vertellen hoe dolgelukkig ik was.

'En, wanneer ga je verhuizen?' vroeg hij. 'Ik neem tenminste aan dat je inderdaad gaat.'

Ik slikte. En nu?

'Ik weet het niet zeker,' antwoordde ik. Ik had geen zin om helemaal eerlijk te zijn.

'Waneer, volgende week? Volgende maand? Wat zijn je plannen?' drong J aan.

Ik slikte opnieuw. 'Ik weet het echt niet,' zei ik opnieuw aarzelend. 'Ik heb mijn plannen enigszins aangepast.'

J zweeg even. 'Wat wil je daarmee zeggen?'

Ik had geen flauw idee wat ik hem moest vertellen. 'Daarmee wil ik zeggen... dat–'

'Vorige week kon je over niets anders dan Chicago praten,' onderbrak J me. 'Het is een van de redenen dat we volgens jou niet meer samen kunnen zijn.'

'Tja...' zei ik terwijl ik nadacht. 'Het ziet ernaar uit dat ik voorlopig niet ga.'

'Waarom niet?' vroeg J.

Ik gaf geen antwoord.

'Wacht eens even, heb je... heb je iemand anders?' vroeg hij venijnig. Het klonk scherp, confronterend.

Ik voelde me in het nauw gedreven en had geen andere keus dan praten, hoewel ik me het liefst onder mijn bed had verstopt. 'Eigenlijk wel, J... Ja, dat klopt,' antwoordde ik uitdagend. J haalde die kant van me nu eenmaal naar boven.

'Ik wist het,' zei hij alsof hij een mysterie had opgelost of een oeroude code had gekraakt. 'Ik wíst dat het zoiets moest zijn.'

'Is dat zo?' vroeg ik, een greintje sarcasme in mijn vermoeide stem.

'Ik wist het gewoon,' ging hij verder. 'Je hebt je de afgelopen drie maanden zo vreemd gedragen.'

Hij had het helemaal mis. 'Wacht eens even, J,' zei ik terwijl ik probeerde mijn kalmte te bewaren. 'Ik ken hem nog maar drie weken.'

Het was de verkeerde opmerking. 'Je kent hem nog maar dríé wéken en plotseling ga je om hem niet verhuizen?' tierde J. Hij was razend.

'Hé,' zei ik in een poging het gesprek weer op neutraal terrein te krijgen. 'Laten we dit niet doen, oké?'

'Wat doen?' ging hij op ruzieachtige toon verder. 'Ik begin me af te vragen wat je me verder allemaal niet hebt verteld.'

Ik begon boos te worden. J was gekwetst, dat begreep ik. Hij had het duidelijk niet aan zien komen dat onze relatie zou stranden, ook al was dat maanden geleden al begonnen. Maar terwijl ik signalen had afgegeven door niet met hem mee te gaan naar San Francisco, door hem niet regelmatig te bezoeken en hem steeds minder bij mijn leven in mijn ouderlijk huis te betrekken, was J volkomen tevreden geweest met onze relatie en had hij bijna alles wat belangrijk was voor vanzelfsprekend aangenomen. Ze komt wel terug, had hij zichzelf waarschijnlijk ingeprent. *Ze vindt het niet nodig dat ik haar bel. Ze weet dat ik van haar hou. Ze zal er altijd voor me zijn.* Het was niet onvergeeflijk, maar lang niet voldoende om ervoor te zorgen dat ik de rest van mijn leven bij hem wilde blijven.

'Dus?' zei hij, zijn stem boordevol verbittering.

'Wat?' vroeg ik verdedigend. Ik had er plotseling genoeg van.

'Wat heb je me nog meer niet verteld?'

Ik dacht even na. 'Eigenlijk is er inderdaad nog iets,' antwoordde ik, waarna ik even zweeg om zorgvuldig over mijn woorden na te denken. 'Ik eet tegenwoordig biefstuk.'

Ik was jarenlang vegetariër geweest, in elk geval in alle jaren die ik met J samen was geweest, en ik was nog maar pas geleden overgestapt naar mijn nieuwe bestaan als carnivoor. Ik zou alles doen voor Marlboro Man, met inbegrip van het laten vallen van mijn levenslange gelofte om geen vlees te eten. Ik wist dat dit de enige manier was om J's aandacht te krijgen. Ik wist dat dit alles kristalhelder voor hem zou maken.

'Mijn god,' zei J, zijn verbittering vervangen door walging. 'Wat is er met je gebeurd?' Hij hing abrupt op.

Ik nam aan dat het had gewerkt.

Hij zou nu eindelijk begrijpen dat onze relatie voorbij was. De koek was gewoon op. Er was niet voldoende respect, bewondering en waardering meer voor een langdurige relatie.

Hierna was het tijd om mijn familieleden in te lichten, die zich inmiddels afvroegen wat er met me aan de hand was. Ik begon met mijn moeder.

'Misschien vertrek ik iets later,' vertelde ik haar. 'Maar op dit moment ga ik niet.'

'Daar sta ik niet van te kijken,' zei ze terwijl ze het zweet van haar net geëpileerde wenkbrauw veegde. Daarna glimlachte ze. 'Ik vind zijn gesteven overhemden geweldig, weet je dat?'

'O ja,' zei ik dromerig met mijn ogen dicht. 'Ik weet het.'

Hierna vertelde ik het mijn vader.

'Pap, ik heb besloten om nog niet naar Chicago te gaan,' zei ik. 'Ik ben nogal verliefd op die cowboy over wie ik je heb verteld.'

'O ja?' vroeg hij.

'Ja,' antwoordde ik.

Hij zweeg even. 'Weet J dat al?' vroeg hij daarna.

Ik was de veertien uur daarna bezig hem bij te praten.

Ik vertelde het ook aan mijn allerbeste vriendin, mijn zus.

'Oké, ik ga voorlopig niet,' zei ik door de telefoon tegen Betsy. Ik had haar wakker gemaakt uit een diepe universiteitsgerelateerde slaap.

'Waar naartoe?' vroeg ze versuft.

'Chicago,' ging ik verder.

'Wát!?' gilde ze. Nu was ze in elk geval wakker.

'Ik ben helemaal verliefd,' zei ik. 'Ik ben stapelverliefd op Marlboro Man.' Ik giechelde onbeheerst.

'O god,' zei ze. 'Ga je met hem trouwen en verhuizen naar de rimboe en zijn baby's krijgen?'

'Nee!' riep ik uit. 'Ik ga niet verhuizen naar de rimboe. Maar misschien krijg ik zijn baby's.' Ik giechelde weer ongecontroleerd.

'En Chicago dan?' vroeg Betsy.

'Tja...' begon ik. 'Je zou hem moeten zien in zijn Wrangler.'

Betsy was even stil. 'Ik heb voorlopig genoeg gehoord,' zei ze daarna. 'Ik moet trouwens slapen, ik heb vanmiddag een college en ik ben uitgeput...'

'Je zou hem in zijn cowboylaarzen moeten zien,' ging ik verder.

'Oké, dan...'

'Maar goed, maak je geen zorgen over mij,' ging ik verder. 'Mocht je me nodig hebben: ik ben gewoon thuis en kus Marlboro Man vierentwintig uur per dag.'

'Whatever,' zei Betsy terwijl ze haar uiterste best deed om niet te lachen.

'Goed, dan... hard studeren!' zei ik tegen haar.

'Yep,' antwoordde ze.

'En ga niet met iedereen naar bed,' vermaande ik.

'Begrepen,' antwoordde Betsy. Ze was het gewend.

'En rook geen crack,' voegde ik eraan toe.

'Juist,' antwoordde ze gapend.

'En sla geen colleges over,' waarschuwde ik haar.

'Je bedoelt zoals jij altijd deed?' kaatste Betsy terug.

'Nou, en ga niet met iedereen naar bed,' herhaalde ik.

Klik.

Hierna was het tijd om het mijn broer Mike te vertellen.

'Hé Mike,' verkondigde ik. 'Raad eens?'

'W-w-wat?' vroeg hij.

'Ik blijf hier. Ik ga niet verhuizen,' zei ik. 'Ben je niet blij?'

Mike dacht even na en vroeg toen: 'K-k-k-kun je me dan naar de brandweerkazerne brengen?'

Uiteindelijk vertelde ik het nieuws ook aan mijn oudste broer. Hij woonde in Chicago en had ernaar uitgezien dat zijn zusje in de buurt zou komen wonen.

'Ben je verdomme niet goed bij je hoofd?' vroeg hij. Hij had nooit een blad voor de mond genomen.

'Klopt,' gaf ik toe in een poging hem de wind uit de zeilen te nemen. 'Ik denk dat je gelijk hebt.'

'Wat ga je in vredesnaam thuis doen? Je verschrompelt daar en gaat dood, het is er zo achtergebleven!' Voor mijn kosmopolitische, over de hele wereld reizende broer was elke stad met minder dan drie miljoen inwoners achtergebleven.

'Wie is die vent, trouwens?'

'O, je kent hem niet,' zei ik. 'We gaan nog maar een maand met elkaar om.'

Mijn broers praktische kant kwam bovendrijven. 'Je kent hem nog maar een máánd? Wat doet hij in jezusnaam?'

'Tja,' begon ik terwijl ik mezelf schrap zette. 'Hij is... cowboy.'

'Jezus.' Mijn broer ademde hardop uit.

8

Problemen aan het thuisfront

Ik had liefde gevonden in de brede, verbazingwekkende armen van een cowboy die ik Marlboro Man noemde. Het waren fantastische armen, sterk in elke betekenis van het woord, maar ook zacht en beschermend op alle juiste manieren. Armen die me in een keer negenhonderd verschillende emoties bezorgden. En dat terwijl ik al die tijd had gedacht dat er maar een handvol emoties waren. Geluk. Verdriet. Boosheid. Vrolijkheid. Opwinding. Verveling.

Hemel, wat had ik het mis gehad. Alleen al door zijn stem door de telefoon begonnen er tweehonderd verschillende synapsen in mijn centrale zenuwstelsel te vuren; een uur in zijn armen en ik had ze allemaal gevoeld, minstens twee keer. Een tintelende roes, bruisende opwinding, uiterste tevredenheid…

En een enorme angst bij de gedachte dat ik ooit zonder die armen zou moeten leven.

Die armen. Behalve de fysieke aantrekkelijkheid hadden ze iets magisch. Ze waren gevuld met een speciale chemische stof die alleen vrij leek te komen als ze hartstochtelijk om me heen waren geslagen. En die chemische stof was krachtig, bedwelmend, als een tweede slok wijn of de geur van brandende patchouli. En dat een miljoen keer zo sterk. Zulke armen moesten in brons gegoten worden. Gevangen en bewaard voor de eeuwigheid.

We brachten elk vrij moment in elkaars gezelschap door. We reden over zijn ranch, kookten voor elkaar, keken films en deden ons best om onthouding te praktiseren op de gerieflijke bank in de zitkamer van zijn geïsoleerde huis op de ranch. We waren grotendeels alleen tijdens onze afspraakjes omdat er geen nachtclubs en feesten in de buurt waren. We hadden daar trouwens ook geen behoefte aan. Sociaal zijn en mensen ontmoeten stond niet hoog op onze agenda. We hadden veel te veel over elkaar te leren.

Marlboro Man besloot echter al snel dat het tijd voor me was om zijn broer Tim te ontmoeten. Het telefoontje kwam op mijn autotelefoon terwijl ik op een avond op weg naar zijn ranch voor me uit staarde en met enthousiaste verwachting uitkeek naar de heerlijke avond die voor me lag. Ik zou Marlboro Man helemaal voor mezelf hebben. Ik mocht in die magische armen kruipen en de wereld om me heen vergeten. Hoewel het minder dan vierentwintig uur geleden was sinds ik hem voor het laatst had gezien, kon ik niet wachten.

'Hoi,' zei Marlboro Man. 'Waar ben je?'

Alsof ik dat wist. Ik was ergens tussen mijn huis en het zijne. 'O… ergens tussen mijn huis en het jouwe,' zei ik. Marlboro Man wist hoe slecht mijn richtinggevoel was.

Hij grinnikte. 'Goed, laat ik het anders zeggen: ben je meer dan halverwege mijn huis? Of ben je nog niet zo ver?' Hij begon mijn taal al te spreken.

'Eh…' zei ik terwijl ik om me heen keek in een poging me te herinneren hoe laat ik van huis was vertrokken. 'Ik zou zeggen… ik zou zeggen… dat ik precies halverwege ben.'

'Oké,' zei hij, zijn glimlach duidelijk voelbaar door de telefoon. 'Ik wil graag dat je naar het huis van mijn broer komt.'

Ik slikte. *Het huis van je broer? Bedoel je dat we andere mensen in onze relatie moeten toelaten? Bedoel je dat er andere mensen in de wereld zijn behalve wij? Het spijt me. Dat was ik vergeten.*

'O, oké,' zei ik enthousiast terwijl ik mijn make-up in de achteruitkijkspiegel controleerde. 'Maar… hoe kom ik daar?' Ik voelde vlinders in mijn buik.

'Luister, ongeveer anderhalve kilometer voor mijn afslag zie je een wit hek aan de noordkant van de hoofdweg,' instrueerde hij me. 'Daar moet je afslaan en na ongeveer een kilometer ben je bij zijn huis.'

'Oké…' zei ik aarzelend.

'Snap je het?' vroeg ik.

'Natuurlijk,' antwoordde ik, waarna ik even zweeg. 'Maar… eh… waar is het noorden?'

Het was maar voor de helft een grapje.

Verbazingwekkend genoeg vond ik het huis van Marlboro Mans broer een halfuur later. Terwijl ik parkeerde zag ik Marlboro Mans vertrouwde witte pick-up naast een heel grote, imponerende vrachtwagencombinatie staan. Hij en zijn broer zaten in de cabine.

Marlboro Man gebaarde dat ik bij hen moest komen zitten. Ik zwaaide, stapte uit mijn auto en was stom genoeg om mijn tas mee te nemen. Om het nog erger te maken, vergrendelde ik mijn deuren en zette mijn autoalarm aan. Ik realiseerde me niet hoe misplaatst het 'klik klik' in de stilte van het platteland klonk. Terwijl ik naar het monsterlijk grote voertuig liep om de enige broer van mijn lief te ontmoeten, bedacht ik dat ik niet alleen nog nooit in de cabine van een vrachtwagencombinatie had gezeten, maar dat ik ook niet zeker wist of ik ooit binnen een straal van dertig meter van zo'n gevaarte was geweest. Mijn oksels waren plotseling klam en vochtig en mijn lichaam trilde zenuwachtig bij het vooruitzicht om niet alleen Tim te ontmoeten, maar ook in een voertuig te stappen dat negen keer zo groot was als mijn Toyota Camry, die op dat moment de grootste auto was die ik ooit had bezeten. Ik was zenuwachtig. Wat moest ik daarbinnen doen?

Marlboro Man opende de passagiersdeur en ik pakte de enorme greep aan de zijkant van de cabine en trok mezelf omhoog op de metalen treden van de vrachtwagen. 'Stap in,' zei hij terwijl hij me de cabine in hielp. Tim zat op de chauffeursstoel. 'Ree, dit is mijn broer, Tim.'

Tim was knap. Ruig en een beetje stoffig, alsof hij net klaar was met werken. Ik zag een vage gelijkenis met Marlboro Man, een vertrouwde twinkeling in zijn ogen. Tim stak zijn hand uit en hield de andere op het stuur van wat een spiksplinternieuwe veewagen bleek te zijn, die nog maar een paar uur oud was. 'En, wat vind je ervan?' vroeg Tim met een brede glimlach. Hij zag eruit als een kind in een snoepwinkel.

'Hij is mooi,' antwoordde ik terwijl ik om me heen keek. Er waren veel meetinstrumenten en bedieningsknoppen. Ik wilde achterin kruipen om te kijken hoe het slaapgedeelte eruitzag en of er een tv was. Of een jacuzzi.

'Wil je er een stukje in rijden?' vroeg Tim.

Ik wilde handig, sterk en overal op voorbereid lijken. 'Natuurlijk,' antwoordde ik terwijl ik mijn schouders ophaalde. Ik bereidde me er geestelijk op voor om achter het stuur te kruipen.

Marlboro Man grinnikte. Tim bleef op zijn stoel zitten en zei: 'O, misschien kun je dat beter niet doen. Je zou een nagel kunnen breken.' Ik keek naar mijn nieuwe manicure. Het was aardig van hem dat hem dat opviel. 'En bovendien,' ging hij verder, 'denk ik niet dat je in staat bent om te schakelen.' Nam hij me in de maling? Mijn oksels waren drijfnat. Godzijdank droeg ik die avond geen zwart.

Na nog tien minuten enigszins ongemakkelijk kletsen, redde Marlboro Man me door te verkondigen: 'Tja, ik denk dat we moeten gaan, Slim.'

'Oké, Slim,' antwoordde Tim. 'Leuk je te ontmoeten, Ree.' Hij glimlachte vriendelijk, wat heel vertrouwd leek. Hij was absoluut leuk. Hij was absoluut Marlboro Mans broer.

Maar hij haalde het niet bij de echte.

Marlboro Man opende de passagiersdeur van de vrachtwagencombinatie en liet mij eerst uitstappen, terwijl Tim aan de chauffeurskant naar buiten klom om ons uit te zwaaien. Dat ging helemaal niet slecht, dacht ik terwijl ik naar beneden klom. Behalve de opmerking over mijn manicure en mijn transpiratieprobleem was de ontmoeting met de broer van Marlboro Man opmerkelijk goed verlopen. Ik zag er die avond goed uit, het was me gelukt een paar grappige opmerkingen te maken en ik droeg de juiste kleding om mijn zenuwachtigheid te maskeren. Het leven was goed.

Maar plotseling, omdat de Goden van de Vernedering er heel erg op gebrand leken me in een slecht daglicht te plaatsen, verloor ik mijn evenwicht op de laatste trede doordat de hak van een van mijn stomme laarzen vast bleef zitten in het rasterwerk van de trede. Ik pakte de handgreep vast om geen doodsmak op het grindpad onder me te maken. Maar hoewel dat mijn val voorkwam, vloog mijn tas uit mijn hand en belandde onderstebOVEN op Tims oprit, waardoor de inhoud over de grond rolde.

Alleen een vrouw kent het gevreesde gevoel wanneer de inhoud van haar tas in het bijzijn van mannen over de grond rolt. Plotseling lag mijn ziel op het grind verspreid, voor de ogen van Marlboro Man en zijn broer: overjarige lipgloss, een lekkende pen, kauwgomwikkels en een borstel met honderden, misschien zelfs duizenden dikke, roodbruine haren. Mannen begrepen bossen lang haar niet. Wat hen betrof zou ik de een of andere stoornis aan mijn follikels kunnen hebben en kaal worden. Er zaten geen tampons bij, maar wel een doosje flosdraad met een slordig stukje draad van twintig centimeter lang dat uit de opening bungelde en in de wind heen en weer bewoog.

Er lagen ook overal Tic Tacs. Stapels oranje Tic Tacs.

Maar het ergste was het geld. Munten en briefjes van vijf en tien en twintig, die netjes samengevouwen in een vakje in mijn tas hadden gezeten, dwarrelden over Tims oprit in de aanwakkerende wind.

Niets in mijn leven had me kunnen voorbereiden op mijn gevoel van afgrijzen terwijl ik moest toezien hoe Marlboro Man, mijn nieuwe liefde, en zijn broer Tim, die ik net had ontmoet, ridderlijk over Tims oprit renden in een poging mijn eigenzinnige dollars te redden. Allemaal omdat ik mijn evenwicht niet had kunnen bewaren op de trap van hun glanzende nieuwe vrachtwagencombinatie.

Ik liet mijn auto bij Tim staan, en toen we in Marlboro Mans pick-up wegreden, staarde ik uit het raam, schudde mijn hoofd en verontschuldigde me omdat ik zo'n enorme sukkel was. Toen we bij de hoofdweg kwamen, keek Marlboro Man naar me terwijl hij rechts afsloeg. 'Ja,' zei hij troostend. 'Maar je bent míjn sukkel.'

Soms waagden Marlboro Man en ik ons in de buitenwereld. We gingen naar de stad om een film te zien, in een restaurant te eten, onder de mensen te zijn. Maar we waren het best in thuisblijven, koken, afwassen en ons terugtrekken op de stoelen op zijn veranda of de bank in de zitkamer. Daar keken we naar actiefilms en bedachten we nieuwe, inventieve manieren om ons zo in elkaars armen te verstrengelen dat er geen centimeter ruimte tussen ons overbleef. Het was onze hobby en we waren er goed in.

Onze relatie werd serieuzer. We groeiden naar elkaar toe. Met elke dag die voorbijging werden onze gevoelens dieper, werd onze hartstocht intenser. Ik voelde een liefde zoals ik nog nooit had gekend. Ik vond het heerlijk om bij een man te zijn die ondanks zijn mannelijkheid niet bang was om zijn zachte, tedere kant te tonen. Een man die niet bang was om voor zijn gevoelens uit te komen, die geen spelletjes speelde.

Soms lag ik 's avonds echter wakker en worstelde ik met de wending die mijn leven had genomen. Hoewel ik nooit twijfelde aan mijn gevoelens voor Marlboro Man, vroeg ik me op die momenten af waar het allemaal toe zou leiden. We waren niet verloofd, daarvoor was het veel te vroeg, en hoe zou een toekomst samen trouwens moeten werken? Ik zou nooit op het platteland kunnen wonen. Ik probeerde voorbij alle verblindende hartstocht te kijken en me voor te stellen wat zo'n leven zou betekenen. Grind? Mest? Overalls? Isolement?

Op het moment dat mijn hersenen op volle toeren draaiden en mijn 'wat als'-vragen mijn slaap dreigden te verstoren, ging mijn telefoon bijna altijd over. Het was Marlboro Man, die absoluut niet in de war was. Die nadacht en daarnaar handelde zonder ook maar een moment te verspillen aan het afwegen van voors en tegens en risico's en beloningen. Die woorden fluisterde die net zo goed niet hadden kunnen bestaan voordat hij ze uitsprak: 'Ik mis je nu al...', 'Ik denk aan je...', Ik hou van je...' En dan rook ik zijn geur en verdween ik meteen naar dromenland.

Dit was het patroon dat mijn eerste periode met Marlboro Man kenmerkte. Ik was dolgelukkig en uitermate tevreden en wat mij betreft had het altijd zo door mogen gaan. Maar de dag waarop de realiteit me bij mijn schouders pakte om me flink door elkaar te schudden zou onvermijdelijk komen.

En zoals gewoonlijk was ik daar absoluut niet op voorbereid.

Marlboro Man woonde vijfendertig kilometer bij het dichtstbijzijnde, kleine stadje vandaan. Het bezat geen bloeiend nachtleven, alleen een plaatselijke bar waar gepensioneerde olieveldwerkers en cowboys boven hun whisky's roddelden en verhalen vertelden. Zijn jeugdvrienden waren bijna allemaal vertrokken naar grotere steden, om daar boeiende levens te gaan leiden. Marlboro Man echter was na de landbouwhogeschool teruggekeerd naar de plek waar hij was opgegroeid. Terug naar het land dat, behalve de telefoonpalen en de oliebronnen, er precies zo uitzag als honderd jaar geleden, toen zijn betovergrootvader van Schotland naar Amerika was gekomen. Het was een kalm en geïsoleerd bestaan, maar hij had zijn hart eraan verpand.

Vreemd genoeg begreep ik het. De prairie had iets. Het was zo ongelooflijk anders dan de aanstormende golven van de Californische kust, de rotsklippen van Laguna, de palmbomen en de bergen en de zon en de smog. Het was open – geen snelweg of flatgebouw in zicht – en het ademde geschiedenis en rust. Op de paarden en het vee na was het nauwelijks bevolkt en er lagen kilometers tussen het ene cowboyhuis en het volgende. Hoewel ik al maandenlang uit Los Angeles weg was, waren het tempo en de chaos ervan nog steeds zo'n deel van me dat ik het soms in mijn oren kon horen galmen. Ik reed nog steeds snel en gestrest van de oprit van mijn ouders weg. Ik rekende nog steeds een uur voor een afstand van tien minuten.

Maar na vijf minuten op de prairie was ik dat allemaal vergeten. Mijn ziel kalmeerde, ontspande, liet los. De ranch lag zo afgelegen van alle uiterlijke schijn van de samenleving dat het heel eenvoudig was om te vergeten dat die samenleving vol verkeer en drukte en stress bestond. En zonder het lawaai en alle afleidingen die mijn leven de afgelopen zeven jaar hadden beheerst, vond ik het ineens heel gemakkelijk om helder te denken, om me te concentreren op mijn groeiende relatie met Marlboro Man, om elk heerlijk moment in me op te nemen.

Zonder alle vrienden, kennissen en feestmaatjes met wie ik me in L.A. had omringd, raakte ik er al snel aan gewend om Marlboro Man helemaal voor mezelf te hebben. En met uitzondering van een paar korte ontmoetingen met zijn broer en mijn moeder, brachten we nauwelijks tijd door met andere mensen. Ik vond het heerlijk, maar het was niet reëel.

En het kon niet voor altijd zo doorgaan.

'Kom je morgenochtend vroeg hierheen?' vroeg Marlboro Man op een avond door de telefoon. 'We gaan het vee bijeendrijven en ik wil dat je mijn vader en moeder leert kennen.'

'O, oké,' stemde ik toe terwijl ik me afvroeg waarom we niet gewoon in onze geïsoleerde, romantische wereld konden blijven. Als ik eerlijk was, was ik er nog niet aan toe om zijn ouders te ontmoeten. Ik had mezelf nog steeds niet succesvol losgemaakt van J's allerliefste ouders. Ze waren zo fantastisch voor me geweest gedurende de jaren dat ik een relatie met hun zoon had. Ze waren de Californische versie van mijn ouders, mijn thuis weg van huis. Ik vond het heel erg dat we niet met elkaar om konden blijven gaan ondanks het piepkleine detail dat ik mijn relatie met hun zoon had verbroken. Nu al? Een nieuw stel ouders? Ik was er niet klaar voor.

'Hoe laat wil je dat ik er ben?' vroeg ik. Ik deed alles voor Marlboro Man.

'Kun je hier rond vijf uur zijn?' vroeg hij.

'Je bedoelt toch 's middags?' antwoordde ik hoopvol.

Hij grinnikte. *O, nee. Dit was heel erg.* 'Eh... nee,' zei hij. 'Ik bedoel vijf uur 's ochtends.'

Ik zuchtte. Als ik om vijf uur bij zijn ranch wilde zijn, moest ik om vier uur opstaan – vóór vier uur zelfs als ik wilde douchen en mezelf toonbaar wilde maken. Dat betekende dat het nog steeds donker buiten zou zijn, wat volkomen belachelijk en onacceptabel was. Dat ging echt niet. Ik moest nee tegen hem zeggen.

'Oké, geen probleem,' antwoordde ik. Ik voelde een steek in mijn maag.

Hij grinnikte weer. 'Ik kan je komen halen als je dat wilt?' zei hij plagerig. 'Dan kun je tot de ranch slapen.'

'Maak je een grapje?' antwoordde ik. 'Ik ben meestal toch al om vier uur op voor mijn rondje hardlopen, zoals je heel goed weet.'

'Uh-huh,' zei hij. Hij grinnikte opnieuw.

Ik hing op en rende naar mijn kast. Wat droeg je 's ochtends vroeg op een ranch? vroeg ik me af. Ik had er geen flauw idee van. Ik was godzijdank verstandig genoeg om te beseffen dat mijn zwarte laarzen met hoge hakken – dezelfde laarzen die ik tot nu toe tijdens bijna elk afspraakje met Marlboro Man had gedragen – niet in aanmerking kwamen. Ik wilde ze niet vies maken. Bovendien zouden de mensen misschien vreemd naar me kijken. Ik had mooie spijkerbroeken, dat wel, maar moest ik de donkere Anne Klein met rechte pijpen kiezen, of de gebleekte boot-cut Caps met contrasterende stiksels? En wat moest ik er in vredesnaam boven dragen? Dit kon lastig worden. Ik had een paar leuke vestjes, maar het weer begon warmer te worden en die stijl riep niet precies 'ranch' tegen me. Ik had ook een lange, vlaskleurige linnen tuniek van Banana Republic die ik graag combineerde met een lange turkooisen ketting en sandalen. Maar dat was geschikter voor een barbecue 's avonds in Texas dan om 's ochtends vroeg vee bijeen te drijven in Oklahoma. Misschien een van mijn vele shirtjes met dierenprints en glitters en stenen en andere decoraties? Maar het laatste wat ik wilde was het vee laten schrikken waardoor het op de vlucht zou slaan. Dat had ik gezien in de film *City Slickers*, toen Billy Crystal zijn koffiemaler aanzette, en de resultaten waren helemaal niet leuk geweest.

Ik overwoog het af te zeggen. Ik had absoluut niets om aan te trekken. Al mijn schoenen waren zwart, behalve de felgele pumps die ik in een opwelling in Westwood had gekocht. Die zouden ook niet voldoen. En ik bezat geen enkel shirt dat niet luidkeels riep: Dom stadsmeisje! Dom stadsmeisje! Dom stadsmeisje! Ik wilde onder mijn dekbed kruipen om me te verstoppen.

Ik liep Betsy's kamer in. Ze was vijf jaar jonger dan ik, studeerde en droeg altijd grunge- en hippiekleding, maar misschien had ik geluk en vond ik een T-shirt zonder het gezicht van Kurt

Cobain of Bob Marley erop. Misschien. Ik deed haar kast open, keek erin en daar hing het, badend in een magisch licht: een verbleekte spijkerblouse; groot genoeg voor haar broodmagere figuurtje om open en slordig te dragen, gecombineerd met haar smerige Birkenstocks, maar klein genoeg voor mij om in mijn spijkerbroek te stoppen en passend gekleed te zijn. Ik trok hem aan en was enthousiast. Het was de perfecte oplossing. Nu de schoenen nog.

Het lot wilde dat ik opkeek en Betsy's bruine Ralph Lauren-laarzen zag die ze drie jaar eerder met Kerstmis had gekregen. Ze pasten niet bij haar grungekledingstijl en ze stonden daarom al eeuwenlang op de bovenste plank van haar kast. Er zaten veters in, ze waren lomp en een maat te klein voor me, maar met het oog op mijn andere keuzes – zwarte go-go-laarzen met naaldhakken of felgele pumps – waren ze de meest aantrekkelijke optie. Ik legde mijn kleding klaar, zette mijn wekker op 03.40 uur en rende naar beneden om twee lepels in de vriezer te leggen. Ik zou ze nodig hebben.

Mijn ouders praatten zachtjes met elkaar in de huiskamer. Het leek alsof ze tegenwoordig altijd in de huiskamer zaten te praten. 'Ik sta morgen om vier uur op,' verkondigde ik zwaaiend. 'Ik ga naar de ranch om iets te doen wat met vee te maken heeft. '

Mijn ouders zwaaiden glimlachend terug. 'Veel plezier,' zeiden ze. Daarna ging ik terug naar mijn kamer en kroop onder mijn dekbed.

De volgende ochtend schrok ik wakker door de gillende wekker. Dit moest een grap zijn. Het was nácht. Waren deze mensen krankzinnig? Ik nam een douche terwijl mijn hart bonkte bij het vooruitzicht dat ik de ouders van Marlboro Man op hun terrein zou ontmoeten. In een handdoek gewikkeld liep ik naar beneden en haalde mijn bevroren lepels tevoorschijn, die ik mee naar boven nam en op mijn ogen legde. Ik wilde geen irritante zwellingen. Binnen vijfentwintig minuten was ik volledig opgemaakt, geföhnd, gekruld, aangekleed en klaar om de deur uit te gaan. Ik zag er uitstekend uit in mijn denim blouse, mijn Gap-jeans en Betsy's bruine Ralph Lauren-laarzen, hoewel iets me zei dat ze niet echt waren bedoeld voor outdoor-activiteiten. Ik sprong in de auto en reed naar de ranch. Onderweg viel ik bijna in slaap achter het stuur. Tot twee keer toe.

Marlboro Man wachtte op me bij de weg die naar het huis van zijn ouders leidde en ik reed de laatste acht kilometer in de duisternis achter hem aan. Toen we op de verharde oprit stopten, zag ik zijn moeder achter het keukenraam. Ze dronk koffie. Mijn maag rammelde. Misschien had ik iets moeten eten. Een croissant of zo, of een kom ontbijtgranen misschien. Verdorie, een Twinkie-cakeje van het benzinestation zou lekker geweest zijn. Mijn maag verkrampte.

Toen ik uit mijn auto stapte, stond Marlboro Man op me te wachten. Verborgen in de duisternis van de vroege ochtend begroetten we elkaar niet alleen met een romantische omhelzing maar ook met een tedere kus. Ik was opgelucht dat ik eraan had gedacht om mijn tanden te poetsen.

'Het is je gelukt,' zei hij glimlachend terwijl hij over mijn onderrug wreef.

'Yep,' antwoordde ik. Ik verbeet een geeuw. 'En ik heb acht

kilometer hardgelopen voordat ik hiernaartoe kwam. Ik voel me fantastisch.'

'Uh-huh,' zei hij, waarna hij mijn hand pakte en naar het huis begon te lopen. 'Ik wilde dat ik zo'n ochtendmens was als jij.'

Toen we het huis in liepen stonden zijn ouders in de hal, klaar om me te verwelkomen. Het huis rook heerlijk naar leer.

'Hallo,' zei zijn vader met de rauwste stem die ik ooit had gehoord. Die van Marlboro Man kwam erbij in de buurt.

'Hallo,' zei zijn moeder hartelijk.

'Hoi,' zei ik. 'Ik ben Ree.' Ik gaf ze een hand.

'Je ziet er mooi uit vanochtend,' merkte zijn moeder op. Zij zag er comfortabel uit, alsof ze uit bed was gerold en het eerste had aangetrokken wat ze vond. Ze zag er natuurlijk uit, alsof ze haar wekker niet op 03.40 uur had gezet zodat ze tijd had voor negen lagen mascara. Ze droeg gympen. Ze leek op haar gemak. Ze zag er mooi uit. Mijn handpalmen waren klam.

'Ze ziet er altijd mooi uit,' zei Marlboro Man tegen zijn moeder terwijl hij mijn rug licht aanraakte. Ik wilde dat ik mijn haar niet had gekruld. Het was een beetje te veel van het goede. Dat, en de donkergrijze eyeliner. En de glanzende, framboos-kleurige lipgloss.

We moesten een paar kilometer rijden naar het punt waar we de andere cowboys zouden ontmoeten om het vee bijeen te drijven. 'Mam, als jij met Ree meerijdt in haar auto, dan rijden wij achter jullie aan,' stelde Marlboro Man voor. Zijn moeder en ik liepen naar buiten, stapten in de auto en reden weg. We kletsten gezellig. Ze was zelfverzekerd en oprecht, en ik babbelde opgelucht, blij dat ze zo open was. Toen we ongeveer anderhalve kilometer hadden gereden, zei ze achteloos: 'Pas op voor de volgende bocht, die is nogal scherp.'

'O, oké,' antwoordde ik, hoewel ik er niet echt aandacht aan besteedde. Ze wist duidelijk niet dat ik jarenlang in L.A. had rondgereden. Autorijden was absoluut geen probleem voor me.

Bijna onmiddellijk zag ik recht voor me een bocht van negentig graden die met zijn vinger naar me wees en kakelend lachte om mijn benarde situatie. Ik draaide het stuur zo snel mogelijk naar links en schoof over het grind, waardoor het stof opstoof. Het had allemaal geen zin. Ik vloog uit de bocht en mijn auto kwam in een greppel tot stilstand met de passagierskant meer dan een meter onder me.

Marlboro Mans moeder was ongedeerd. Gelukkig voor haar is er niets op een geïsoleerde veeranch om mee in botsing te komen; geen viaducten of betonnen wegscheidingen of muren of andere auto's. Ik was ook ongedeerd – fysiek in elk geval – maar mijn handen trilden hevig en de transpiratie stroomde uit mijn oksels.

De rechterwielen van mijn auto zaten muurvast in een diepe spleet aan de kant van de weg. Op mijn top-tienlijst met Dingen Die Niet Mogen Gebeuren Tijdens Mijn Eerste Ontmoeting Met De Moeder Van Mijn Vriend, zou dit op nummer vier staan.

'Hemeltjelief,' zei ik. 'Het spijt me.'

'O, maak je maar geen zorgen,' stelde ze me gerust terwijl ze uit het raam keek. 'Ik hoop alleen dat je auto niet beschadigd is.'

Marlboro Man en zijn vader stopten naast ons en sprongen

uit de pick-up. Nadat Marlboro Man mijn portier had opengetrokken, zei hij: 'Is alles goed met jullie?'

'Niets aan de hand,' zei zijn moeder. 'We hadden het een beetje te druk met praten.' Ik was Lucille Ball. Lucille Ball op steroïden en speed en wodka. Ik was een sukkel, een karikatuur, een freak. Dit mocht me absoluut niet overkomen. Niet vandaag. Niet nu.

'Ik denk dat ik maar naar huis ga,' zei ik terwijl ik mijn gezicht in mijn handen verborg. Ik wilde iemand anders zijn. Een normaal persoon. Een goede chauffeur misschien.

Marlboro Man inspecteerde de banden, die gescheurd waren. 'Je gaat helemaal nergens naartoe. Stappen jullie maar in de pick-up.'

Ondanks de akelige start had ik een heerlijke dag op de ranch met Marlboro Man en zijn ouders. Ik reed geen paard – mijn benen trilden nog steeds nadat ik zijn moeder eerder die dag bijna had vermoord – maar ik zag Marlboro Man op zijn trouwe paard Blue rijden. Zelf reed ik mee in een veevoederauto met een van de cowboys, die me meteen een ijskoud blikje Dr Pepper gaf. Ik voelde me die dag welkom op de ranch, ik voelde me thuis. Al snel werd mijn aanvaring met de greppel een vage herinnering, tenminste, als Marlboro Man geen romantische onzin in mijn oor had gefluisterd zoals: 'Hoe lang heb je je rijbewijs al?' Toen het werk 's avonds gedaan was, had ik het gevoel dat ik Marlboro Man iets beter had leren kennen.

Nadat we met zijn vieren bij de stallen weg waren gereden, passeerden we mijn zielige Toyota Camry, die scheef in de greppel stond, op de plek waar het noodlot had toegeslagen.

'Stop hier maar,' drong ik aan in een onnozele poging om sterk en onafhankelijk te lijken. 'Ik wed dat ik hem de weg op krijg.' Iedereen in de pick-up barstte uit in een bulderend gelach. Ik zou een tijdlang nergens naartoe rijden.

Tijdens de rit naar mijn huis vroeg ik Marlboro Man alles over zijn ouders: waar ze elkaar hadden ontmoet, hoe lang ze getrouwd waren, hoe ze samen waren. Hij vroeg hetzelfde over mijn ouders. We hielden elkaars hand vast terwijl we bespraken hoe opmerkelijk het was dat zowel zijn als mijn ouders een buitensporig lange periode van dertig jaar getrouwd waren. 'Dat is heel mooi,' zei hij. 'Dat is tegenwoordig ongewoon.'

En dat was zo. Tijdens mijn jaren in Los Angeles had het me altijd getroost dat het huwelijk van mijn ouders gelukkig en stabiel was. Ik was bijna de enige in mijn Californische vriendengroep die niet uit een gehavend gezin afkomstig was, en ik was altijd blij dat ik kon verkondigen dat mijn ouders nog steeds bij elkaar waren. Ik was blij dat Marlboro Man hetzelfde kon zeggen. Het gaf me een gevoel van veiligheid, een verzekering dat de man om wie ik elke dag meer ging geven ouders had die nog steeds van elkaar hielden. Marlboro Man kuste mijn hand en streelde mijn duim met de zijne. 'Het is een goed teken,' zei hij. De zon begon onder te gaan. We reden in vredige stilte naar mijn huis.

Hij bracht me naar de deur en we bleven daar staan. Een aantal van de meest magische momenten had hier plaatsgevonden. 'Ik ben zo blij dat je vandaag bent gekomen,' zei hij terwijl hij zijn armen om me heen sloeg voor een tedere omhelzing. 'Ik vond het fijn dat je er was.'

'Bedankt dat je me hebt uitgenodigd,' zei ik. Ik nam zijn zachte, lieve kus op mijn wang blij in ontvangst. 'Het spijt me dat ik met je moeder in de auto de greppel in ben gereden.'

'Dat hindert niet,' zei hij. 'Het spijt me van je auto.'

'Dat is niet erg,' antwoordde ik. 'Ik ga er morgenochtend om vijf uur met een krik naartoe om de banden te verwisselen.'

Hij lachte en hield me stevig vast voor een laatste, heerlijke omhelzing. 'Welterusten,' fluisterde hij.

Hoewel ik geen auto meer had, zweefde ik in de wolken het huis binnen. Ik zag mijn vader in de keuken en fladderde naar binnen om gedag te zeggen.

'Hallo, pap,' zei ik terwijl ik op zijn schouder klopte. Ik pakte een cola light uit de koelkast.

'Hallo,' antwoordde hij terwijl hij op een barkruk ging zitten. 'Hoe was je dag?'

'O, hemel, het was geweldig. Ik vond het fantastisch! We hebben...' Ik keek naar mijn vader. Er was iets mis. Hij keek ernstig. Bezorgd.

'Wat is er aan de hand, pap?' vroeg ik.

Hij begon te praten, maar stopte weer.

'Pap... wat ís er?' herhaalde ik. Er was iets gebeurd.

'Je moeder en ik hebben problemen,' zei hij.

Mijn knieën werden slap. En de veilige kleine wereld zoals ik die altijd had gekend, veranderde in één klap.

Ik stond er als verstijfd bij en was het gevoel in mijn voeten verloren. Mijn wangen werden warm en prikten, mijn nek verstrakte, mijn hart sloeg een slag over. Ik voelde me plotseling misselijk worden. Allemaal standaardreacties als je hoort dat de langste, meest stabiele relatie waarvan je ooit getuige bent geweest niet zo stabiel meer is.

Problemen? Ik kon mijn oren niet geloven. Mijn ouders hadden vier kinderen opgevoed, ze hadden het gevecht overleefd. Hun jongste, mijn zusje, studeerde en het moeilijke deel was achter de rug.

Mijn vader gaf me een kort verslag van de situatie. Daarna liep ik langzaam de trap op, de restanten van mijn ziel achter me aan slepend. Ik voelde me leeg. Mijn gezicht prikte nog steeds terwijl ik mijn slaapkamer in liep en mijn kleren uittrok, kleren die stoffig en smerig waren van mijn heerlijke dag met Marlboro Man en zijn ouders. Terwijl ik douchte dacht ik na over de wending die mijn dag daarnet had genomen. Ik had me vanavond zo geweldig gevoeld toen mijn lief me naar huis bracht: zo opgetogen, zo verliefd, zo vol van alles. Nog maar een uur geleden had ik in Marlboro Mans pick-up doorgerateld over hoe leuk het was dat het huwelijk van onze ouders nog steeds intact was. Dat was nu allemaal achterhaald. Ik had het etiket gedragen als een blazoen, met de trots van iemand die bij een minderheid van twintigers hoort die ouders hebben met een sterk huwelijk, die een familie hebben die niet is aangetast door een scheiding. Inmiddels lagen mijn illusies van een stabiel, perfect thuis in een oogwenk in duigen. En hoewel ik mijn hele leven positief was geweest, een 'het glas is halfvol'-type, een eeuwige optimist, had ik ook voldoende in L.A. meegemaakt om te weten dat mijn vader het meende en dat het er helemaal niet goed uitzag.

Ik liet me volkomen van slag met mijn gezicht naar beneden op mijn bed vallen. Ik had zo'n heerlijke dag gehad en ik had de ouders van Marlboro Man ontmoet. Ik had zijn moeder leren kennen. Ik had haar bijna vermoord toen mijn Toyota Camry uit de bocht vloog. Ik had met haar gelachen. Ik had heel veel van Marlboro Man in haar glimlach gezien. Ik had mijn auto verwoest. Ik had hem schuin achtergelaten in de greppel naast een landelijke provinciale weg. Ik had mezelf belachelijk gemaakt, maar dat vond ik niet erg. Ik had met Marlboro Man gepraat toen hij me naar huis had gebracht. Iedere kilometer die we aflegden, iedere keer dat hij sexy naar me glimlachte was ik verliefder op hem geworden. Maar nu twijfelde ik aan de zin van dat alles. Liefde duurde blijkbaar niet eeuwig. Niet als twee vijftigers, die dertig jaar getrouwd waren en vier kinderen, twee honden en een schat aan herinneringen hadden, niet eens bij elkaar konden blijven. Wat was ik aan het doen? Waarom hield ik me eigenlijk bezig met dat relatiegedoe... die liefdestoestanden? Wat had het voor zin? Plotseling werd ik overweldigd door een onkarakteristiek gevoel van hopeloosheid. De lelijke, ruwe realiteit pakte me plotseling in mijn nek en begon te knijpen.

Terwijl ik in bed lag en de zoute tranen uit mijn vermoeide, pijnlijke ogen stroomden, keek ik naar de ontelbare sterren achter mijn slaapkamerraam en probeerde ik iets zinnigs in de situatie te ontdekken. Zoals gewoonlijk ging mijn telefoon over. Ik wist natuurlijk dat het Marlboro Man was, de bron van zoveel vreugde dat ik daar soms nauwelijks mee om kon gaan. Hij belde om me te martelen met zijn sterke en toch fluisterende stem. Hij belde om welterusten te zeggen. Ik was zijn telefoontjes na onze afspraakjes gaan verwachten. Ik dronk ze als een liefdesdrank, inhaleerde ze als een krachtige, kalmerende drug. Ik was er volkomen verslaafd aan geraakt.

Maar in plaats van op te springen en als een stapelverliefd schoolmeisje naar de telefoon te rennen, rolde ik me om en trok het dekbed over mijn hoofd in een poging het gerinkel buiten te sluiten. Na vier keer overgaan zweeg de telefoon in de donkere, deprimerende stilte van de kamer waarin ik was opgegroeid. Tranen van pijn en verwarring doorweekten mijn kussen terwijl alles wat ik ooit had geweten over stabiliteit en verbintenissen wegsmolt. En voor de eerste keer in weken – voor het eerst sinds Marlboro Man en ik onze eerste heerlijke kus hadden gedeeld – was liefde plotseling het laatste waaraan ik behoefte had.

9

Zoete overgave

De volgende ochtend sleepte ik me uit bed. Ik voelde me afschuwelijk. Mijn maag voelde leeg; ik was een verdwaald kind. De vorige avond was ik geëxcommuniceerd uit mijn verheven positie in de 'kerk van het stabiele gezin' en ik was er slecht op voorbereid hoe ik daarmee om moest gaan.

Ik kon mezelf er niet eens toe brengen om aan Marlboro Man te denken en was niet in staat om de emotionele energie op te diepen die ik nodig had om te vluchten in mijn anders zo levendige en heerlijke dagdromen over hem. Ik was neerslachtig en voelde me plotseling onzeker. Ik had er nooit naar verlangd om getrouwd te zijn, om mijn leven voor altijd met iemand te delen. Ik had altijd veel te veel in het hier en nu geleefd om zo ver vooruit te denken en bovendien had ik alleen relaties gehad die me alle reden gaven om cynisch over de liefde te zijn. Marlboro Man had daar echter verandering in gebracht. Hoewel we nog niet over trouwen hadden gepraat, was hij de eerste man die mijn gedachten vierentwintig uur per dag in beslag nam, naar wie ik vier seconden nadat hij me 's avonds had afgezet verlangde, van wie ik me niet kon voorstellen dat ik ooit nog zonder hem moest leven.

Die ochtend kwam mijn cynisme echter terug. Ik had het gevoel dat het vinden van de enige, ware liefde een onnozele dagdroom was. Natuurlijk, op dit moment was ik verliefd op Marlboro Man, maar hoe zou dat over vijf jaar zijn? Over vijftien jaar? Dertig? Ik nam aan dat ik me dan op hetzelfde punt als mijn ouders bevond, worstelend met verdwenen liefde en apathie en tweeslachtigheid. Tenslotte waren zij ook ooit verliefd geweest.

'Mam, wat is er aan de hand?' vroeg ik nadat ik naar beneden was gegaan. Mijn moeder haastte zich door de keuken, duidelijk op weg naar buiten.

'O, ik ben me aan het klaarmaken voor de gaarkeuken,' zei ze. 'Ik moet rennen, liefje...'

'Mam,' zei ik iets assertiever. 'Wat is er aan de hand tussen jou en papa?' Mijn gezicht tintelde terwijl ik praatte. Ik kon nog steeds niet geloven wat ik de vorige avond had gehoord.

'Liefje,' herhaalde mijn moeder. 'Daar kunnen we later over praten...'

'Tja, ik...' begon ik. Ik wist niet wat ik moest zeggen. 'Wat is het probleem?'

'Het is... Het is te ingewikkeld om het daar nu over te hebben,' antwoordde ze terwijl ze bedrijvig rondliep. 'We moeten er een andere keer over praten.'

Ze was duidelijk niet in de stemming om de situatie met me te bespreken. Een paar minuten later reed ze de oprit af en bleef ik eenzaam achter. Ik huiverde. Er waaide een koude wind in ons ooit zo warme huis.

Ik maakte roerei voor mezelf, ging in mijn pyjama op de achterveranda zitten en keek uit over de zevende fairway. Het was een prachtige zomerochtend: koel, stil en sereen. Een sterk contrast met de chaos die in mijn ziel woedde. Ik kon hier niet langer blijven, het was ineens allemaal anders. Ik was niet langer de verloren dochter die liefdevol welkom was geheten na een lange periode in zonde leven in Los Angeles. Ik was nu een indringer. Iemand die op het meest ongeschikte moment binnendrong in het leven van mijn ouders. Ik moest een eigen plek zoeken om mijn ouders ruimte te geven. Maar waar? Niet in mijn geboortestad, dat had geen zin. Ik wilde dat ik terug was in Los Angeles. Of dat ik in Chicago was. Op een anonieme plek. Overal liever dan thuis.

Ik had frisse lucht nodig. De golfbaan zag er uitnodigend uit. Ik trok mijn favoriete Gap-legging, een USC-hemdje en gympen aan en vertrok voor een verfrissende wandeling, waarbij ik het golfparcours als leidraad gebruikte. Ik vond het fijn om over de golfbaan te wandelen; het zag er nog net zo uit als in mijn jeugd en rook precies hetzelfde. Ik begon op de zevende fairway, de fairway die ik altijd was overgestoken om naar het clubhuis te gaan om een Shirley Temple-cocktail voor onderweg te kopen, en al snel was ik bij de achtste green, die naast een drukke kruising lag. Een zwarte Cadillac die langsreed claxonneerde; een vriend van mijn ouders glimlachte en zwaaide. Ik zwaaide terug terwijl ik me afvroeg of hij over de huwelijksproblemen van mijn ouders wist, of iedereen het al wist. Mijn ouders waren altijd 'een van die stellen' geweest, niet alleen voor mij maar voor de hele gemeenschap. Ze waren de koning en de koningin van voorstedelijke stabiliteit, succes en geluk. Als ze niet in staat waren om hun conflict op te lossen en gingen scheiden, wist ik niet of het stadje de schok zou overleven.

Ik liep in westelijke richting en begon te joggen. Ik had joggen altijd gehaat. Hoewel ik nooit voor Dolly Parton gehouden zou worden, kreeg ik altijd pijn in mijn borsten als ik rende. Mijn borsten wipten op en neer en bovendien was rennen, omdat ik altijd aan ballet had gedaan, iets wat ik deed met naar buiten gedraaide voeten, gestrekte tenen en lange, slungelig uitgestrekte armen die op de vleugels van een zwaan leken. Het zag er afschuwelijk uit als ik probeerde te rennen. Ik leek een psychotische ooievaar, maar die ochtend kon me dat niet schelen. Het joggen ging over in rennen en werd al snel een sprint en voordat ik het wist rende ik zoals ik nog nooit had gerend. Ik rende hard en snel, de pijn van mijn hijgende longen maskeerde het verdriet over de huwelijksperikelen van mijn ouders. Ik stopte pas bij de achttiende hole om uit te rusten.

Heerlijk, reinigend zweet druppelde over mijn rug naar beneden en mijn gezicht en bovenlichaam brandden als een kachel. Ik bukte me, zette mijn handen op mijn knieën en snakte naar adem. Ik stond boven op de enorme heuvel van de achttiende hole. Het was een ideale heuvel om 's winters van af te sleeën en op dagen waarop het flink had gesneeuwd was het er bezaaid met country club-kinderen en hun op avontuur beluste ouders, die naar beneden gleden met de snelheid van het licht en daarna naar de top terug sjokten voor een nieuwe ronde. Terwijl ik daar stond, op die warme zomerochtend, kon ik bijna zien hoe mijn vader mijn broers, die op de rode plastic schijf met handvatten van touw zaten, naar beneden duwde. Ik hoorde mijn moeder giechelen en gillen terwijl ze de slee waarop mijn zus en ik zaten een flinke zet gaf. We waren een gelukkig gezin geweest. Dat had ik me toch niet ingebeeld?

Het rennen had geholpen. Mijn lichaam voelde vernieuwd en verfrist, zelfs mijn gedachten waren meer in balans. Ik liep langzaam naar huis terug, haalde diep adem en nam de aanblik en de geluiden van de golfbaan van de besloten country club in me op: het piepen van een golfkar verderop die achteruit reed, het geblaf van de jachthonden die dokter Burris elke herfst en winter meenam als hij ging jagen, de talloze kleine vogels die een triomfantelijk lied zongen. Dichter dan dit was ik nooit bij het platteland geweest.

Ik dacht aan Marlboro Man terwijl ik het huis in liep en stelde me zijn prachtige stem in mijn oor voor toen ik de telefoon in mijn kamer hoorde overgaan. Ik rende met drie treden tegelijk de trap op en nam ademloos op.

'Hallo?' hijgde ik.

'Hallo,' zei Marlboro Man. 'Wat ben je aan het doen?'

'O, ik ben gaan rennen op de golfbaan,' antwoordde ik. Alsof ik dat elke dag deed.

'Mooi, ik bel om te vertellen dat ik je om vijf uur kom halen,' zei hij. 'Ik heb Ree-ontwenningsverschijnselen.'

'Je bedoelt sinds vannacht, toen we elkaar voor het laatst hebben gezien?' vroeg ik vrolijk, hoewel ik precies wist wat hij bedoelde.

'Ja,' zei hij. 'Dat is veel te lang en ik ben niet van plan het nog langer te verdragen.' Ik vond het heerlijk als hij de touwtjes in handen nam.

'Oké, goed dan,' gaf ik me over. 'Ik wil er geen ruzie over maken. Ik zie je om vijf uur.'

Marlboro Man was vijf minuten te vroeg. Mijn tweede laag mascara had nog geen kans gehad om te drogen. Hij zag er prachtig uit zoals hij bij de voordeur stond. Zijn sterke, gebruinde armen leken gebeeldhouwde meesterwerken in zijn antracietgrijze poloshirt. Hij liep naar me toe om me te omhelzen en hield me een tijdlang tegen zich aan terwijl zijn hand over mijn rug wreef.

We stapten in zijn pick-up en reden naar de ranch om daar de avond door te brengen, en de weg waarover we reden werd met elke afgelegde kilometer landelijker. Ik vertelde hem niet over mijn ouders. Het lukte me om het onderwerp in een rustig hoekje van mijn hersenen weg te duwen, maar de angel zat er nog en een kleine donkere wolk volgde me tijdens de autorit. Hoewel ik voor honderd procent zeker wist dat ik naast de liefde van mijn leven zat, had ik er geen idee van wat de toekomst voor ons in petto had. Ik wist op dat moment niet eens wat 'toekomst' betekende. Mijn gedachten dwaalden af en ik keek uit het raam naar de naderende prairie.

'Je bent uitzonderlijk stil,' zei Marlboro Man met zijn hand op mijn achterhoofd.

'Is dat zo?' vroeg ik onnozel. 'Dat is niet de bedoeling.'

'Je bent anders dan anders,' ging hij verder terwijl zijn hand naar mijn nek gleed. Een miljoen tintelingen schoten langs mijn wervelkolom naar beneden.

'Er is niets met me,' zei ik. Ik deed mijn uiterste best om sterk en beheerst te lijken. 'Ik denk dat het komt omdat ik vandaag vijfendertig kilometer heb hardgelopen.'

Marlboro Man grinnikte, zoals ik had gehoopt. 'Vijfendertig kilometer? Dat is een enorm grote golfbaan,' merkte hij op. We lachten allebei in de wetenschap dat ik veel te lui was om zo'n afstand te rennen.

Ik was van plan om niet te vertellen wat me die avond echt dwarszat. Ik was er niet klaar voor om toe te geven dat de situatie in mijn familie niet zo rooskleurig was als ik altijd had gedacht. En ik was er zeker niet klaar voor om die gevreesde trillende onderlip te riskeren die de laatste tijd een serieuze mogelijkheid was als ik vertelde waardoor ik van streek was. Ik had het mezelf nog steeds niet vergeven dat ik in Marlboro Mans keuken was ingestort nadat ik Puggy Sue had overreden. Ik kon niet voorspellen hoe groot de wolkbreuk zou zijn als het gesprek op mijn vader en moeder zou komen. Ik zou de vernedering niet kunnen verdragen.

Toen we voor de woning van Marlboro Man stopten, stond mijn Camry op de oprit. Ik dacht dat hij nog steeds schuin in de greppel langs de weg naar het huis van Marlboro Mans ouders zou staan, maar Marlboro Man had hem uit de greppel getakeld en de gehavende banden gerepareerd en waarschijnlijk, voor zover ik hem kende, de tank zelfs met benzine gevuld.

'O, dank je wel,' zei ik terwijl we naar de voordeur liepen. 'Ik dacht al dat ik hem had vermoord.'

'Het was geen enkele moeite,' antwoordde hij. 'Maar misschien moet je leren rijden voordat je weer achter het stuur gaat zitten.' Een ondeugende grijns flitste over zijn gezicht.

Ik gaf een stomp op zijn arm en hij lachte. Hij pakte mijn armen en gebruikte zijn been om mijn ondersteunende been onder me vandaan te vegen. Binnen een seconde lag ik op het zachte groene gras van zijn voortuin. Ik gilde en schreeuwde en probeerde me tevergeefs uit zijn speelse greep te ontworstelen, maar mijn krachteloze bovenlichaam was geen partij voor zijn onmogelijke kracht. Hij kietelde me, en omdat niemand op het noordelijk halfrond zo slecht tegen kietelen kan als ik schreeuwde ik moord en brand. Omdat ik bang was dat ik het in mijn broek zou doen (wat een reële mogelijkheid was) vocht ik terug op de enige manier die ik kende. Ik trok zijn overhemd uit zijn spijkerbroek, streelde over zijn rug en prikte in zijn ribbenkast.

Het kietelen stopte plotseling. Marlboro Man leunde op zijn ellebogen en legde zijn handen rond mijn gezicht. Daarna kuste hij me hartstochtelijk, en wat was begonnen als een speelse worsteling werd een spontane vrijpartij in zijn voortuin. Het was een onlogische plek en een onlogisch tijdstip, aan het begin van onze avond samen. Maar vreemd genoeg was het ook perfect, omdat ergens tijdens het lachen en kietelen en worstelen en door het gras rollen mijn onrust en bezorgdheid over de problemen van mijn ouders op magische wijze waren verdwenen.

Pas toen de zandvlooien begonnen te bijten stelde Marlboro Man voor om naar beginnen te gaan om voor me te koken. Mjammie, dacht ik. Dat betekent biefstuk. Terwijl we zijn huis in liepen, glimlachte ik tevreden omdat ik me realiseerde dat de stress van de afgelopen vierentwintig uur bijna helemaal was verdwenen. Op dat moment wist ik dat Marlboro Man, niet alleen die avond maar ook tijdens de maanden erna, mijn redder zou zijn, mijn afleiding, mijn ontsnapping aan alle problemen, mijn rots in de branding, mijn kracht in een tijd van verschrikkelijke, hartverscheurende dreiging. Deze cowboy hield mijn hart in zijn handen, en ondanks alles wat ik altijd had geloofd over onafhankelijkheid en feminisme en emotionele zelfstandigheid, wist ik dat ik zonder hem absoluut incompleet zou zijn.

Het was een angstaanjagend moment.

Deel twee

10

The good, the bad and the sweaty

De zomermaanden, die werden gekenmerkt door hete, vochtige dagen en mooie, romantische avonden, gingen voorbij. Overdag hielp ik mijn vader met het omzetten van zijn verouderde medische boekhouding in een modern boekhoudsysteem. 's Avonds lag ik in Marlboro Mans brede armen, die ik teder vastpakte terwijl we op zijn versleten leren bank naar oude westerns keken. We waren onafscheidelijk en zo vaak mogelijk bij elkaar. De passie tussen ons vertoonde geen tekenen van afkoeling.

Dat mijn leven een enorme ommezwaai had gemaakt, was me het duidelijkst als we naar John Wayne-films keken in zijn cowboyhuis op de geïsoleerde ranch. Nog maar een paar maanden eerder, toen ik in L.A. woonde, had ik het moeilijk gevonden om zonder vastomlijnde plannen te leven. Ik had schema's en vergaderingen en eetafspraken met vrienden... De kleurige cocktails stroomden net zo overvloedig als de L.A.-uitdrukkingen van mijn glanzend rode lippen kwamen. Op sommige dagen was ik opgewonden geweest, op andere dagen volkomen leeg. Ik woonde in een hoekappartement in Marina del Rey en vond het leven helemaal geweldig. Echt, helemaal.

Ik was een enorme idioot geweest.

Op een bepaald moment waren de sushi, de hoge hakken en de snelwegen 110, 405 en 10 een strop rond mijn nek geworden. Elke dag werd de lucht uit mijn longen geperst en de persoon die in me zat begon een wrede, langzame dood te sterven. Het had altijd zo kunnen blijven: ik had door kunnen gaan met mijn ambitieuze speurtocht naar het beste restaurant in Greater Los Angeles en ik had kunnen trouwen met J, mijn ingenieur. Ik had me kunnen settelen in een benijdenswaardig bestaan als Orange County-huisvrouw met 1 punt 698 kinderen, een platte buik en een garage voor drie auto's. Ik was goed op weg geweest.

In een tijdsbestek van een paar maanden was de sushi echter veranderd in steak, en de nachtclubs in de veranda van Marlboro Mans stille huis op het platteland. Ik had het gebonk van de clubbeats al maanden niet meer gehoord. Mijn zenuwstelsel had nog nooit zoveel rust gehad.

Tenminste, dat was zo tot Marlboro Man me op een ochtend in augustus belde om me een eenvoudige vraag te stellen. 'Mijn nichtje Kim trouwt volgend weekend,' zei hij. 'Ga je met me mee?'

Ik werd overspoeld door een golf van onbehagen.

'Ben je daar nog?' vroeg hij. Ik had langer gezwegen dan ik van plan was geweest.

'Ja... ik ben er nog,' antwoordde ik. 'Maar, eh... moet ik... Moet ik daar met iemand praten?'

Marlboro Man lachte. Het antwoord was natuurlijk ja. Ja, ik moest daar met iemand praten. Eigenlijk moest ik met iedereen praten, met alle leden van zijn uitgebreide familie van neven, nichten, tantes, ooms, grootouders en vrienden. En zijn familie was groot. We hadden eerder over onze families gepraat en hij wist heel goed dat ik maar drie neefjes en nichtjes had. Dríé. Hij had er vijftig. Hij wist hoe intimiderend een familiebruiloft voor een buitenstaander kon zijn, vooral als de familie zo groot was als die van hem. Hij wist dat ik me daar bijzonder ongemakkelijk onder zou voelen. En hij had gelijk.

Ik richtte mijn aandacht op wat ik aan moest en probeerde exact de juiste jurk voor de gelegenheid te vinden. Mijn debuut als vriendin van Marlboro Man was een heel belangrijke gebeurtenis, en met dat in mijn achterhoofd ging ik winkelen. Moest ik gaan voor een glanzend, sexy mantelpakje? Daarmee leek ik te overtuigd van mezelf en brutaal. Een gebloemde, zijden rok? Te voor de hand liggend voor een bruiloft. Een klein zwart jurkje? Te conservatief en veilig. Ik pijnigde mijn hersenen met alle mogelijkheden terwijl ik de kledingrekken afspeurde. Ik paste jurk na jurk, pakje na pakje, outfit na outfit, en mijn frustratie werd na elke dichtgetrokken rits acuter. Ik wilde een man zijn. Mannen maakten zich niet druk over wat ze naar een bruiloft moesten dragen. Ze besteedden geen zeven uur aan het passen van kleding. Zij beschouwen garderobekeuzes niet als een beslissing van leven of dood.

Op dat moment vond ik het: een prachtig, nauwsluitend, boterkleurig pakje. Het zat mooi en enigszins sexy, maar de prachtige, pure kleur maakte dat goed. Het pakje was van dunne wol, maar omdat de bruiloft 's avonds werd gehouden, wist ik dat dat geen probleem was. Ik vond het pakje prachtig. Ik zou me er mooi in voelen en tegelijkertijd zelfverzekerdheid uitstralen tegenover al zijn neven en nichten en keurig fatsoen tegenover zijn bejaarde oma's.

Toen we aankwamen bij de woning van Marlboro Mans oma, waar de bruiloft werd gehouden, hapte ik naar adem. Overal op het gazon zag ik mensen met elkaar kletsen en lachen terwijl ze champagne dronken. Marlboro Mans moeder was de eerste die ik herkende. Ze was een elegante, statige verschijning in haar bruine linnen jurk en begroette me onmiddellijk. 'Wat een prachtig pakje,' zei ze nadat ze me hartelijk had omhelsd. Bingo. Ik had succes. Na de plechtigheid ontmoette ik neef T, neef H, neef K, neef D en meer tantes, ooms en kennissen dan ik me ooit had kunnen voorstellen. Elk familielid was nog vriendelijker en uitnodigender dan de vorige en het duurde niet lang voordat ik me helemaal thuis voelde. Dit ging goed. Dit ging echt heel goed.

Het was echter warm en vochtig. Plotseling voelde mijn lichtgewicht wollen pakje niet zo lichtgewicht meer. Ik stond glimlachend te praten met een groepje vrouwen toen ik de transpiratiedruppels langzaam langs mijn rug naar beneden voelde lopen. Ik probeerde het te negeren, probeerde het kleine stroompje transpiratie weg te denken, maar het stroompje werd er al snel twee en die twee werden er vier. Ongerust verontschuldigde ik me en verdween in huis. Ik moest afkoelen.

Op de eerste verdieping vond ik een badkamer. Onder normale omstandigheden zou ik de tijd hebben genomen om de charmante vintage wasbak op sokkel en de roze zeshoekige tegels te bewonderen, maar het zweet dat overvloedig uit alle poriën van mijn lichaam gutste leidde me te veel af. Ik was bang dat mijn jasje binnen de kortste keren doorweekt zou zijn en ik zag geen andere optie dan het losknopen en uittrekken. Ik hing het op de haak achter in de badkamer, waarna ik koortsachtig om me heen keek op zoek naar een handdoek om het overtollige vocht op te nemen. Die was er niet. Wel hing er een ventilator aan het plafond en ik ging op het toilet staan om de koude lucht over mijn gezicht te laten stromen.

Vooruit, Ree, verman je, zei ik tegen mezelf. Er was iets aan de hand, dit was meer dan een eenvoudige reactie op de vochtigheid van augustus. Ik had de een of andere psychotische zweetaanval, waardoor ik tijdens het trouwfeest van Marlboro Mans nichtje gevangen zat in de badkamer op de eerste verdieping in het huis van zijn oma. Ik voelde de band van mijn rok aan mijn huid plakken. O, god, ik zat in de problemen. Wanhopig trok ik mijn rok en het verstikkende corrigerende broekje dat ik stom genoeg droeg uit; ze vielen van mijn benen als doorweekte bananenschillen. Daar stond ik, naakt en klam, terwijl mijn roodbruine pony met de minuut natter werd. Dit is het dus, dacht ik. Dit is de hel. Ik was in de greep van een aanval van overmatige zweetlozing zoals ik nog nooit had meegemaakt. En dat op de avond van mijn glorieuze entree in Marlboro Mans familie. Natuurlijk moest het zo gaan. Ik keek in de spiegel en schudde mijn hoofd terwijl de paniek uit mijn poriën sijpelde en mijn make-up en geparfumeerde bodylotion meenam.

Plotseling werd er op de deur geklopt.

'Ja? Nog heel even,' riep ik haastig terwijl ik de natte corrigerende slip oppakte.

'Hé... is alles goed daarbinnen?'

Verdorie. Het was Marlboro Man.

In L.A. had ik tijdens mijn eerste studiejaar verkering gehad met Colin. We groeiden nog dichter naar elkaar toe nadat hij me tijdens een donkere, emotionele nacht had toevertrouwd dat hij zijn homoseksualiteit eindelijk had geaccepteerd. In die tijd was zijn moeder op bezoek uit Dallas en Colin nodigde me uit om met hen in Hotel Bel Air te brunchen. Ik droeg de ultieme 'vroege jaren negentig brunch'-outfit: een koperbruin zijden hemdje met witte stippen en een bijpassende zwierige rok tot onder de knie. Een perfecte '*Pretty Woman* Julia Roberts polowedstrijd'-replica. Ik was dol op die outfit.

Het was echter zijde en dus plakkerig. Op het moment dat ik aan tafel ging zitten wist ik dat ik een probleem had. Mijn oksels voelden kil en nat, en ik merkte dat de stof onder mijn armen steeds klammer werd. Tegen de tijd dat onze mimosa's arriveerden, was het zweet afgedaald tot mijn derde rib. Toen ons eten werd opgediend, had het zweet de tailleband van mijn rok bereikt. Hoe meer ik het probeerde te negeren, des te erger het werd. Ik at mijn gepocheerde eieren met mijn ellebogen tegen mijn heupen gedrukt, zodat Colin en zijn moeder het niet zouden zien. Maar koperbruine zijde is de meest onvergeeflijke stof op aarde als die nat is. Colin was nog maar net bij zijn ouders uit de kast gekomen, dus later beweerde ik dat ik een soort plaatsvervangende zenuwachtigheid had gevoeld om Colin. Ik heb die outfit nooit meer gedragen. De vlekken gingen er niet meer uit.

En dit pakje zou ik ook nooit meer dragen.

'Hé… is alles goed?' herhaalde Marlboro Man.

Mijn hart fladderde. Ik wilde uit het badkamerraam klimmen, langs het lattenwerk naar beneden klauteren, wegrennen en vergeten dat ik deze mensen ooit had ontmoet. Er was alleen geen lattenwerk. En aan de andere kant van het raam, op de grond, bevonden zich honderdvijftig bruiloftsgasten. Ik zweette genoeg voor hen allemaal.

Ik was naakt en alleen en leed onder de ergste zweetaanval van mijn leven. Het verbaasde me niet. Meestal werd ik op momenten dat ik er op mijn best uitzag en me ook zo voelde op de een of andere bizarre manier vernederd. Zoals de keer dat ik naar het gala van de zoon van mijn peetmoeder in een afgelegen stad was gegaan. Ik had al een uur gedanst voordat ik in de gaten had dat de achterkant van mijn jurk in mijn panty zat. En de keer dat ik binnenkwam bij de afterparty van mijn laatste Notenkraker-optreden en ik over een kleedje struikelde, tegen een van de gastballerina's aan viel en een wijnglas uit de broze handen van een oudere vrouw sloeg. Je zou denken dat ik dit soort vernederingen inmiddels wel verwachtte.

'Heb je iets nodig?' ging Marlboro Man verder. Er liep een zweetdruppel langs mijn bovenlip.

'Nee hoor… niets aan de hand!' antwoordde ik. 'Ik kom zo! Ga jij maar terug naar het feest!' Ga nu. Rennen. Alsjeblieft. Ik smeek het je.

'Ik wacht hier wel,' antwoordde hij. Verdomme. Ik hoorde zijn laarzen in de hal, maar ze bleven even verderop staan. Ik moest me aankleden: dit was belachelijk. Op het moment dat ik mijn grote teen in het doorweekte been van mijn panty stak, herkende ik de stem van Marlboro Mans broer Tim.

'Wat dóét ze daarbinnen?' fluisterde Tim hardop, met een bijzonder ongemakkelijke nadruk op 'doet'. Ik deed mijn ogen dicht en begon vurig te bidden. *God, alsjeblieft, kom me nu halen. Ik wil hier niet langer zijn. Ik wil bij U in de hemel zijn, waar geen vochtigheid is en de mensen niet worden gestraft als ze een verkeerde stofkeuze hebben gemaakt.*

'Ik weet het niet,' antwoordde Marlboro Man. De geiser begon opnieuw te sproeien.

Ik had geen keus dan het te laten stromen, me aan te kleden en de gevolgen in al mijn druipende, zoute glorie onder ogen te zien. Het was beter dan de hele avond in de badkamer van het huis van zijn oma bivakkeren. Stel dat Marlboro Man of Tim begon te denken dat ik een of ander vrouwenprobleem had, of nog erger, constipatie of diarree. Ik verhuisde nog liever naar een andere staat en kwam nooit meer terug dan dat ze zoiets over me dachten.

Ik trok mijn corrigerende slip aan en stapte in de rok van het verdomde botergele lichtgewicht wollen pakje. Daarna depte ik het zweet met een prop toiletpapier van mijn kin, nek, oksels en onderrug. Ik zag een glimp van mezelf in de spiegel en zei geluidloos 'loser' tegen de zwetende freak die terugkeek. Ik glipte in mijn jasje, knoopte het dicht en maakte mijn tas open. Ik werkte snel om het beetje make-up dat nog op mijn gezicht zat te redden. Het zag er niet goed uit. De buitenste hoeken van mijn ogen zaten vol gesmolten mascara en de taupekleurige glanzende oogschaduw die ik zo nauwkeurig op mijn oogleden had aangebracht zat nu op mijn wangen. Het was een ramp.

Het maakte echter niet meer uit. Mijn reputatie liep veel meer schade op door in de badkamer te overwinteren dan door mijn streperige, vlekkerige teint. Ik kamde mijn vochtige, kleverige pony, zwaaide mijn handtas over mijn schouder en liep de badkamer uit om de haaien onder ogen te komen.

Marlboro Man en Tim stonden in de hal, nog geen zeven stappen van de badkamerdeur. 'Daar is ze,' merkte Tim op terwijl ik naar hen toe liep. Ik glimlachte zenuwachtig.

Marlboro Man legde zijn hand op mijn onderrug en liefkoosde hem zachtjes met zijn duim. 'Is alles goed?' vroeg hij. Een redelijke vraag gezien het feit dat ik langer dan twintig minuten in de badkamer was geweest.

'O ja, alles is prima in orde,' antwoordde ik terwijl ik wegkeek. Ik wilde dat Tim ophoepelde.

In plaats daarvan kletsten we tot Marlboro Man vroeg: 'Wil je misschien iets drinken?' Hij begon in de richting van de trap te lopen.

Gatorade. Ik wilde Gatorade. IJskoude, dorstlessende Gatorade. Dat en wodka. 'Ik ga met je mee,' zei ik.

Marlboro Man en ik haalden een drankje en eindigden samen op een rijk versierde betonnen bank in de achtertuin. Wonderlijk genoeg had mijn zenuwstelsel er plotseling genoeg van om signalen naar mijn zweetklieren te sturen en het afschuwelijke zweten leek voorbij te zijn. Bovendien was de zon ondergegaan, wat mijn uiterlijk enigszins hielp. Ik voelde me een circusact.

Ik dronk mijn glas wodka-jus in vier seconden leeg en zowel de vitamine c als de wodka werkten onmiddellijk. Normaal gesproken was ik zo verstandig om verdwenen lichaamsvocht niet aan te vullen met alcohol, maar dit was een bijzonder geval. Op dat moment had ik het meer dan ooit nodig om mezelf te genezen.

'Vertel, was je ziek of zo?' vroeg Marlboro Man. Hij legde zijn hand op mijn knie.

'Nee,' antwoordde ik. 'Ik... ik kreeg het warm.'

Hij keek naar me. 'Warm?'

'Ja. Warm.' Ik had geen greintje trots over.

'En wat deed je dan in de badkamer?'

'Ik moest al mijn kleren uittrekken en mezelf koelte toewuiven,' antwoordde ik eerlijk. De vitamine c en de wodka fungeerden als een waarheidsserum. 'O, en het zweet van mijn nek en rug vegen.' Het zou beslist een enorme afknapper voor hem zijn.

Marlboro Man keek naar me om zich ervan te overtuigen dat ik geen grapje maakte en barstte daarna in lachen uit. Hij moest zijn hand voor zijn mond houden om zijn whisky niet uit te spugen. Daarna boog hij zich onverwacht naar me toe en gaf me een zachte, geruststellende kus op mijn wang. 'Je bent grappig,' zei hij terwijl hij met zijn hand over mijn zielige, natte rug wreef.

Op dat moment verdwenen alle verschrikkingen van die avond uit mijn gedachten. Het maakte niet uit hoe stom, dom, onhandig of bezweet ik was. Terwijl we op die rijk versierde betonnen bank zaten, werd het me duidelijker dan ooit dat Marlboro Man van me hield. Dat hij echt heel veel van me hield. Hij hield van me met het soort liefde dat anders was dan ik ooit had meegemaakt, een soort liefde waarvan ik niet had geweten dat die bestond. Andere mannen – in elk geval de mannen met wie ik altijd was omgegaan – hadden zich geschaamd als ik de halve avond in de badkamer was verdwenen. Anderen zouden geschokt zijn door mijn verhaal over de zweetaanval of hadden me belachelijk gemaakt. Marlboro Man deed dat niet; het bracht hem helemaal niet van zijn stuk. Hij lachte, kuste me en ging verder. Mijn hart zwol op toen ik me realiseerde dat ik zonder enige twijfel de man had gevonden die perfect bij me paste.

Ik was vaker wel dan niet chaotisch. Er gebeurden regelmatig vernederende, onhandige dingen met me. Dit was niet de eerste keer en het zou zeker niet de laatste zijn. De waarheid was dat ik, ondanks mijn verwoede pogingen om normaal en onverstoorbaar te lijken, me altijd een van de rare kinderen had gevoeld.

Maar uiteindelijk, wonderlijk genoeg, had ik de enige man op aarde gevonden die van die eigenschap hield. Ik had de enige man op aarde gevonden die mijn onvolkomenheden waardeerde en die niet zou proberen om ze weg te krijgen.

11

Volg het stoffige pad

Ik had nog nooit een relatie gehad met iemand zoals Marlboro Man. Hij was attent en absoluut niet gereserveerd. Na mijn achttien maanden durende relatie met Colin, die werd gehinderd door zijn toen nog niet erkende seksuele voorkeur, en mijn vier jaar durende relatie met de bepaald niet aanhankelijke J was aandacht de drug die ik nodig had. Er ging geen dag voorbij waarop Marlboro Man, mijn nieuwe cowboyliefde, me niet belde om te zeggen dat hij aan me dacht of dat hij me miste of dat hij niet kon wachten om me weer te zien. Ik hield van zijn ongeremde eerlijkheid.

We vonden het heerlijk om samen in zijn auto te rijden. Hij kende elke centimeter van het platteland: elke vertakking, elk veerooster, elk hek, elke hectare. Ranchers kennen het land om hen heen. Ze weten van wie dit weiland is, wie dat weiland huurt, door wiens land deze provinciale weg loopt, wiens vee bij de weg bij het meer staat. Het zag er voor mij allemaal hetzelfde uit, maar dat kon me niet schelen. Ik was mijn hele leven nog nooit zo tevreden geweest als op de passagiersstoel van de pick-up met dubbele cabine. Ik had zelfs nog nooit in een pick-up met dubbele cabine gereden. Niet één keer. Eigenlijk kende ik zelfs niemand die in een pick-up had gereden. De jongens van mijn middelbare school die in pick-ups reden maakten geen deel uit van mijn wereld, voornamelijk omdat hun families een boerderij of veefokkerij hadden en ze in hun vrije tijd thuis nodig waren om hun bijdrage te leveren aan het familiebedrijf. De anderen die in pick-ups reden waren cowboy-wannabe's – het soort dat alleen cowboyhoeden droeg als ze naar een café gingen – en die waren nooit mijn type geweest. Om welke reden dan ook, pick-uptrucks hadden mijn pad nooit gekruist, maar nu ik zoveel tijd doorbracht met Marlboro Man woonde ik er zowat in.

Het enige wat ik wist over pick-ups was dat ik in mijn jeugd altijd had neergekeken op de stelletjes die ik erin had zien rondrijden. Het meisje zat naast de jongen op de middelste stoel, de rechterarm van de jongen lag rond haar schouders en zijn linkerarm op het stuur. Ik weet niet waarom, maar er was iets aan mijn golfbaanopvoeding waardoor ik altijd terugdeinsde voor die aanblik. Waarom zit ze op de middelste stoel? vroeg ik me af. Waarom is het belangrijk dat ze tegen elkaar aan gedrukt zitten als ze rijden? Kunnen ze niet wachten tot ze thuis zijn? Ik zag het als een teken van zwakte, iets zieligs. *Get a life*, heb ik misschien een paar keer gedacht, alsof hun manier om hun genegenheid te tonen iets was wat me rechtstreeks schade toebracht. Maar dat gebeurt er met mensen die door de plek waar ze zijn opgegroeid geen gelegenheid hebben gehad om in pickuptrucks te rijden. Ze gaan leuke dingen veroordelen.

Als Marlboro Man me meenam in zijn witte Ford F250 om me de schoonheid van het platteland te laten zien, kon ik het niet helpen dat ik me afvroeg of hij een van die jongens op de middelbare school was geweest. Ik wist dat hij in zijn tienerjaren verkering had gehad met Julie, een mooi meisje en de liefde van zijn puberleven, op dezelfde manier als Kev die van mij was geweest. Ik vroeg me af of Julie op de middelste stoel had gezeten als Marlboro Man haar op vrijdagavond ophaalde. Had hij zijn rechterarm rond haar schouders geslagen en had ze daarna haar linkerhand op zijn rechterhand gelegd? De stadjes waar we waren opgegroeid lagen maar zestig kilometer bij elkaar vandaan. Misschien had hij haar meegenomen naar mijn stad om naar de bioscoop te gaan. Was het mogelijk dat ik Marlboro Man en Julie naast elkaar had zien rondrijden in zijn pick-up? Was het mogelijk dat deze man, deze prachtige, perfecte man die op zo'n magische manier in mijn leven was verschenen, een van de onschuldige ontvangers van mijn intolerante, pick-up-gerelateerde afkeuring was geweest?

En als hij dat had gedaan, was het dan iets waar hij gewoon overheen was gegroeid? Hoe kwam het dat ík nooit op zijn middelste stoel zat? Moest ik dat zelf voorstellen? Werd dat van me verwacht? Waarschijnlijk hoorde ik dat gewoon te weten. Maar zou hij het niet zeggen als hij wilde dat ik naast hem kwam zitten? Misschien, heel misschien, vond hij die meisjes leuker dan mij. Misschien hadden ze een band met elkaar waardoor het gerechtvaardigd was dat ze naast hem in zijn pick-up zaten, een band die hij niet met mij had. *Alsjeblieft, laat dat niet de reden zijn. Ik vind dat geen prettig idee.* Ik moest het hem vragen. Ik moest het weten.

'Mag ik je iets vragen?' vroeg ik terwijl we over de weg reden die zijn ranch van de naburige ranch scheidde.

'Natuurlijk,' antwoordde Marlboro Man. Hij stak zijn hand uit en legde hem op mijn knie.

'Heb je ooit in je pick-up rondgereden met een meisje op de middelste stoel naast je?' Ik probeerde niet beschuldigend te klinken.

Er verscheen een grijns in zijn mondhoeken. 'Natuurlijk,' zei hij. Zijn hand lag nog steeds op mijn knie. 'Waarom?'

'O, nergens om. Ik was gewoon nieuwsgierig,' zei ik. Ik wilde het daarbij laten.

'Waarom wil je dat weten?' vroeg hij.

'Ik was alleen nieuwsgierig, dat is alles,' herhaalde ik. 'Vroeger zag ik soms jongens en meisjes vlak naast elkaar in pick-ups rijden en ik vroeg me af of jij dat ook gedaan hebt. Dat is alles.' Ik stopte voordat ik hem vertelde dat ik het nooit had begrepen of hem zou vragen waarom hij meer van Julie hield dan van mij.

'Yep, dat heb ik inderdaad gedaan,' zei hij.

Ik keek een tijdje uit het raam. *Is er een specifieke reden waarom hij me nooit tegen zich aan trekt als we over het platteland rijden? Waarom slaat hij zijn rechterarm niet liefhebbend rond mijn schouders en claimt hij me als de vrouw van zijn pick-up?* Ik had nooit geweten dat ik er zo naar verlangde om naast een man in een pick-up te rijden, maar blijkbaar was het een onderdrukte levenslange droom geweest waar ik niets over had geweten. Plotseling had ik nog nooit in mijn leven iets zo graag gewild.

Ik kon er mijn mond niet over houden. 'Dus...' begon ik. *Was het gewoon een ding van de middelbare school? Of erger, is het omdat ik geen plattelandsmeisje ben en dat ook nooit zal worden? Kunnen plattelandsmeisjes zich overgeven op een manier die mij vreemd is? Hebben ze een roekeloze kant? Een grappige, avontuurlijke kant waardoor ze het waard zijn om naast jongens in pick-ups te rijden? Ben ik ongenaakbaar? Ben ik te preuts? Te correct? Dat ben ik niet! Dat ben ik echt niet! Ik ben grappig en avontuurlijk. En roekeloos! Ik heb een spijkerbroek van Anne Klein! En ik wil het waard zijn om in het midden te zitten. Alsjeblieft, Marlboro Man, alsjeblieft. Ik heb nog nooit iets zo graag gewild.* 'Dus, eh... waarom doe je dat niet meer?' vroeg ik.

'Kuipstoelen,' antwoordde Marlboro Man, zijn hand nog steeds op mijn knie.

Dat klonk logisch. Ik ontspande een beetje.

Ik had nog een andere vraag waarover ik had nagedacht.

'Vind je het vervelend als ik je nog een vraag stel?'

'Ga je gang,' antwoordde hij.

Ik schraapte mijn keel en ging recht op mijn stoel zitten. 'Hoe komt het... Hoe komt het dat het zo lang duurde voordat je me belde?' Ik kon het niet helpen dat ik glimlachte. Het was een van de meest rechtstreekse vragen die ik hem ooit had gesteld.

Hij keek in mijn richting en daarna weer naar de weg.

'Je hoeft het me niet te vertellen,' zei ik. En dat was ook zo. Maar ik had het me al heel vaak afgevraagd. Nu hij me alles vertelde over kuipstoelen en andere belangrijke dingen, dacht ik dat het een goed moment was om hem te vragen waarom er vier maanden waren verstreken tussen de avond dat we elkaar in de rokerige bar hadden ontmoet en de avond dat hij me eindelijk had gebeld om me uit te nodigen voor een etentje. Ik herinnerde me dat ik die avond vlak voor Kerstmis verpletterd was door zijn magnetisme. Wat had hij van mij gevonden? Was hij me onmiddellijk vergeten en had hij die avond in april na de bruiloft van mijn broer ineens aan me gedacht? Of had hij expres vier maanden gewacht voordat hij belde? Was het een soort protocol van plattelandsjongens waarover ik niets wist?

Ik was een meisje. Ik moest het gewoon weten.

'Ik was...' begon hij. 'Ik had een relatie met iemand anders.'

Ik wilde haar met mijn blote handen wurgen. 'O,' zei ik bij wijze van antwoord. Het was het enige wat ik kon uitbrengen.

'En bovendien moest ik een kudde koeien naar Nebraska brengen en moest ik daar elke week naartoe,' ging hij verder. 'Ik was hier gewoon niet vaak genoeg om mijn relatie met haar op een correcte manier te beëindigen en ik wilde je niet bellen om je mee uit te vragen voordat dat allemaal geregeld was.'

Ik herhaalde mezelf. 'O.' *Hoe heet ze? Ze is dood voor me.*

'Maar ik vond je heel leuk,' zei hij terwijl hij naar me glimlachte. 'Ik dacht vaak aan je.'

Ik kon het niet helpen dat ik terug glimlachte. 'Ja?' vroeg ik voorzichtig terwijl ik me nog steeds afvroeg hoe het meisje heette. Ik zou niet rusten voordat ik het wist.

'Ja,' zei hij lief terwijl hij mijn been streelde. 'Je was anders.'
Ik besloot hem niet te vragen wat hij met 'anders' bedoelde. Terwijl hij me rondreed over het vertrouwde terrein, was het duidelijk wat hij 'anders' aan me had gevonden.

Ik wist helemaal niets over het platteland.

Ik vond het heerlijk om met Marlboro Man rond te rijden. Ik zag dingen die ik nog nooit had gezien, dingen waarover ik nog nooit had nagedacht in de vijfentwintig jaar stadsleven die ik achter de rug had. Voor de allereerste keer begon ik het concept noord, zuid, oost en west te begrijpen, hoewel ik bang was dat het nog vijfentwintig jaar zou duren voordat ik het helemaal onder de knie had. Ik zag hekken en poorten van gelaste ijzeren pijpen, en kilometer na kilometer prikkeldraad. Ik zag rotsachtige, boomrijke beken waardoor de onnozele waterpartij in de achtertuin van mijn ouders een kleine modderpoel leek. En ik zag open land tot zo ver het oog reikte. Ik had nog nooit zo veel moois gezien.

Marlboro Man liet me alles zien. Hij wees naar weilanden en borden en droge rivierbeddingen en meren en vertelde me de verhalen die erachter zaten. Het land, zowel dat van zijn ranch als de ranches eromheen, was logisch voor hem: hij zag het niet als een open, nooit eindigende ruimte, maar als keurig geordende kavels die allemaal hun eigen geschiedenis hadden. 'Betty Smith en haar echtgenoot bezaten dit deel van onze ranch,' zei hij bijvoorbeeld. 'Ze hebben nooit kinderen gekregen en waren de beste vrienden van mijn opa en oma.' Daarna vertelde hij een verhaal over de opa van de echtgenoot van Betty Smith. Hij herinnerde zich zulke levendige details dat je zou denken dat hij erbij was geweest. Ik zoog elk woord in me op. Het land om hem heen pulseerde door de hartslagen van iedereen die er had geleefd en alsof het zijn plicht was om hen allemaal eer te bewijzen vertelde hij me hun namen, verhalen, relaties en geschiedenissen.

Ik vond het prachtig dat hij dat allemaal wist.

Op een namiddag staken we een beek over en reden we naar een groep lage bomen in het midden van een weiland dat een heel eind van Marlboro Mans ranch af lag. Toen ik nauwkeuriger keek, zag ik achter de bomen een klein, wit huis. Een wit hek omringde de tuin en toen we dichter bij het woonhuis kwamen, zag ik een beweging in de tuin. Het was een forse vrouw van middelbare leeftijd met lang grijs haar dat over haar schouders golfde. Ze duwde een grasmaaier door de tuin en twee kwispelstaartende honden jankten en volgden haar op de voet. Het meest opvallende was dat ze alleen een onderbroek en een antiek model Playtex-beha droeg. Toen we langs haar woning reden, keek ze heel even op, maar ze bleef maaien.

Ik probeerde nonchalant te blijven en vroeg Marlboro Man: 'En... wie was dat?' Misschien was dit het begin van een nieuw verhaal.

Hij keek naar me. 'Ik heb geen flauw idee,' antwoordde hij.

We praatten nooit meer over haar.

12

Het vuurgevecht bij de O.K. corral

Na onze ritjes kookten we samen in zijn keuken. Ik maakte pasta primavera, een explosie van heldere kleuren van courgette, wortels en erwten. Marlboro Man grilde medium-rare ribeyesteaks die sisten in gesmolten boter en knoflook. Ik bereidde mijn door restaurant Spago geïnspireerde pizza: een dunne, krokante bodem belegd met tomaten, basilicum en verse mozzarella, die ik had besteld bij een familiebedrijfje in Dallas omdat de winkels in Oklahoma geen mozzarella verkochten. Hij leerde me dat ik bruine saus moest maken in een ijzeren steelpan en dat het uitermate belangrijk was om de roux tot een diep goudbruin te laten verkleuren voordat de melk erbij ging. We ontdekten elkaars verleden terwijl we in zijn keuken kookten. Ik deelde mijn arsenaal vegetarische heerlijkheden uit L.A.

met dezelfde trots als Marlboro Man zijn heerlijke vleesgerechten met mij deelde. Onze twee werelden botsten in uitgebreide, calorierijke maaltijden. Ik begon elke ochtend stepaerobics te doen om niet uit mijn Anne Klein te groeien. Dit was een periode voor liefde, niet voor lillend vlees.

Intussen ging het huwelijk van mijn ouders voor mijn ogen ten onder. Ik hield heel veel van mijn ouders, maar als je als volwassene ziet hoe het huwelijk van je vader en moeder instort en uiteenvalt, is het alsof je in slow motion naar een treinongeluk kijkt. Je ouders zijn de conducteurs en de passagiers in de trein zijn je familieleden en hartsvriendinnen en alle toekomstige kleinkinderen en alle herinneringen en hoop en dromen. En ze staan allemaal op het punt om te komen tijdens een ernstig, dodelijk ongeluk. O, en jij zit ook in de trein, maar je kijkt tegelijkertijd toe vanaf de rails. Je wilt gillen, je wilt de machinist waarschuwen voor de ramp die op het punt staat zich te voltrekken. Maar het is een nachtmerrie en je keel is dichtgeknepen en er komt geen geluid uit. En je hebt de kracht niet om het te stoppen.

Ik wilde weg. Ik wilde zo graag weg. De problemen tussen mijn ouders manifesteerden zich niet in gooien met servies of hard met de deuren slaan of luidruchtige, onaangename, theatrale ruzies. Nee, de moeilijkheden uitten zich in gedempte gesprekken, gespannen gezichtsuitdrukkingen, bleke gezichten en vermoeide, gezwollen ogen. Schreeuwen was misschien beter geweest dan deze langzame, martelende dood, die aangrijpend was om te zien. Als ik in huis rondliep voelde ik de verstikkende spanning in de lucht en wilde ik alleen nog ergens anders zijn.

Ik wilde mijn koffers pakken, al mijn geld van de bank halen en de benen nemen.

Maar ik zat vast in een verrukkelijke, heerlijke, prachtige, onontkoombare cocon van liefde met een ruige, onmogelijk gevoelige cowboy. Zodra ik besloot om naar Chicago te vluchten om aan de problemen van mijn ouders te ontsnappen, zou ik mezelf binnen seconden neerschieten. Er moest wel iets héél belangrijks gebeuren om me uit zijn armen te drijven.

Marlboro Man vulde mijn dagdromen, gedachten, tijd en hart. Als ik bij hem was, vergat ik de huwelijksproblemen van mijn ouders. Tijdens onze autotochten, als we samen kookten of naar actiefilms keken, verdwenen al die verdrietige dingen op de achtergrond. Hij was een steunpilaar voor me, een verslavende drug waarmee ik kon ontsnappen. Tien seconden in de pick-up van Marlboro Man en ik zag alleen goedheid en licht. En zo nu en dan een oma in beha en onderbroek die haar gazon maaide.

Iets anders wat me bezighield waren de hartstocht en begeerte die ik voor Marlboro Man voelde; die waren sterker dan wat ik ooit in mijn leven had gevoeld. Soms maakte ik me daar zorgen over, op dezelfde manier als een zware drinker soms twijfelt over zijn tweede, derde of vierde glas whisky. Dit kon toch niet goed voor me zijn?

Maar heel diep vanbinnen kon het me niet schelen. En al kon het me wel schelen, dan kon ik er helemaal niets aan doen. Als Marlboro Man tijdens de drooglegging verboden zou zijn geweest, dan had ik kratten vol over de staatsgrenzen gesmokkeld; als hij een drug was, zou ik mijn haar verkopen om een shot te scoren; als hij onder aan een klif stond, zou ik eraf springen om bij hem te zijn.

Als Marlboro Man verkeerd voor me was, wilde ik niet wat goed voor me was.

Waar zou dit allemaal toe leiden? vroeg ik me soms verbaasd af. Hoewel ik mijn plannen voor Chicago had uitgesteld, hoewel ik wist dat het nutteloos was om te proberen een dag zonder Marlboro Man door te komen, hoewel ik wist dat ik hopeloos verliefd op hem was, dacht ik af en toe nog steeds dat hij slechts een tijdelijke hobbel in mijn plannen was. Een wilde kink die ik uit mijn kabel moest zien te krijgen voordat ik verder kon gaan met de rest van mijn leven. Alsof ik tijdens een lange, hete zomer de rol van cowgirl speelde in een film over een zomerkampliefde.

Op een dag vroeg Marlboro Man mijn zusje Betsy en mij om naar zijn ranch te komen om het vee te bewerken. Betsy was thuis van de universiteit en verveelde zich, en Marlboro Man wilde dat Tim een familielid van me ontmoette.

'Vee bewerken' is de term die wordt gebruikt als de runderen een voor een in een kooi worden geduwd, waar ze worden gebrandmerkt, onthoornd, geoormerkt, waar hun temperatuur wordt opgenomen en waar ze injecties krijgen. Het idee erachter is om alle traumatische toestanden in één keer achter de rug te hebben zodat de dieren de rest van de tijd vredig in het weiland kunnen grazen.

Nadat Betsy en ik de auto hadden geparkeerd, begroette Tim

ons bij de kooi en zette ons meteen aan het werk. Hij gaf mijn zus een veeprikstok, die wordt gebruikt om het achterwerk van het beest een elektrische schok te geven zodat hij de kooi in loopt.

Dat wordt als een gemakkelijke taak beschouwd.

'Jij duwt ze naar binnen,' zei Tim tegen Betsy. Ze pakte de veeprikstok plichtsgetrouw aan en bestudeerde het vreemd gevormde voorwerp.

Daarna gaf Tim me een twintig centimeter lange peilstok waar een elektronisch apparaat aan bevestigd was. 'Jij neemt hun temperatuur op,' zei hij tegen me.

Geen probleem, dacht ik. Maar hoe krijg ik dat ding in hun oor? Of moet ik het op de een of andere manier onder hun poot schuiven? Misschien moet het onder hun tong? Zouden de koeien dat niet erg vinden?

Tim liet me de plek zien… hun kont. 'Je wacht gewoon tot het beest opgesloten zit in de kooi,' legde Tim uit. 'Dan duw je de stok helemaal naar binnen en wacht je tot ik zeg dat je hem eruit kunt halen.'

Huh? Ik voelde de moed in mijn schoenen zakken terwijl mijn zus me een bezorgde blik toewierp. Plotseling wilde ik dat ik iets had gegeten voordat we hiernaartoe waren gereden. Ik voelde me zwak. Ik durfde niet in te gaan tegen de broer van de man die mijn hart op hol liet slaan, maar… in hun kont? Helemaal? Echt?

Voordat ik het besefte, was het eerste dier de kooi in gelopen. Meerdere cowboys stonden op verschillende posities rond het dier en begonnen hun respectievelijke taken uit te voeren. Tim keek naar me en schreeuwde: 'Steek hem erin!' In uiterste verwarring duwde ik de meetstok diep in de kont van de os. Dit was niet natuurlijk. Het was niet normaal. In elk geval niet voor mij. Dit was absoluut tegen Gods plan.

Ik moest de temperatuur aflezen en het zeggen als de temperatuur hoger dan 37.2 graden was. De eerste was goed, maar voordat ik de kans had gehad om de meetstok eruit te halen, duwde Tim het hete brandijzer tegen de linkerheup van de os. Het dier slaakte een diepe 'mooooooooo!' en terwijl hij dat deed, leegde hij de inhoud van zijn enorme darmen over mijn hand en onderarm.

'Oké, Ree, je mag hem eruit halen,' zei Tim. Dat deed ik. Ik wist niet wat ik moest doen. Mijn arm was bedekt met dunne, stinkende koeienpoep. Was dit de bedoeling? Moest ik iets zeggen? Ik gluurde naar mijn zus, die met een uitdrukking van pure ontzetting op haar gezicht naar me keek.

Het tweede beest kwam de kooi binnen. De procedure begon opnieuw. Ik stak de meetstok erin. Tim brandde. De os brulde. De poep spoot eruit. Ik vond het verbazingwekkend hoe consequent en voorspelbaar de hele smerige routine was en hoe nonchalant iedereen – behalve mijn zus – zich gedroeg. Maar langzaam... heel langzaam... begon me iets op te vallen.

Bij ongeveer het twintigste beest begon ik de thermometer in te brengen. Tim haalde het brandijzer van het vuur en hield het bij de heup van de os. Op het laatste moment echter maakte ik een onhandige beweging en moest ik even stoppen. Vanuit mijn ooghoeken zag ik dat als ik pauzeerde, Tim dat ook deed. Het leek erop dat hij wachtte tot ik de thermometer volledig had ingebracht voordat hij het dier brandmerkte, zodat hij er zeker van was dat ik me recht in de vuurlinie bevond als alles naar buiten kwam stromen. Die rotzak had dit allemaal gepland.

Achtenzeventig ossen later waren we klaar. Ik was een bezienswaardigheid. Laag na laag mest bedekte mijn arm. Ik was bleek en in shock. De cowboys grinnikten beleefd. Tim wees me een buitenkraan waar ik mijn arm kon schoonmaken. Marlboro Man keek toe terwijl hij het gereedschap verzamelde. Hij grinnikte.

Toen mijn zus en ik later die dag wegreden, was het enige wat ze zei: 'O. Mijn. God.' Ik moest beloven dat ik nooit naar die verschrikkelijke plek terug zou gaan.

Ik wist het op dat moment niet, maar ik hoorde later dat Tim dit had beschouwd als mijn inwijding. Het was een zieke, verwrongen manier om te zien of ze iets aan me hadden.

13

Liefde is…

In de eerste week van mijn relatie met Marlboro Man was het alsof ik meer tijd alleen met hem doorbracht dan met J in de vier jaar die we samen waren geweest. En nu, zoveel maanden later, realiseerde ik me hoe belangrijk het voor een verliefd stel is om af en toe stil bij elkaar te zitten. Om te zwijgen. Om je duimen over elkaars hand te laten glijden en de geluiden van de omgeving een tijdje je muziek te laten zijn. J en ik hadden dat nooit meegemaakt. We hadden altijd te veel mensen om ons heen gehad.

Ik dacht steeds meer na over de drastische wending die mijn leven en mijn kijk op de liefde hadden genomen tijdens de avonden dat Marlboro Man en ik samen op zijn stille veranda zaten, zonder stadslichten of verkeersgeluiden. Meestal aten we samen, wasten af en keken naar een film. Maar we eindigden bijna altijd op zijn veranda, zittend of staand, uitkijkend over het donkere, open platteland dat werd verlicht door het heldere, zuivere maanlicht. Ik kon me voorstellen dat de stille, landelijke duisternis een verschrikkelijk eenzame plek kon zijn als je niet in elkaars armen lag, maar Marlboro Man gaf me de kans niet om daarachter te komen.

Op deze veranda had Marlboro Man me de eerste keer verteld dat hij van me hield, nog geen twee weken na ons eerste afspraakje. Hij had het half fluisterend gezegd, niet meer dan een gedachte die zijn mond had verlaten in een primaire, spontane uiting. De oprechtheid, spontaniteit en ongeremde emotie hadden me zowel verbaasd als laten smelten. Hoewel ik diep vanbinnen wist dat ik hetzelfde voor hem voelde, had ik nog steeds niet voldoende moed verzameld om dat tegen hem te zeggen. Ik was terughoudend, ondanks de liefde waarmee Marlboro Man me overlaadde. Ik was afgestompt door mijn vorige relatie en het uiteenvallen van het dertigjarige huwelijk van mijn ouders hielp niet bepaald. Het was gewoon moeilijk voor me om de woorden 'ik hou van je' te zeggen, ook al wist ik zonder enige twijfel dat het zo was. Ik hield de woorden uit alle macht binnen, bang voor de gevolgen als ik ze eenmaal had gezegd. Ik had al biefstuk gegeten, iets wat ik nooit had kunnen voorspellen toen ik nog vegetariër was. Ik was voor vier uur 's ochtends opgestaan om vee te bewerken. Ik had mijn plannen voor Chicago uitgesteld. In elk geval was dat wat ik mezelf de hele tijd voorhield. Ik had mijn plannen uitgesteld.

Dat was voldoende, nietwaar? Dat ik de plannen die ik voor mijn leven had voor hem uitstelde? Marlboro Man wist dat ik van hem hield. Hij was zo vol zelfvertrouwen als we bij elkaar waren, zo open, eerlijk, doorzichtig en zeker. Hij deed niet aan 'geven en nemen'. Hij gaf overvloedig en bedolf me onder zijn gevoelens terwijl het hem niet kon schelen wat mijn gevoelens voor hem waren. Hoewel, het was aannemelijker dat hij dat al wist. Ondanks mijn zwijgen, ondanks mijn angst om de greep op mijn vroegere ik – de zelfstandige jonge vrouw die ik zo lang was geweest, tenminste, dat wilde ik graag geloven – volledig te verliezen, wist hij het. En hij had het geduld dat nodig was om te wachten tot ik het zou zeggen.

Op een dinsdag liet ik mijn voorzichtigheid eindelijk varen en besloot ik ze te zeggen, de woorden die ik zo intens voelde maar die ik, om welke reden dan ook, niet durfde te zeggen. Het was onvoorbereid en onverwacht, maar er was iets aan die avond.

Hij begroette me bij mijn auto. 'Hallo,' zei hij terwijl ik het portier dichtdeed en, nog steeds uit gewoonte, het alarm van mijn auto aanzette. 'Denk je dat het ooit zover komt dat je je auto hier niet op slot zet?' vroeg hij grinnikend.

Ik had het niet eens gemerkt. 'O,' zei ik lachend. 'Ik weet niet eens dat ik dat doe.' Ik begon te blozen.

Marlboro Man glimlachte, sloeg zijn armen rond mijn middel en tilde me op: mijn favoriete positie. 'Hoi,' zei hij met zijn rechtermondhoek opgetrokken in een scheve grijns.

'Hoi,' antwoordde ik. Hij was enorm knap in zijn versleten, comfortabele spijkerbroek en gesteven donkergrijze overhemd. God, wat zag hij er goed uit in donkergrijs. Die kleur was vast gecreëerd met Marlboro Man in gedachten.

En toen kwam de kus – het soort dat gewoonlijk is gereserveerd voor stellen die weken gescheiden zijn geweest en al hun passie hebben opgespaard voor het moment dat ze elkaar weer zien. Voor ons was dat minder dan vierentwintig uur geweest. Op dat moment bestond er niemand op de wereld behalve wij. We stonden zo dicht tegen elkaar aan dat we min of meer een waren.

Mijn hele lichaam tintelde en ik voelde de liefde toen we die avond het huis in liepen.

Marlboro Man bakte ossenhaas op de grill. Ossenhaas, het allerlekkerste stuk vlees dat er is, kan als het goed is klaargemaakt zelfs met een vork gesneden worden. Marlboro Man had het de afgelopen maanden een paar keer voor me gemaakt en er waren momenten, gewoonlijk na de eerste paar happen, dat ik kon huilen omdat het zo lekker was. Om de ossenhaas te bakken legde Marlboro Man het vlees op een stuk aluminiumfolie en bestrooide het ruim met zout en grof gemalen peper. Daarna schonk hij er een flinke hoeveelheid gesmolten boter overheen, zette het geheel op een hete grill en bakte het twintig tot dertig minuten tot het perfect medium rare was. Ik wist zeker dat er geen mooier stuk vlees bestond.

We aten en praatten, en ik genoot van elke slok gekoelde wijn, net als ik genoot van elk moment met de man die naast me zat. Ik hield ervan om naar hem te kijken als hij praatte, ik hield van de bewegingen van zijn mond. Hij heeft de allermooiste mond, dacht ik. Zijn mond maakte me absoluut stapelgek.

We eindigden op zijn bank, keken naar een onderzeeërfilm en zoenden terwijl op de achtergrond 'The Navy Hymn' werd gezongen. En toen gebeurde het gewoon: de luitenant had de kapitein net het bevel van het schip ontnomen. Het was een spannend moment en ik was plotseling zo overmand door emotie dat ik me niet kon beheersen. Mijn hoofd lag op zijn schouder, mijn hart rustte in zijn handen. En in een fluistering ontsnapten de woorden me: 'Ik hou van je.' Hij had het waarschijnlijk niet gehoord. Hij was te verdiept in de film.

Maar hij had me wel gehoord. Hij sloeg zijn armen nog steviger om me heen. Hij ademde in en zuchtte terwijl zijn hand met mijn haar speelde. 'Dat is mooi,' zei hij zachtjes, waarna zijn zachte lippen de mijne vonden.

Toen ik die avond naar huis reed voelde ik me veel beter. Ik was niet langer een abnormaal wangedrocht dat maandenlang elk moment dat ze wakker is doorbrengt met een man, maar een bizarre mentale stoornis heeft waardoor ze haar gevoelens voor hem niet kan uitspreken. Het soort wangedrocht dat de man keer op keer laat zeggen dat hij van haar houdt maar daar niets voor teruggeeft. Het gaf me ook een goed gevoel dat ik de ongebruikelijke overmoed had gehad om hem te vertellen dat ik van hem hield voordat hij de kans had gehad om het eerst tegen mij te zeggen. Ik wilde 'ik hou van je' zeggen in plaats van 'ik ook van jou'. Ik wist dat er een reden was waarom ik van onderzeeërfilms hield.

Ik had geen idee waar onze relatie heen zou leiden, maar ik wist dat ik meende wat ik had gezegd.

Ik sliep die nacht als een baby.

Marlboro Man belde me de volgende ochtend om elf uur wakker.

'Hallo,' zei hij. 'Wat ben je aan het doen?'

Ik sprong uit bed, knipperde met mijn ogen en strompelde door mijn kamer. 'Wie, ik? O, niets.' Ik had het gevoel dat ik gedrogeerd was.

'Sliep je?' vroeg hij.

'Wie, ik?' vroeg ik opnieuw, waarmee ik tijd probeerde te winnen om bij mijn positieven te komen.

'Ja, jij,' zei hij lachend. 'Ik kan niet geloven dat je nog sliep!'

'Ik sliep niet! Ik was... ik deed...' Ik was een loser. Een zielige, langslapende loser.

'Je bent een echt ochtendmens, nietwaar?' Ik vond het heerlijk als hij me in de maling nam.

Ik wreef in mijn ogen en kneep in mijn wang in een poging wakker te worden. 'Yep. Min of meer,' antwoordde ik. Daarna veranderde ik van onderwerp. 'En... waar ben jij vandaag mee bezig?'

'O, ik moest vanochtend vroeg naar de stad,' zei hij.

'Echt?' vroeg ik. De stad was twee uur rijden van zijn huis. 'Dan was je al vroeg op pad!' Ik zou die vroege ochtenden nooit begrijpen. Sliepen ze nooit op het platteland?

Marlboro Man ging onverstoorbaar verder. 'Trouwens... ik rij op dit moment je oprit op.'

Huh?

Ik rende naar de badkamer om mezelf in de spiegel te bekijken. Ik huiverde bij de aanblik: dikke ogen, dof haar, een afdruk van het kussen op mijn linkerwang. Een slonzige, verschoten pyjama. Ik zag eruit als een zwerfster. Tot elf uur slapen was niet goed voor mijn uiterlijk. 'Nee, dat doe je niet,' smeekte ik.

'Yep. Wel waar,' antwoordde hij.

'Nee, niet,' herhaalde ik.

'Zeker wel,' zei hij.

Ik gooide de badkamerdeur dicht en deed hem op slot. Alsjeblieft, God, alsjeblieft, bad ik terwijl ik mijn tandenborstel pakte. Laat het een grapje zijn.

Ik poetste mijn tanden als een krankzinnige terwijl ik mezelf in de spiegel bekeek. Waarom zag ik er niet uit als de vrouwen in de reclames die wakker werden in een bed met gestreken lakens en een rozige huid met hun haar perfect in de war? Ik was niet geschikt voor menselijke ogen, laat staan de doordringende ogen van de sexy, fascinerende Marlboro Man, die inmiddels de trap naar mijn slaapkamer op liep. Ik hoorde het bonken van zijn laarzen.

De laarzen waren nu in mijn slaapkamer, net als de rasperige stem die erbij hoorde. 'Hallo,' hoorde ik hem zeggen. Ik depte mijn gezicht met een ijskoud washandje en zei tien weesgegroetjes, verbijsterd dat ik opnieuw opgesloten zat in een badkamer terwijl Marlboro Man, mijn cowboyliefde, aan de andere kant van de deur stond. Wat deed hij hier in vredesnaam? Had hij geen koeien te verzorgen? Hekken te repareren? Het was midden op de dag. Had hij geen ranch te leiden? Ik moest met hem praten over zijn werkethiek.

'O, hallo,' antwoordde ik door de gesloten deur terwijl ik in de wasmand zocht naar iets om aan te trekken. Alles was beter dan het ding dat ik nu aanhad. Had ik geen greintje zelfrespect meer?

Ik hoorde Marlboro Man zachtjes lachen. 'Wat ben je daar aan het doen?' Ik vond mijn favoriete, verbleekte, zachte jeans.

'Me verstoppen,' antwoordde ik terwijl ik hem aantrok en de knoop dichtdeed.

'Kom eens hier,' zei hij zachtjes.

Mijn spijkerbroek was vochtig omdat hij twee dagen boven op een natte handdoek in de wasmand had gelegen, en het beste shirt dat ik kon vinden was een roodgouden FIGHT ON!-T-shirt uit mijn USC-dagen. Het was niet groezelig en stonk niet. Dat was alles wat ik op dit moment kon doen. Ik was heel ver verwijderd van de zwarte hakken en glitter van LA. Ik haalde mijn schouders op, accepteerde mijn nederlaag en deed de deur open.

Hij stond glimlachend in de gang. Zijn ondeugende grijns veroverde me onmiddellijk, zoals altijd.

'Goedemorgen!' zei hij terwijl hij zijn armen rond mijn middel sloeg. Zijn lippen zochten mijn hals. Ik was blij dat ik Giorgio had opgedaan.

'Goedemorgen,' fluisterde ik terug met een lichte spanning in mijn stem. Ik geneerde me voor mijn dikke ogen en omdat ik zo lang had geslapen, en ik bleef hem stevig omhelzen terwijl ik tegen beter weten in hoopte dat hij me nooit meer los zou laten en nooit ver genoeg naar achteren zou stappen om me goed te kunnen bekijken. Als we hier een jaar of vijftig stonden, zouden de rimpels misschien uiteindelijk mijn dikke ogen maskeren.

'En,' vroeg Marlboro Man, 'wat heb je vandaag allemaal gedaan?'

Ik aarzelde heel even en begon daarna aan een ellenlange monoloog. 'Tja, ik ben natuurlijk begonnen met mijn gebruikelijke vijfendertig kilometer hardlopen, daarna heb ik een wandeling gemaakt en daarna heb ik de *Ilias* gelezen. Twee keer. En de rest wil je niet weten. Het zou je doodmoe maken om er alleen naar te luisteren.'

'Uh-huh,' zei hij. Zijn blauwgroene ogen keken doordringend in mijn ogen. Ik smolt weg in zijn armen. Dat gebeurde elke keer als hij me vasthield.

Hij kuste me, ondanks mijn roodgouden FIGHT ON!-T-shirt. Ik deed mijn ogen dicht en verdween in een zwart gat, het oog van een orkaan van liefde, naar een andere plek dan een menselijk lichaam. Ik zweefde.

Marlboro Man fluisterde in mijn oor. 'Luister...' en zijn greep rond mijn middel verstevigde.

Ik kwam terug op aarde en belandde met een luide bonk op mijn slaapkamervloer doordat iemand mijn naam brulde.

'R-r-r-r-ree?' Het was mijn broer Mike, die met uitgestrekte armen naar ons toe liep.

'Hé!' riep Mike. 'W-w-w-wat zijn jullie aan het doen?' Voordat we het beseften, had Mike zijn armen klemvast om ons allebei heen geslagen.

'Hé, hallo Mike,' zei Marlboro Man, die duidelijk probeerde zich te verzoenen met het feit dat mijn volwassen broer hem omhelsde.

Voor mij was het niet gênant; het was gewoon irritant. Mike had ons moment verstoord. Dat deed hij altijd. 'Yo, Mike,' zei ik. 'Waar kom jij in vredesnaam vandaan?'

'Carl heeft me net thuisgebracht van de ambulance,' zei hij. De ambulance was een van Mikes favoriete pleisterplaatsen, meteen na brandweerkazerne nr. 3.

Ik worstelde me los uit zijn greep. 'En, Mike,' zei ik. 'Wat kan ik op deze mooie ochtend voor je doen?' (Vertaling: Wat moet je?)

'T-t-t-tja... ik heb met Dan afgesproken om samen in het winkelcentrum te gaan lunchen omdat hij al heel l-l-l-lang geen vakantie heeft gehad en zijn vrouw is heel gestrest geweest dus nu gaat hij met zijn vrouw op vakantie en hij zei dat hij wat tijd met mij wilde doorbrengen voordat hij vertrok.' Mike gaf graag veel details.

'Oké, cool,' zei ik. (Vertaling: Dag, Mike. Smeer 'm.)

'En ik heb een lift naar het winkelcentrum nodig.' Daar was het. Ik wist dat hij iets wilde.

'Tja, Mike,' zei ik. 'Ik heb het op dit moment nogal druk. Ik heb visite, zoals je ziet.'

'M-m-m-maar dan kom ik te laat en dan denkt Dan dat er iets aan de hand is.'

O, nee. Hij begon zich op te winden. 'Waarom heb je Carl niet gevraagd om je daar af te zetten?' vroeg ik. Mike nam niet altijd de meest logische beslissingen.

'Omdat ik t-t-t-tegen hem zei dat mijn zus me graag wilde

brengen!' antwoordde Mike. Mike spande me graag voor zijn karretje zonder dat hij dat eerst had gevraagd.

Ik was echter niet van plan om me door hem te laten gebruiken. 'Luister, Mike,' zei ik. 'Ik wil je straks wel naar het winkelcentrum brengen, maar ik moet me eerst verder aankleden. Relax, dude!' Ik vond het heerlijk om Mike te zeggen dat hij moest relaxen.

Marlboro Man had de woordenwisseling gevolgd en was duidelijk geamuseerd door de ping-pong-wedstrijd tussen Mike en mij. Hij had mijn broer al een paar keer ontmoet en wist wat er met hem aan de hand was. En hoewel hij nog niet alle ins en outs van het omgaan met hem kende, leek hij zijn gezelschap op prijs te stellen.

Plotseling draaide Mike zich om naar Marlboro Man en legde zijn hand op zijn schouder. 'K-k-k-kun jij me alsjeblieft naar het winkelcentrum brengen?'

Marlboro Man keek me glimlachend aan en knikte. 'Natuurlijk breng ik je, Mike.'

Mike was door het dolle heen. 'O, gossie!' riep hij. 'Doe je dat? E-e-e-echt?' Daarna wilde hij Marlboro Man opnieuw innig omhelzen.

'Okiedokie, Mike,' zei Marlboro Man terwijl hij zich uit zijn armen losmaakte en zijn hand pakte. 'Eén omhelzing per dag is genoeg voor mannen.'

'O, oké,' zei Mike. Hij waardeerde de tip blijkbaar en schudde Marlboro Mans hand. 'Ik snap het.'

'Nee, nee, nee. Je hoeft hem niet te brengen,' kwam ik tussenbeide. 'Mike, je moet gewoon even wachten. Ik ben zo klaar.'

'Ik moet toch terug naar de ranch,' zei Marlboro Man. 'Ik vind het niet erg om hem te brengen.'

'Ja, Réé!' zei Mike agressief. Hij stond naast Marlboro Man alsof hij een gevecht op leven en dood had gewonnen. 'Bemoei je met je eigen zaken.'

Ik keek Mike boos aan terwijl we de trap naar de voordeur af liepen. 'Gaan we in je witte pick-up?' vroeg Mike. Hij barstte bijna uit elkaar van opwinding.

'Yep, Mike,' antwoordde Marlboro Man. 'Wil jij hem vast starten?' Hij hield de sleutels voor Mikes gezicht.

'Wat?' zei Mike. Hij gaf Marlboro Man geen kans om antwoord te geven, griste de sleutels uit zijn hand, rende naar de pick-up en liet Marlboro Man en mij alleen achter op onze oude, vertrouwde trap.

'Bedankt dat je mijn broer naar het winkelcentrum brengt,' zei ik vrolijk. Mike startte de dieselmotor.

'Geen probleem,' zei Marlboro Man terwijl hij zich bukte voor een kus. 'Ik zie je vanavond.' We hadden een permanente afspraak.

'Tot dan.'

Mike toeterde.

Marlboro Man liep naar zijn pick-up, stopte halverwege en draaide zich naar me om. 'O, ja, trouwens…' zei hij terwijl hij naar me terugliep en zijn hand in de zak van zijn Wrangler stopte. 'Wil je met me trouwen?'

Mijn hart sloeg een slag over.

Marlboro Man haalde met een intens lieve glimlach op zijn gezicht zijn hand uit zijn versleten, behaaglijke jeans en hield iets kleins vast. Wat is hier in vredesnaam aan de hand? dacht ik. Ik was volkomen verstijfd. 'Eh... wat?' vroeg ik. Het waren de enige woorden die me te binnen schoten.

Hij antwoordde niet meteen. In plaats daarvan pakte hij mijn linkerhand, opende mijn vingers en legde een ring met een diamant op mijn zwetende handpalm.

'Ik vroeg...' zei hij terwijl hij mijn vingers rond de ring sloot, '...of je met me wilt trouwen.' Hij pauzeerde even. 'Ik begrijp het als je tijd nodig hebt om erover na te denken.' Zijn handen lagen nog steeds rond mijn knokkels. Hij duwde zijn voorhoofd tegen het mijne en mijn kniebanden veranderden in spaghetti.

Met je trouwen? Mijn hersenen sloegen op hol. Ik had drie miljoen gedachten tegelijk en mijn hart bonkte wild in mijn borstkas.

Met je trouwen? Maar dan moet ik mijn haar kort knippen. Getrouwde vrouwen hebben kort haar, en ze laten het knippen bij een kapsalon.

Met je trouwen? Maar dan moet ik stoofschotels maken.

Met je trouwen? Maar dan moet ik gele rubberen handschoenen dragen als ik de afwas doe.

Met je trouwen? En naar het platteland verhuizen om echt bij je te wonen? In jouw huis? Op het platteland? Maar ik... ik... ik kan niet op het platteland wonen. Ik zou niet weten hoe. Ik kan niet paardrijden. Ik ben bang voor spinnen.

Ik dwong mezelf iets te zeggen. 'Eh... wat?' herhaalde ik met een lichte koortsachtigheid in mijn stem.

'Je hebt me wel gehoord,' zei Marlboro Man nog steeds glimlachend. Hij wist dat hij me had verrast.

Op dat moment toeterde Mike weer. Hij leunde uit het raam en schreeuwde zo hard als hij kon. 'Kom nou! Ik k-k-k-kom te laat voor de lunch!' Mike hield er niet van om te laat te zijn.

Marlboro Man lachte. 'Ik kom eraan, Mike.' Ik zou normaal gesproken ook lachen om de grappige scène die zich voor mijn ogen afspeelde: een ring; een aanzoek; mijn ontwikkelingsgestoorde en bijzonder ongeduldige broer Mike, die wachtte tot Marlboro Man hem naar het winkelcentrum zou brengen; en de toeter van de diesel pick-up. Normaal gesproken zou ik gelachen hebben, maar nu was ik veel te verbijsterd.

'Ik kan beter gaan,' zei Marlboro Man. Hij bukte zich en gaf een kus op mijn wang. Ik hield de ring nog steeds in mijn warme, transpirerende hand. 'Ik wil niet dat Mike door het lint gaat.' Hij lachte hardop en genoot duidelijk van de situatie.

Ik probeerde te praten, maar dat lukte niet. Ik was met stomheid geslagen. Niets had me kunnen voorbereiden op deze tien minuten van mijn leven. Het laatste wat ik me herinnerde was dat ik om elf uur wakker werd en dat ik me even later in mijn badkamer verstopte omdat ik niet wilde dat Marlboro Man me zo zag. En nu stond ik op de voorveranda met een diamanten ring in mijn hand. Het was allemaal heel erg onwerkelijk.

Marlboro Man draaide zich om. 'Je kunt me je antwoord later geven,' zei hij glimlachend terwijl hij wegliep in de heldere middagzon.

Ineens kwam het allemaal boven. De laarzen in de bar, de ijsblauw-groene ogen, het gesteven overhemd, de Wrangler, ons eerste afspraakje, mijn huilbui in zijn keuken, de films, de avonden op zijn veranda, de zoenen, de lange autoritten, de omhelzingen, de allesoverheersende hartstocht die ik voor hem voelde. Het werd beeld voor beeld in een voortdurende stroom in mijn hersenen afgespeeld.

'Hé,' zei ik terwijl ik naar hem toe liep en de ring moeiteloos aan mijn vinger liet glijden. Ik sloeg mijn armen om zijn nek terwijl zijn armen instinctief rond mijn middel gleden en me van de grond tilden in een bijzonder vertrouwde beweging. 'Yep,' zei ik. Hij glimlachte en hield me stevig vast. Mike toeterde opnieuw, zich niet bewust van wat er net was gebeurd. Marlboro Man zei niets meer. Hij kuste me, glimlachte en bracht mijn broer daarna naar het winkelcentrum.

Ik ging naar binnen, liep naar mijn slaapkamer en liet me op de grond vallen. *Wat was er daarnet gebeurd?* Ik staarde naar het plafond terwijl ik het probeerde te bevatten. Mijn gedachten sloegen op hol in een poging te achterhalen wat het allemaal te betekenen had. *Moet ik leren houtsnijden? Gebraden kip maken? Paardrijden? Met een zeis werken?* Mijn gezicht begon te gloeien. *En kinderen? O, god. Dat betekent dat we misschien kinderen krijgen! Hoe gaan we ze noemen? Travis en Dolly? O, lieve hemel. Ik krijg later kinderen. Ik zag het beeld duidelijk voor me. Kleine kinderen met rood haar en groene ogen, en ze zouden veel sproeten hebben. Ik krijg er tien, misschien elf. Ik zal in de tuin moeten hurken om te baren terwijl ik okra's pluk.* Alle stereotiepen van het plattelandsleven stroomden naar de oppervlakte. Veel ervan hadden met kinderen baren te maken.

Daarna ontspande mijn lichaam terwijl ik me alle keren herinnerde dat ik terug was gelopen naar deze kamer nadat ik bij Marlboro Man was geweest, mijn cowboy, mijn redder. Ik herinnerde me alle keren dat ik in een staat van pure euforie op mijn bed was gevallen, zuchtend en aan mijn shirt ruikend om een laatste zweem van zijn geur op te snuiven. Alle keren dat ik de telefoon 's ochtends vroeg had opgepakt om zijn sexy stem te horen. Alle keren dat ik ernaar had verlangd hem te zien, twee minuten nadat hij me had afgezet. Het was goed, het was o zo goed. Als ik geen dag kon doorkomen zonder hem te zien, gold dat zeker voor een heel leven…

Op dat moment ging de telefoon. Ik schrok. Het was Betsy, mijn jongere zus.

'Yo, hoe is het?' vroeg ze. Ze was op weg naar huis.

Ik draaide mijn haar rond mijn vinger, er absoluut niet op voorbereid om een eerlijk antwoord te geven.

We kletsten een minuut of vijf en hingen op zonder dat ik mijn nieuwtje had verteld. Ik wilde nog even wachten voordat ik het iemand vertelde. Ik moest het zelf nog verwerken. Nog steeds op mijn slaapkamervloer haalde ik diep adem en keek naar mijn hand. Ik voelde me vreemd en tintelend, bijna gescheiden van mijn lichaam. Ik was hier niet echt, hield ik mezelf voor. Ik was in Chicago en ik zag dit allemaal met iemand anders gebeuren. Het was een film, misschien op een groot scherm, misschien via de kabel. Maar het kon mijn leven niet zijn, of wel soms?

Mijn telefoon ging opnieuw. Het was Marlboro Man.

'Hé,' zei hij. Ik hoorde de dieselmotor op de achtergrond ronken. 'Ik heb Mike net bij het winkelcentrum afgezet.'

'Hoi,' zei ik glimlachend. 'Bedankt dat je dat hebt gedaan.'

'Ik wilde je alleen vertellen dat ik gelukkig ben,' zei hij. Mijn hart maakte een sprongetje.

'Ik ook,' zei ik. 'Verrast... en gelukkig.'

'Mooi,' ging hij verder. 'Trouwens, ik heb Mike het nieuws verteld, maar hij heeft beloofd dat hij het tegen niemand zou zeggen.'

Lieve hemel, dacht ik. Marlboro Man heeft er duidelijk geen idee van met wie hij te maken heeft.

14

Vallen en opstaan

Ik was ervan overtuigd dat Mike het nieuws dat zijn zus ging trouwen inmiddels aan het halve winkelcentrum had verteld. Dat betekende dat binnen een uur of twee het hele district het waarschijnlijk zou weten. Binnen de kortste keren zou het allemaal heel echt zijn. De man achter de toonbank bij Subway zou het nieuws het eerst horen, gevolgd door het lieve meisje van de snoepwinkel, die mijn zusje kende van de middelbare school en die haar moeder belde, die een patiënt van mijn vader was geweest en die mijn moeder kende. En het meisje achter de balie bij de make-upafdeling van Dillards, die mijn oma een keer per maand Estée Lauder-foundation verkocht, zou het ook snel weten. En alle bewakers en portiers zouden het nieuws binnen het uur horen, hoewel het maar weinigen waarschijnlijk iets kon schelen. Het was echter een feit dat iedereen het zou weten. Mike vond dat nieuws – al het nieuws – gedeeld moest worden. En als hij de eerste was om het te verspreiden, maakte hem dat nog gelukkiger. God zij dank had hij geen mobiel, anders had hij de lokale radiozender al gebeld om te vragen of ze het konden melden tijdens het filenieuws.

Dat was een van Mikes tactieken. Hij vond het heerlijk om de aandrager van een nieuwtje te zijn.

Ik kon mezelf er echter niet toe brengen om me daar zorgen over te maken. Ik lag nog steeds op de grond met mijn linkerhand voor mijn gezicht en mijn vingers gespreid, de ring te bewonderen die Marlboro Man me die ochtend had gegeven. Hij had geen mooiere ring, geen gepaster symbool voor onze relatie kunnen kiezen. De ring was simpel en ongedwongen; een verfijnde gouden band met een prachtige diamant die hoog en bijna trots op de zetpootjes stond. Het was een ring die was gekozen door een man die me vanaf de eerste dag altijd precies had verteld wat zijn gevoelens waren. De ring was daar een perfecte aanvulling op: sterk, oprecht, solide, direct. Ik zag hem graag aan mijn vinger. Het was een goed gevoel om te weten dat hij daar zat.

Mijn maag verkrampte. Ik was verloofd. Verlóófd. Ik was er absoluut niet op voorbereid hoe vreemd dat voelde. Waarom had ik nog nooit over deze ongewone sensatie gehoord? Waarom had niemand me dat verteld? Het was volwassen, opwindend, schokkend, angstig, moederlijk, vreemd en gelukkig – een aparte combinatie voor een doordeweekse ochtend. Hemel, ik was verloofd. Ik pakte de telefoon met mijn ringloze hand en toetste zonder erover na te denken het nummer van mijn zusje in.

'Hoi,' zei ik toen Betsy had opgenomen. We hadden elkaar nog maar tien minuten geleden gesproken.

'Hoi,' antwoordde ze.

'Eh, ik wilde je alleen vertellen...' Mijn hart begon te bonken. '...dat ik, eh... verloofd ben.'

Er volgde een stilte die uren leek te duren.

'Niet waar,' riep Betsy uiteindelijk. 'Niet waar,' zei ze nog een keer.

'Wel waar,' antwoordde ik. 'Hij heeft me net ten huwelijk gevraagd. Ik ben verlóófd, Bets!'

'Wát?' gilde Betsy. 'O mijn god...' Haar stem begon te breken en even later huilde ze.

Ik begreep onmiddellijk waar die tranen vandaan kwamen en kreeg een brok in mijn keel. Ik had hetzelfde bitterzoete gevoel. Er zouden dingen veranderen. De tranen schoten in mijn ogen en mijn neus begon te prikken.

'Niet huilen, sufferd.' Ik lachte door mijn tranen heen.

Zij lachte ook en begon toen nog harder te huilen, niet in staat om de tranen terug te dringen. 'Mag ik je bruidsmeisje zijn?'

Dat was te veel voor me. 'Ik kan niet meer praten,' piepte ik. Ik hing op en lag snotterend op de vloer.

De telefoon ging bijna meteen weer. Het was Mike, die vanaf een telefoon in het winkelcentrum belde. O god, dacht ik. Hij heeft waarschijnlijk een hele rol kwartjes.

'Hé!' riep Mike. Ik hoorde het winkelende publiek op de achtergrond.

'Hallo, Mike,' antwoordde ik terwijl ik de tranen van mijn gezicht veegde.

Zijn stem klonk speels. 'Ik heb v-v-v-vandaag iets over ie-ie-ie-iemand gehoord...' Hij barstte uit in een ondeugende lach.

Ik speelde het spelletje mee. 'O ja, Mike? Wat dan?'

'Ik h-h-h-heb gehoord... dat iemand die ik k-k-k-ken gaat t-t-t-trouwen!' Hij schreeuwde zoals alleen Mike dat kon.

'Luister, Mike,' begon ik. 'Je hebt het toch aan niemand verteld, hoop ik?'

Hij gaf geen antwoord.

'Mike?' drong ik aan.

Uiteindelijk gaf hij antwoord. 'Ik... d-d-d-denk het niet.'

'Míke...' plaagde ik hem. 'Denk eraan, je hebt beloofd dat je het aan niemand zou vertellen.'

'Ik m-m-m-moet ophangen,' zei Mike. En dat deed hij.

Yep, ik wist zeker dat het in de avondkrant zou staan... figuurlijk gesproken dan.

Ik bracht de volgende paar uur door met de rest van mijn naaste familie informeren dat ik, hun dochter/zus/kleindochter, met een cowboy uit het naburige district ging trouwen. Ik ontmoette erg weinig weerstand, op een paar keer 'jezus' van mijn oudste broer na die, zoals ik ook ooit had gedaan, geloofde dat het leven buiten de grote stad het niet waard was om geleefd te worden. Over het algemeen was mijn familie het ermee eens. Ze wisten blijkbaar hoe gek ik op Marlboro Man was; ze hadden me tenslotte nauwelijks gezien sinds we een relatie hadden gekregen. De schrijnende staat van het huwelijk van mijn ouders doemde voor me op. Het was een lelijke, donkere donderwolk die mijn perfecte voorjaarsdag dreigde binnen te drijven. Maar ik probeerde hem te negeren, in elk geval nu, en van het moment te genieten.

Dat prachtige, buitengewone moment.

De volgende ochtend reed ik naar de ranch. Marlboro Man had me gevraagd om vroeg naar hem toe te komen.

Ik was net de hoofdweg op gedraaid toen mijn autotelefoon ging. Het was mistig buiten. 'Opschieten,' commandeerde Marlboro Man me speels. 'Ik wil mijn toekomstige vrouw zien.' Mijn hart maakte een sprongetje. Vrouw. Het zou even duren voordat ik aan dat idee gewend was.

'Ik ben onderweg,' verkondigde ik. 'Nog even geduld.' We hingen op en ik giechelde. We zouden een heerlijk leven krijgen.

Hij begroette me bij mijn auto, in een spijkerbroek, laarzen en een zacht, versleten denim overhemd. Ik stapte de auto uit en liep recht zijn armen in. Het was net acht uur geweest en binnen seconden leunden we tegen mijn auto en deelden een hartstochtelijke, opgewonden kus. Je kon het aan Marlboro Man overlaten om van acht uur 's ochtends een acceptabele tijd te maken om te vrijen. Ik had dit nooit geweten als ik hem niet had leren kennen.

'Dus... wat gaan we vandaag doen?' vroeg ik terwijl ik me probeerde te herinneren wat voor dag het was.

'Ik dacht dat we een tijdje konden rondrijden...' zei hij, zijn armen nog steeds rond mijn middel, '...om een plek te zoeken waar we willen wonen.' Hij had eerder terloops verteld dat hij op een dag naar een andere plek op de ranch wilde verhuizen, maar ik had er nooit veel aandacht aan besteed. Het kon me niet veel schelen waar hij woonde, zolang hij zijn Wrangler-spijkerbroeken meenam. 'Ik wil dat het ook jouw beslissing is.'

We brachten de ochtend in de auto door, mijn Marlboro Man en ik. We reden naar alle verborgen plekjes en verre delen van zijn ranch: door kabbelende beken, over veeroosters, over die heuvel, langs dat groepje bomen, op zoek naar de ideale plek om ons leven samen te beginnen. Marlboro Man vond het huis waarin hij woonde prettig, maar het lag ver verwijderd van het hart van de ranch en hij was altijd van plan geweest ergens een permanente plek te zoeken. Dat we nu verloofd waren was het perfecte moment om de overstap te maken.

Ik vond dat hij een fijn huis had. Het was landelijk en eenvoudig, maar mooi in zijn eenvoud. Ik kon daar wonen. Of ik kon in een ander huis wonen. Of ik kon in zijn pick-up wonen, of in zijn schuur, of in een tipi in een weiland... Zolang hij maar bij me was. Maar hij wilde samen rondrijden en kijken, dus reden we rond. En zochten we. En hielden we elkaars hand vast. En praatten we. En ergens onderweg in het heldere ochtendzonlicht, parkeerde Marlboro Man zijn pick-up onder de schaduw van een boom, overbrugde de enorme ruimte tussen onze leren kuipstoelen, trok me in een sexy, warme omhelzing en zoende me alsof we twee tieners waren in een drive-in uit 1958, vóór de seksuele revolutie. Het was die ochtend moeilijk om ons niet te laten gaan. Er was niemand die ons kon zien.

We beëindigden onze vrijpartij echter binnen minuten in plaats van uren, wat mijn keus zou zijn geweest, maar we hadden nog een heel leven voor ons en we hadden dingen te doen, zoals veeroosters oversteken. Dus reden we verder, op zoek naar de meer voor de hand liggende plekken waar ons huis op een dag zou staan. We begonnen bij het hoofdgebouw; de grappig ouderwetse, bescheiden woning waar zijn opa had gewoond in de tijd dat hij net was getrouwd en een gezin wilde stichten. De goed onderhouden weg waarop we reden was er niet altijd geweest, vertelde Marlboro Man, en als het had geregend zat zijn oma dagenlang in huis opgesloten omdat ze de beek niet over kon steken. Zijn oma was net als ik een stadsmeisje geweest, vertelde Marlboro Man, en ze had in het begin niet op de ranch willen wonen. Maar omdat ze met zijn opa wilde trouwen, had ze door de zure appel heen gebeten en was ze verhuisd.

'Wat lief,' antwoordde ik. 'Is ze uiteindelijk van het platteland gaan houden?'

'Ze probeerde het,' zei hij. 'Maar de eerste keer dat ze op een paard klom maakte mijn opa de fout om haar uit te lachen,' legde Marboro Man uit. 'Ze is eraf gestapt en heeft nooit meer op een paard gezeten.' Marlboro grinnikte.

'O,' zei ik met een zenuwachtig lachje. 'Hoe lang duurde het dan voordat ze aan het platteland gewend was?'

'Eigenlijk is ze er nooit aan gewend,' zei Marlboro Man. 'Ze hebben uiteindelijk een huis in de stad gekocht en zijn daar naartoe verhuisd.' Hij grinnikte opnieuw.

Ik keek uit het raam terwijl ik mijn haar rond mijn vinger draaide. De woning leek ineens veel minder aantrekkelijk.

We reden verder en namen die dag geen definitieve beslissing waar we zouden gaan wonen. We waren tenslotte nog geen vierentwintig uur verloofd dus we hadden geen haast. Toen we eindelijk weer bij zijn huis waren, nestelden we ons op de bank en keken een film. *Gone with the Wind* uiteraard. Marlboro Man was gek op die film. En terwijl ik op zijn bank lag en voor de 304de keer zag hoe het Zuiden rondom Scarlett O'Hara uiteenviel, raakte ik de armen aan die me zo zacht en veilig vasthielden en zuchtte tevreden. Ik vroeg me af hoe het me in vredesnaam was gelukt om deze man te vinden.

Toen hij later die middag met me meeliep naar mijn auto, minuten nadat Scarlett had verklaard dat er morgen een nieuwe dag was, legde Marlboro Man zijn handen licht op mijn middel. Hij streelde mijn ribbenkast, duwde zijn voorhoofd tegen het mijne en deed zijn ogen dicht. Het was alsof hij het moment in zijn geheugen wilde opslaan. Zijn vingertoppen op mijn ribben kietelden verschrikkelijk, maar dat kon me niet schelen. Ik was verloofd met deze man, hield ik mezelf voor, en hij zou mijn ribben in de toekomst waarschijnlijk nog veel vaker strelen. Ik moest mezelf harden en in staat zijn om zulke uitingen van liefde te verdragen zonder dat mijn knieën knikten en ik vergat wat de meisjesnaam van mijn moeder was en wie mijn leerkracht in groep drie was geweest. Anders had ik veel jaren vol problemen en met een ernstig verminderde productiviteit voor de boeg. Ik probeerde het dus vol te houden. Ik deed mijn ogen dicht en probeerde uit alle macht om het gekietel te negeren. Verdwijn, Satan! Hou vol, Ree.

Mijn hersenen wonnen. We stonden daar en trokken een lange neus tegen het feit dat we twee afzonderlijke lichamen waren. De prairiezon achter ons veranderde van geel naar oranje naar roze en naar een schitterend, onmogelijk rood. Dezelfde kleur als het vuur dat altijd tussen ons brandde.

Tijdens de rit naar huis was mijn hele lichaam warm, alsof ik wakker was geworden uit de mooiste droom die ik ooit had gehad en nog steeds half droomde. Ik dwong mezelf na te denken, om me heen te kijken, alles in me op te nemen. Op een dag, zei ik tegen mezelf terwijl ik over de landelijke provinciale weg reed, rij ik op een weg zoals deze om naar de supermarkt in de stad te gaan... Of de post bij de hoofdweg op te halen ... Of om mijn kinderen naar hun celloles te brengen.

Celloles? Dat zou toch kunnen? Of ballet? Er was vast een balletschool ergens in de buurt.

We hadden vluchtig nagedacht over de trouwdatum. Augustus? September? Oktober? Na de zomer, als het weer koeler was. Als het transportseizoen voorbij was. Als we onze bruiloft ontspannen konden vieren en konden genieten van een fijne, lange huwelijksreis zonder de druk van het werk op de ranch. Onze trouwdag was waarschijnlijk nog maanden weg, wat ik prima vond. Het zou veel tijd kosten om alle uitnodigingen voor zijn kant van de familie te adresseren, met al zijn neven en nichten en ooms en tantes en verre familieleden. Die leken allemaal binnen een straal van vijfenzeventig kilometer te wonen en wilden natuurlijk allemaal aanwezig zijn op het eerste huwelijk in Marlboro Mans directe familie, een familie die zo'n tien jaar geleden was opgeschrokken door de tragische dood van de oudste zoon. Bovendien zou het me heel veel tijd kosten om te breken met mijn oude leven en het touw tussen mijn vroegere en toekomstige ik door te knippen.

Intussen begon het nieuwtje van mijn huwelijk zich in mijn geboorteplaats met 35.000 inwoners te verspreiden, wat grotendeels te danken was aan het gepatenteerde megafoonbeleid van mijn broer Mike, die onze verloving in het winkelcentrum had verkondigd. Mijn terugkeer naar mijn geboortestad nadat ik in Los Angeles had gewoond, was redelijk bijzonder geweest omdat ik altijd had uitgestraald dat ik iemand was die thuishoorde in een grote, kosmopolitische stad. Het feit dat ik mijn in L.A. gekochte zwarte pumps nu aan de wilgen zou hangen om te verhuizen naar een geïsoleerde ranch in een uithoek was voldoende voor een aantal opgetrokken wenkbrauwen. Ik kon het geroddel bijna horen.

'Ree? Gaat Ree trouwen?'

'Echt? Gaat Ree trouwen met een... boer?'

'Gaat ze op het platteland wonen?'

'Ik kan me Ree niet op een paard voorstellen.'

'Ze is de laatste persoon die ik me op het platteland kan voorstellen.'

'Wat is er eigenlijk gebeurd met haar vriend in Californië?'

Halverwege de rit ging mijn autotelefoon. Het was mijn zus Betsy, die inmiddels een etmaal thuis was.

'Mama heeft Carolyn net gezien in de cadeauwinkel.' Betsy lachte. 'Ze vertelde dat ze net had gehoord dat je verloofd was en dat ze niet kon geloven dat je echt op het platteland gaat wonen...' We lachten allebei in het besef dat dit nog heel vaak zou gebeuren.

Ik kon de mensen hun twijfel niet kwalijk nemen. De waarheid was dat ik nog steeds niet wist hoe ik het moest redden.

Het plattelandsleven? Hoeveel tijd ik ook had doorgebracht in Marlboro Mans huis, de realiteit van een dagelijks landelijk bestaan was nog steeds een grote onbekende voor me. Ik deed mijn ogen dicht en probeerde me te verzoenen met mijn toekomst in een onbekend huis, aan het eind van een onbekend stoffig grindpad, ver weg van restaurants en winkels en make-upbalies. Wat moest ik daar overdag doen? Hoe laat moest ik opstaan? Zouden we kippen houden? Hoewel ik al een tijd een relatie met Marlboro Man had, was ik nooit bij hem blijven slapen. Ik was nooit wakker geworden wanneer hij wakker werd en had niet gezien wat er allemaal gebeurde als zijn voeten de grond eenmaal raakten. Ik kon me niet voorstellen wat er 's ochtends van me werd verwacht. Zou ik muesli met hem eten of wachten tot hij naar kantoor was? Wacht… er was geen kantoor. Zou ik met hem meegaan naar zijn werk, of moest ik overdag kleren schrobben op het wasbord en ze daarna aan de waslijn hangen? Als ik stil zat sloegen mijn gedachten op hol. Alle stereotiepen die ik ooit over het plattelandsleven had gehoord, zwommen in mijn hersenen rond als een school kleine vissen. Het was onmogelijk om ze af te schudden.

Uiteindelijk kwam ik thuis. Betsy was op stap met vriendinnen van de middelbare school, en toen ik de keuken in liep zag ik dat de deur naar de zitkamer dicht was. Mijn ouders zaten aan de andere kant van die deur. De sfeer was verstikkend. Ik kon de emoties die normaal gesproken onzichtbaar waren zien ronddrijven in mijn ouderlijk huis: spanning, onenigheid, disharmonie, pijn. Ik realiseerde me dat ik in tweeën was gesplitst: duizelig en bruisend en extatisch over mijn toekomst met

Marlboro Man en tegelijkertijd verpletterd en vervuld van onheil en angst omdat ik zag hoe mijn stabiele, normale, gelukkige gezinsleven voor mijn ogen uiteenviel. Hoe kon dit perfecte huishouden in zo'n neerwaartse spiraal terechtgekomen zijn? Het was een heel slechte timing dat het samenviel met het moment waarop ik de liefde van mijn leven had gevonden.

Ik sleepte me naar mijn slaapkamer, schopte mijn schoenen uit en nestelde me op de zachte stoel naast mijn bed. Ik wilde dolgraag weg om de hele rotzooi te ontlopen. Het was tenslotte het probleem van mijn ouders, niet dat van mij. Ik had de macht niet om ze te herenigen. Maar in plaats van daarin te berusten, kon ik er alleen aan denken hoe ik de komende paar maanden van mijn verloving moest doorkomen. Ik zag het allemaal voor me: een nooit eindigende, schizofrene cyclus van euforische hoogtepunten omdat ik bij mijn lief was en afgrijselijke dieptepunten op het moment dat ik het huis van mijn ouders binnen liep. Ik wist niet zeker of ik de kracht had om die achtbaan vol te houden.

Op dat moment belde mijn redder om welterusten te zeggen: 'Ik heb het vandaag naar mijn zin gehad', 'Wat doe je morgen', 'Ik hou van je.' Zijn telefoontjes waren een wondermiddel; ze kikkerden me onmiddellijk op en stelden me gerust. Dit telefoontje was niet anders.

'Hallo,' zei hij met een stem die nog sexyer was dan anders.

'Hoi.' Ik zuchtte.

'Wat ben je aan het doen?' vroeg hij.

'Gewoon zitten,' antwoordde ik terwijl ik de gedempte stemmen van mijn ouders door de slaapkamervloer hoorde. 'Ik denk...'

'Waaraan?' vroeg hij.

'O, ik dacht...' begon ik, waarna ik even aarzelde. 'Ik denk dat ik weg wil lopen en stiekem wil trouwen.'

Marlboro Man begon te lachen, maar toen hij zich realiseerde dat ik niet lachte, stopte hij en zwegen we allebei.

'Wil je dat echt?' vroeg Marlboro Man. 'Je wilt stiekem trouwen?'

'Eh... ja... min of meer,' antwoordde ik. 'Wat vind jij?'

'Tja,' begon hij. 'Hoe kom je daar zo bij?' Hij zei het niet, maar ik wist dat hij dat niet wilde. Hij wilde een bruiloft. Hij wilde het vieren.

'O, ik weet het niet.' Ik aarzelde en wist niet goed wat ik voelde of moest zeggen. 'Ik dacht er net aan toen jij belde.'

Hij zweeg even. 'Is alles goed met je?' vroeg hij. Hij had de verandering in mijn stem gehoord en voelde dat er een donkere wolk was neergedaald.

'Ja, hoor,' verzekerde ik hem. 'Heel goed. Ik ben alleen... Ik dacht gewoon dat het leuk zou zijn om stiekem te trouwen.'

Dat was helemaal niet wat ik bedoelde.

Wat ik bedoelde was dat ik niets te maken wilde hebben met familiefeesten, spanningen, stress of huwelijksproblemen. Ik wilde me niet elke dag zorgen hoeven te maken of het mijn ouders zou lukken om de komende maanden bij elkaar te blijven. Ik wilde er gewoon niets meer mee te maken hebben. Ik wilde dat het allemaal verdween.

Dat zei ik echter niet. Het was te veel voor een telefoontje op de late avond, te veel om uit te leggen.

'Goed, ik sta er voor open,' antwoordde Marlboro Man terwijl hij tegelijkertijd gaapte. 'We kunnen het er morgen over hebben.'

'Ja,' zei ik terwijl ik op mijn beurt gaapte. 'Welterusten...'

Ik viel op mijn comfortabele stoel in slaap met Fox Johnson in mijn armen, een versleten Steiff-knuffel die mijn ouders me hadden gegeven toen we nog een gelukkig, perfect gezin vormden.

'Kom vandaag naar me toe,' zei Marlboro Man de volgende ochtend. 'Dan kun je me helpen met afbranden.'

Ik glimlachte in de wetenschap dat hij mijn hulp helemaal niet nodig had. Maar ik vond het heerlijk als hij het vroeg.

'Goed dan,' zei ik terwijl ik in mijn ogen wreef. 'Wat moet ik aantrekken?'

Marlboro Man lachte. Hij vroeg zich waarschijnlijk af hoeveel jaren er voorbij zouden gaan voordat ik die vraag niet meer stelde.

Gecontroleerd afbranden, of gewoon afbranden zoals landeigenaars dat noemen, wordt meestal in het voorjaar gedaan, op het moment dat het nieuwe gras begint te groeien. Door het afbranden verdwijnt het oude, dode gras van de wintermaanden en komt er ruimte voor vers, groen gras dat daardoor nog krachtiger door de grond kan dringen. Het doodt ook nieuw onkruid dat al is opgekomen, omdat veel onkruid in het vroege voorjaar omhoogschiet. Normaal gesproken gebeurt afbranden vanuit een jeep of een ander voertuig; de chauffeur houdt een fakkel uit het zijraam en steekt het gras aan terwijl hij rijdt. Ik had het Marlboro Man vanuit de verte zien doen, maar ik was nog nooit in de buurt van de vlammen geweest. Misschien heeft hij me nodig om de jeep te rijden, dacht ik. Of nog beter, om de fakkel te bemannen. Dat kon leuk worden.

Hij vroeg me om naar de schuur naast zijn huis te komen, waar zijn jeep stond. Op het moment dat ik remde, zag ik Marlboro Man met twee paarden aan de teugels de schuur uit komen. Mijn maag voelde vreemd terwijl ik mijn neus rimpelde en het woord 'verdorie' bij me opkwam. Ik voelde me niet op mijn gemak op een paard, en net als de huwelijksproblemen van mijn ouders had ik gehoopt dat dit hele 'paardending' gewoon op magische wijze zou verdwijnen.

Ik was absoluut niet bang voor paarden. Ik vond ze prachtig en was nooit zenuwachtig in de buurt van die dieren. Het kostte me ook geen moeite om op een paard te gaan zitten of me er van af te laten glijden. Dat was een van de weinige dingen op de ranch waarin een balletachtergrond een voordeel was. Ik vond de geur ook niet erg. Eigenlijk vond ik die wel lekker. Mijn probleem met paarden werd veroorzaakt doordat mijn billen niet in het zadel wilden blijven als het paard begon te draven. Hoeveel aanwijzingen en suggesties Marlboro Man me ook gaf, een paardendraf betekende voor mij dat mijn billen voortdurend op het zadel bonkten. Mijn voeten bleven veilig in de stijgbeugels, maar ik snapte gewoon niet hoe ik mijn beenspieren op de juiste manier moest gebruiken en hoe ik moest zitten. Paardrijden was gewoon heel naar: mijn billen bonkten op het zadel, mijn bovenlichaam verstijfde en ik had dagen daarna nog pijn. Bovendien zag ik er belachelijk uit als ik reed, zo ongeveer als een boomstam met rood, vlassig haar. Ik had me nog nooit zo misplaatst gevoeld, behalve toen ik de temperatuur van de koeien rectaal moest opnemen.

Dat borrelde allemaal naar de oppervlakte toen ik Marlboro Man naar me toe zag lopen met twee paarden, waarvan er een duidelijk voor mij bedoeld was. Waar is mijn jeep? dacht ik. Waar is mijn fakkel? Ik wil geen paard. Dat kunnen mijn billen niet verdragen. Waar is mijn jeep? Ik had nog nooit zo graag in een jeep willen rijden.

'Hallo,' zei ik terwijl ik naar hem toe liep en glimlachte in een poging niet alleen kalm maar ook zorgeloos te lijken, ondanks de realiteit waarmee ik werd geconfronteerd. 'Eh... ik dacht dat we gingen afbranden.'

'Dat gaan we ook,' zei hij glimlachend. 'Maar we moeten naar een gebied waar de jeep niet kan komen.'

Mijn maag draaide om. Een paar seconden lang overwoog ik om te doen alsof ik ziek was, zodat ik niet hoefde. Wat kon ik zeggen? dacht ik koortsachtig. Dat ik moest overgeven? Of zou ik gewoon mijn maag vastpakken, kreunen, achter de schuur rennen en dramatische kokhalsgeluiden maken? Dat was misschien heel effectief. Marlboro Man zou medelijden met me hebben en zeggen: 'Oké... ga jij maar naar mijn huis om uit te rusten. Ik ben straks terug.' Maar ik dacht niet dat ik het kon; braken was zo vernederend. En bovendien, als Marlboro Man dacht dat ik had overgegeven, kreeg ik vandaag misschien geen kus.

'Goed dan,' zei ik. Ik glimlachte opnieuw en probeerde ervoor te zorgen dat mijn afgrijzen niet op mijn gezicht te lezen viel. In mijn verwarring merkte ik niet dat Marlboro Man met de paarden naar me toe was gelopen. Voordat ik het wist, sloeg hij zijn rechterarm rond mijn middel terwijl zijn andere hand de teugels van de twee paarden vasthield. Het volgende moment trok hij me stevig tegen zich aan en boog zich naar me toe voor een lieve, tedere kus. Het was een kus waarvan hij leek te genieten zelfs nadat onze lippen weer gescheiden waren.

'Goedemorgen,' zei hij lief terwijl hij zijn magische glimlach lachte.

Mijn knieën werden slap. Ik wist niet zeker of het de kus of de angst voor het paardrijden was.

We bestegen onze paarden en begonnen langzaam de heuvel op te lopen. Toen we boven waren, wees Marlboro Man naar een enorm stuk prairiegrond. 'Zie je dat groepje bomen daar?' zei hij. 'Daar gaan we naartoe.' Bijna onmiddellijk gaf hij zijn paard de sporen en begon hij over het vlakke terrein te draven. Zonder dat ik er iets voor hoefde te doen volgde mijn paard het voorbeeld. Ik zette me schrap, voelde me verstijven en berustte erin dat ik er in het bijzijn van mijn lief uitzag als een idioot en dat ik minstens een week te veel pijn zou hebben om me te bewegen. Ik hield me vast aan het zadel, de teugels en mijn leven, terwijl mijn paard achter het paard van Marlboro Man aan draafde.

Na twee minuten rijden verstapte mijn paard zich in een ondiepe kuil. Omdat ik helemaal geen ervaring met zoiets had, reageerde ik met gillen en wild aan de teugels trekken, terwijl mijn lichaam tegelijkertijd nog meer verstijfde. Mijn paard vond die combinatie niet prettig en besloot, heel begrijpelijk, dat het me niet meer op zijn rug wilde hebben. Het begon te bokken en mijn leven schoot aan mijn geestesoog voorbij. Voor het eerst was ik doodsbang voor paarden. Ik hield me uit alle macht vast terwijl het enorme wezen onder me bokte. Mijn lichaam raakte los van het zadel en ik wist dat het alleen een kwestie van tijd was voordat ik eraf zou vallen.

In de verte hoorde ik de stem van Marlboro Man. 'Trek de teugels omhoog! Omhoog! Omhoog!' Mijn lichaam reageerde onmiddellijk. Het was er tenslotte aan gewend om meteen op die stem te reageren en ik trok de teugels strak. Dit dwong het hoofd van het paard omhoog, waardoor het bijna onmogelijk voor hem was om te bokken. Het probleem was dat ik te strak en te snel trok en dat het paard daardoor steigerde. Ik leunde naar voren en klampte me aan het zadel vast, terwijl ik bad dat ik niet naar achteren zou vallen en een enorme hoofdwond zou oplopen. Ik hield van mijn hoofd. Ik was er niet klaar voor om er afscheid van te nemen.

Tegen de tijd dat de voorbenen van het paard de grond raakten, zat mijn linkerbeen niet meer in de stijgbeugel en bungelde mijn waardigheid aan een zijden draad. Met behulp van mijn balletvaardigheden sprong ik snel van het paard. Ik struikelde toen ik de grond raakte. Instinctief begon ik haastig weg te lopen: weg van het paard, van de ranch, van het afbranden. Ik wist niet waar ik heen ging: terug naar L.A. nam ik aan, of misschien toch naar Chicago. Intussen was Marlboro Man gearriveerd. Hij kalmeerde mijn paard, dat inmiddels doodleuk at van het wintergras dat nog afgebrand moest worden. Rotbeest.

'Is alles goed met je?' riep Marlboro Man. Ik gaf geen antwoord en bleef lopen, vastbesloten om zo snel mogelijk weg te komen.

Het kostte hem vijf seconden om me in te halen want ik was geen snelle loper. 'Hé,' zei hij terwijl hij mijn middel vastpakte en me omdraaide zodat ik hem aankeek. 'Het hindert niet. Dat soort dingen gebeurt.'

Ik wilde er niet over praten, ik wilde het niet horen. Ik wilde dat hij me losliet zodat ik kon blijven lopen. Ik wilde de heuvel oversteken, mijn auto starten en verdwijnen. Ik wist niet waar ik naartoe zou gaan, ik wist alleen dat ik weg wilde van alles. Paardrijden, zadels, teugels, hoofdstellen, ik wilde het niet meer. Ik haatte de ranch. Het was allemaal stom, achterlijk... en stom.

Terwijl ik me losmaakte uit zijn troostende omarming, gilde ik: 'Ik kán dit gewoon niet!' Mijn handen beefden en mijn stem trilde. Het puntje van mijn neus begon te prikken en de tranen schoten in mijn ogen. Het was niets voor mij om zo hysterisch te doen in aanwezigheid van een man. Maar het kwam doordat ik tot het randje was gedreven. Ik voelde me een wild beest en had de kracht niet om me te beheersen. 'Ik wil dit niet de rest van mijn leven doen!' schreeuwde ik.

Ik draaide me om om verder te lopen, maar besloot in plaats daarvan om het op te geven, op de grond te gaan zitten en verslagen in elkaar te zakken. Het was allemaal zo vernederend: niet alleen mijn starre, idiote rijstijl of dat ik bijna van het paard was gevallen, maar ook mijn krankzinnige, emotionele reactie daarna. Dit hoorde niet bij me. Ik was een sterke, zelfverzekerde vrouw, ik liet me niet midden in een weiland op de grond zakken om te huilen. Wat deed ik trouwens in een weiland? Met mijn geluk zat ik waarschijnlijk op een hoop mest, maar ik kon niet eens meer opstaan want zelfs mijn knieën trilden inmiddels en ik had alle gevoel in mijn vingertoppen verloren. Mijn hart bonkte in mijn keel.

Als Marlboro Man een greintje verstand had, zou hij zijn paarden bij de teugels pakken en mij, de hysterische vrouw die snikkend op de grond zat, achterlaten. *Ze is duidelijk in de greep van de een of andere hormonale bui, dacht hij waarschijnlijk. Er is niets wat ik tegen haar kan zeggen als ze zo is. Ik heb geen tijd voor deze onzin. Ze zal er gewoon mee moeten leren omgaan als ze met me trouwt.*

Maar hij ging er niet vandoor. Hij liet me niet snikkend op de grond achter. In plaats daarvan kwam hij naast me in het gras zitten en legde zijn hand op mijn been, waarna hij me verzekerde dat dit soort dingen gebeurde en dat ik niets verkeerd had gedaan, hoewel hij waarschijnlijk loog.

'En, meende je echt dat je dit de rest van je leven niet wilt doen?' vroeg hij. De vertrouwde, speelse glimlach verscheen in zijn mondhoeken.

Ik knipperde een paar keer met mijn ogen, haalde diep adem, glimlachte naar hem en verzekerde hem er met mijn ogen van dat ik het niet had gemeend maar dat ik zijn paard haatte. Daarna haalde ik diep adem, stond op en klopte mijn Anne Klein-jeans af.

'Hé, we hoeven dit niet te doen,' zei Marlboro Man, die ook overeind kwam. 'Ik kan het later doen.'

'Nee, het is goed,' antwoordde ik terwijl ik vastbesloten naar mijn paard terugliep.

Ik haalde nog een keer diep adem, en terwijl ik weer opsteeg begreep ik het plotseling: als ik met deze man ging trouwen, als ik op zijn geïsoleerde ranch ging wonen, als het me lukte om te overleven zonder cappuccino en afhaalmaaltijden, zou ik me zeker niet laten verslaan door een paard. Ik zou harder moeten worden en de dingen onder ogen moeten zien.

En ik zou diezelfde moed moeten toepassen op álle aspecten van mijn leven, niet alleen de praktische, dagelijkse activiteiten van het leven op de ranch, maar ook de realiteit van het mislukken van het huwelijk van mijn ouders en alle andere problemen die de komende jaren de kop op zouden steken. Plotseling leek stiekem trouwen geen romantisch avontuur meer. Ik realiseerde me dat het me nooit zou lukken om te gaan met de ontberingen en de stress van het plattelandsleven als ik wegliep en op de een of andere duistere, afgelegen plek op aarde 'ja, ik wil' zou zeggen. En dat zou niet eerlijk zijn tegenover Marlboro Man en mezelf.

Toen de paarden begonnen te lopen, merkte ik dat Marlboro Man mijn tempo aanhield. 'De paarden moeten beslagen worden,' zei hij met een grijns. 'Ze hoeven vandaag niet te draven.'

Ik gluurde in zijn richting.

'We doen het dus kalm aan,' ging hij verder.

Ik keek naar het groepje bomen, haalde diep adem en pakte de zadelknop zo stevig beet dat mijn knokkels wit werden.

15

Hoog in het zadel

'En,' begon Marlboro Man op een avond tijdens het eten. 'Hoeveel kinderen wil jij hebben?' Ik verslikte me bijna in mijn medium rare T-bonesteak, die hij eigenhandig zo deskundig voor me had gegrild.

'Hemel,' antwoordde ik terwijl ik slikte. Ik had ineens niet zoveel honger meer. 'Ik weet het niet… hoeveel kinderen wil jíj hebben?'

'O, ik weet het niet,' zei hij met een ondeugende grijns. 'Zes of zo. Misschien zeven.'

Ik voelde me misselijk worden. Misschien was het een verdedigingsmechanisme en bereidde mijn lichaam me voor op de gevreesde ochtendmisselijkheid die me te wachten stond, al wist ik dat op dat moment nog niet. Zes of zeven kinderen?

'Ha-ha-ha-ha-ha,' lachte ik terwijl ik mijn lange haar over mijn schouder gooide en me gedroeg alsof hij een enorme grap had gemaakt. 'Ja, natuurlijk! Ha-ha. Zes kinderen… kun je het je voorstellen? Ha-ha. Ha. Ha.' Het lachen was deels humor, deels zenuwachtigheid, deels paniek. We hadden nog nooit serieus over kinderen gepraat.

'Wat bedoel je?' Hij keek nu iets ernstiger. 'Hoeveel kinderen denk jij dat we moeten nemen?'

Ik schoof mijn aardappelpuree op mijn bord heen en weer en voelde mijn eileiders opspringen. Dit was geen positieve ontwikkeling. Stop daarmee! beval ik mijn eileiders in stilte. Kalmeer! Ga weer slapen!

Ik knipperde met mijn ogen en nam een slok van de wijn die Marlboro Man eerder die dag voor me had gekocht. 'Tja…' antwoordde ik terwijl ik met mijn vingers op de tafel trommelde. 'Wat denk je van een? Of anderhalf misschien?' Ik trok mijn buik in: nog een verdedigingsmechanisme in een poging te ontkomen aan mijn onvermijdelijke toekomst, waar ik op dat moment nog niets van wist.

'Een?' vroeg hij. 'Nee, dat is te weinig. Ik heb veel meer hulp nodig.' Hij grinnikte en stond op om af te ruimen terwijl ik verdoofd bleef zitten en er geen flauw idee van had of hij me in de maling nam of niet.

Het was het vreemdste gesprek dat ik ooit had gevoerd. Ik voelde me alsof de achtbaan bij de start was weggereden en het hele pretpark in inktzwarte duisternis lag. Ik had er geen idee van wat er voor me lag, ik betrad een vreemd land. Daarentegen deden mijn eileiders flikflaks, alsof ze uitgedroogd in een onvruchtbare woestijn hadden rondgestrompeld en eindelijk, op miraculeuze wijze, een donderende waterval hadden bereikt. En die waterval was een meter drieëntachtig lang, met grijs haar en opbollende biceps. Ze hadden niet geweten dat er nog zoveel hoop was.

Na het eten gingen Marlboro Man en ik naar zijn veranda, zoals we de afgelopen maanden al zo vaak hadden gedaan. Het was donker, we hadden laat gegeten en ondanks mijn zwijgende, vijf minuten durende gevecht met mijn voortplantingssysteem hing er die avond iets bijzonders in de lucht. Ik stond bij de balustrade, ademde de nevelige avondlucht in en luisterde naar de geluiden van het platteland, dat op een dag mijn thuis zou zijn. Het pompen van een afgelegen oliebron, de symfonie van de krekels, het sporadische geloei van een moederkoe en het manische gejank van de coyotes. De geluiden van het plattelandsleven waren net zo aanwezig en rustgevend als de kakofonie van autoclaxons, verkeerslawaai en sirenes in L.A. Ik vond het fantastisch.

Hij ging achter me staan en sloeg zijn sterke armen rond mijn middel. Terwijl ik zijn onderarmen aanraakte en met mijn handen van zijn ellebogen naar zijn polsen gleed, was ik nooit zekerder van mijn beslissing geweest. Marlboro Man was de Adonis van alle liefdesromannetjesfantasieën waarvan ik nooit had beseft dat ik ze had. De broeierige details ervan hadden zich onder de oppervlakte van mijn bewustzijn afgespeeld en ik had nooit geweten wat ik miste. Ik deed mijn ogen dicht en legde mijn hoofd tegen zijn borstkas terwijl zijn onmogelijk zachte lippen en subtiele bakkebaarden in mijn hals rustten. De avondlucht was stil, bijna onmerkbaar, en op liefdesgebied was dit perfectie. Het was bijna meer dan ik kon verdragen. Zes baby's? Wat denk je van zeven? Is dat genoeg? Zoals ik daar die avond stond, zou ik ook acht gezegd hebben, of negen of tien. En ik had meteen willen beginnen.

Maar dat begin zou moeten wachten. Daar hadden we nog genoeg tijd voor. Die avond, die donkere, perfecte avond, bleven we gewoon op de veranda zitten en sloten we onszelf op in de ene na de andere hartstochtelijke, zinderende kus. Binnen de kortste keren was het onmogelijk om te zeggen waar zijn armen eindigden en mijn lichaam begon.

Niet lang daarna vonden we de plek waar we op een dag zouden wonen, de perfecte plek om aan ons leven samen te beginnen. Het was een oud, geel, stenen gebouw dat iedereen 'het indiaanse huis' noemde en het lag op een nieuwer deel van de ranch. Het was in de jaren twintig gebouwd door een indiaan die de winst van een gunstige olieperiode had benut, en daarna was het een paar keer van eigenaar gewisseld. Binnen was het een chaos met twee meter vijfentwintig hoge plafonds, avocadokleurige apparatuur en tabakskleurige stoffering die al een hele tijd werd bewoond door allerlei dieren. Kleine verbouwingen in het huis waren nooit afgemaakt en er hing een verschrikkelijke stank van muizenurine.

'Ik vind het prachtig,' riep ik uit toen Marlboro Man me rondleidde en planken optilde zodat ik door de gangen kon lopen. Het was echt zo, ik vond het prachtig. Het huis was heel oud en had veel verhalen te vertellen.

'Echt waar?' vroeg hij met een glimlach. 'Bevalt het je?'

'O, ja,' antwoordde ik terwijl ik om me heen keek. 'Dit is echt geweldig.'

'Tja, we kunnen hier natuurlijk niet wonen voordat er het een en ander aan is gedaan,' zei hij. 'Maar ik ben altijd gek geweest op dit oude huis.' Hij keek om zich heen met een duidelijk respect voor de plek waar we stonden.

Restanten van de laatste bewoner – een bejaarde rancher die het land had bezeten voordat hij het een paar jaar geleden aan Marlboro Man had verkocht – lagen verspreid in het stoffige huis. Een oude, gepolijste, urnvormige trofee lag op zijn kant in een hoek. Ik pakte hem op en veegde het stof weg. BESTE LEERLING VAN HET JAAR 1936. Daaronder was de naam van de rancher gegraveerd. Een doos niet gebruikt briefpapier stond ernaast – oud, vergeeld briefpapier met als watermerk een beeltenis van de oude man, waarop hij nog niet zo oud was en met een hoornen brilmontuur op naast een kudde Hereford-vee stond. Zijn kakibroek zat in zijn grote, bruine laarzen gepropt. Ik nam aan dat het postpapier uit de jaren vijftig stamde. Ik pakte het papier op en rook eraan.

Het huis was stoffig en viezig, vol spinnenwebben en herinneringen: op de vloer, aan het plafond en zwevend in de lucht. Het was vreemd, bijna spookachtig, dat ik me ondanks de avocadokleurige apparatuur en al het stof onmiddellijk zo verbonden voelde met dit oude, gele, stenen huis. Misschien was het omdat ik voelde dat Marlboro Man ervan hield; misschien was het omdat het oude huis uniek was; misschien was het omdat het van ons zou zijn, het eerste ding van ons samen; of misschien voelde ik gewoon dat ik op de plek stond waar ik thuishoorde.

'Let op die tree,' wees Marlboro Man terwijl we de gammele trap op liepen om op de bovenverdieping rond te kijken. De trap kwam uit op een ruime overloop. Een spiegel met een witte ijzeren lijst hing nog steeds aan de muur. Marlboro Man leidde me door een korte gang naar de ouderslaapkamer, waar helder licht door de kamerbrede ramen naar binnen stroomde. Ik kon minstens drie kilometer ver kijken naar een boomrijke beek die over het land kronkelde. In de badkamer zag ik oude, groezelige zeshoekige tegels en een gat in de vloer waar het toilet had gestaan. Tegen de muur aan de andere kant van de kamer stond een gammele, verbleekt gele commode, die dezelfde gouden kleur had als de stenen buiten. Waarom was die hier achtergelaten? vroeg ik me af. Wat zit er in de laden?

'En... wat vind je ervan?' vroeg Marlboro Man terwijl hij om zich heen keek.

'Ik vind het prachtig,' zei ik. Ik sloeg mijn armen stevig rond zijn hals. Ik had er geen flauw idee van hoe we dit huis ooit weer bewoonbaar moesten maken en hoe lang dat zou gaan duren. Het kon een project van meerdere jaren zijn, het zou ons in een bodemloze put kunnen zuigen. Ik had *The Money Pit* gezien; ik wist hoe snel een situatie in een neerwaartse spiraal terecht konden komen. Maar om de een of andere reden maakte ik me geen zorgen; het voelde gewoon heel goed om in de slaapkamer te staan van het huis waar Marlboro Man en ik ons leven samen zouden beginnen. Waar we 's ochtends samen wakker zouden worden. Of waar ik, als het nog geen acht uur was, de dekens over mijn hoofd zou trekken en in bed zou blijven liggen terwijl Marlboro Man aan het werk ging. Het was de plek waar we een bed neer zouden zetten, en nachtkastjes en een paar lampen. En waarschijnlijk een televisie, zodat we naar onderzeeërfilms en Schwarzenegger-films en *Gone With The Wind* konden kijken zonder dat we ons bed uit hoefden.

Terwijl ik me dat allemaal voorstelde, nam Marlboro Man me mee naar de slaapkamers aan de andere kant van het huis.

'Er zijn nog twee slaapkamers,' zei Marlboro Man. Hij stapte over een stapel puin. 'Ze zijn in vrij goede staat.'

Terwijl ik een van de slaapkamers in liep en om me heen keek, kon ik er niets aan doen dat ik moest glimlachen. 'Daar ga je dan met je zeven kinderen, nietwaar?' zei ik plagerig. Ik giechelde zelfvoldaan.

Marlboro Man keek me onverstoorbaar aan. 'Ooit van stapelbedden gehoord?'

Ik slikte en zette me schrap, ook al juichten mijn eileiders triomfantelijk.

Voordat ik het wist, was het renovatiewerk in ons gele, stenen huis begonnen, en tegelijkertijd vorderden de plannen voor de bruiloft met zeshonderd gasten gestaag. Het gebeurde, ook al had ik nog nooit nagedacht over mijn ideale trouwdag, ook al had ik niet lang daarvoor overwogen om stiekem te trouwen. Als er zoveel keuzes en combinaties van keuzes met betrekking tot de trouwdag zijn – over van alles, van het huwelijksdiner tot de bloemen – overtuig je jezelf ervan dat het dan wel heel belangrijk moet zijn en je zorgt ervoor dat je de enige juiste keuzes maakt.

Mijn obsessie voor het plannen van mijn huwelijk met Marlboro Man was om een andere reden belangrijk. Ik wilde er niet alleen voor zorgen dat we het voortdurend groeiende aantal gasten – een groot deel ervan was van Marlboro Mans uitgebreide familie – een leuk feest konden bieden, maar het voorbereiden van mijn trouwdag betekende ook een grote afleiding voor me. Het was de perfecte ontsnapping aan de zwarte, lelijke wolk die dreigend boven mijn vroeger zo gelukkige, normale gezin hing. De problemen in het huwelijk van mijn ouders waren niet verminderd door het vooruitzicht van een vrolijk familiefeest, maar ze waren eerder toegenomen. Nadat ik de beslissing had genomen om niet weg te lopen probeerde ik de situatie positief te bekijken. Misschien hebben ze hun moeilijkheden overwonnen tegen de tijd dat de trouwdatum aanbreekt, zei ik tegen mezelf.

Ik realiseerde me op dat moment niet dat mijn moeder al met één voet buiten de deur stond. En niet alleen buiten de deur, maar rennend over de oprit, sprintend door de straat. En haar andere voet bleef niet ver achter. Dat ik dat in die periode niet duidelijk zag is een bewijs van de kracht van het wensdenken. Wensdenken gewikkeld in een deken van ontkenning.

'We denken dat het september wordt,' zei ik tegen mijn moeder toen ze aandrong op de trouwdatum.

'O...' antwoordde ze aarzelend. 'Echt? In september pas?' Ze leek verrast dat het nog maanden zou duren. 'Zou je niet liever... in mei of juni trouwen?' Ik voelde waar ze naartoe wilde, maar dat zorgde er alleen voor dat ik mijn hakken nog dieper in het zand zette.

''s Zomers is het druk op de ranch,' zei ik. 'En we willen op huwelijksreis. Bovendien is het dan veel koeler.'

'Oké...' Haar stem stierf weg, maar ik had moeten weten wat ze wilde zeggen. Ze wilde de boel niet zo lang bij elkaar houden. Ze wilde niet dat mijn huwelijk het onvermijdelijke uitstelde. Dat besefte ik pas veel later, maar ook al had ik het op dat moment geweten, dan had ik toch niet voldoende moed gehad om erover te beginnen. De trouwplannen waren in volle gang en ik sloeg de lastige vlieg gewoon weg en hield me bezig met serviesgoed. Alle dessins en details en bloemen en vlinders hielden mijn hersenen heerlijk bezig.

Natuurlijk was het porselein – hoe ingewikkeld en uitnodigend ook – lang niet zo verleidelijk als mijn verloofde, mijn toekomstige echtgenoot, die me bleef verslinden met één blik van zijn ijsblauwe ogen. Die me niet bij de deur van zijn huis begroette als ik 's avonds naar hem toe ging, maar bij mijn auto. Die me niet verwelkomde met een klopje op mijn arm of zijn armen vluchtig om me heen sloeg, maar met een allesomvattende omhelzing. Wiens afscheidskussen begonnen op het moment dat ik arriveerde en niet uren later als het tijd was om naar huis te gaan.

We waren een groot deel van de tijd bij elkaar, met mijn bijna dagelijkse ritjes naar de ranch en onze maaltijden om vijf uur 's middags en onze luie filmavonden op zijn dertig jaar oude leren bank. De bank die zijn ouders hadden gekocht toen ze net getrouwd waren. We hadden al voldoende films gezien voor een heel leven. *Giant* met James Dean, *The Good, the Bad, and the Ugly, Reservoir Dogs, Guess Who's Coming to Dinner, The Graduate, All Quiet on the Western Front* en, meer dan een paar keer, *Gone With the Wind*. Ik was heel verrast over het assortiment films waar Marlboro Man graag naar keek – zijn smaak was verrassend veelzijdig – en ik vond het heerlijk om steeds meer over hem te ontdekken door middel van de filmcollectie in zijn zitkamer. Hij had zelfs *The Philadelphia Story*. Met Marlboro Man lagen er achter elke hoek verrassingen op de loer.

We waren net een getrouwd stel, op het 'logeergedeelte' na en het kleine detail dat we nog niet getrouwd waren. We bleven thuis als een getrouwd stel van boven de zestig en leerden van alles over elkaar, afgezonderd van de wereld van feesten, afspraakjes en bijeenkomsten. Dat was allemaal veel te ver weg – het was minimaal anderhalf uur rijden naar de dichtstbijzijnde stad – en bovendien voelde Marlboro Man zich als een vis op het droge in een drukke, overvolle bar. En ik had het al duizend-en-een keer gedaan. Uitgaan en feesten pasten absoluut niet bij het soort leven dat we samen aan het opbouwen waren.

Dit was wat we elkaar gaven, realiseerde ik me. Hij bood mij een langzamer tempo en leerde me om me prettig te voelen zonder dat er opwindende plannen aan de horizon opdoemden. En ik realiseerde me dat ik hem iets anders gaf dan de meisjes met wie hij eerder een relatie had gehad en die bekend waren met het plattelandsleven. Ik gaf hem iets anders dan zijn moeder, die wist hoe ze een paard moest zadelen en berijden en die met haar laarzen aan was geboren. Als de jongste zoon in een gezin met drie jongens keek hij er misschien naar uit om te ervaren hoe het was om getrouwd te zijn met iemand die het platteland met een nieuwe blik zag. Iemand die besefte hoe wonderlijk anders en geïsoleerd het allemaal was. Iemand die absoluut niet kon paardrijden. Iemand die noord en zuid, oost en west niet uit elkaar kon houden.

Als dat zijn criteria voor een levenspartner waren, dan was ik absoluut de vrouw voor hem.

16

De prairie staat in brand

Het was die donderdagavond tijd voor me om te gaan. We hadden net naar *Citizen Kane* gekeken en het was laat. Hoewel een heerlijk zacht bed in een van de logeerkamers veel aantrekkelijker leek dan nu nog naar huis te moeten rijden, wilde ik niet in het huis van Marlboro Man blijven slapen. Het was het 'ik doe net of ik een keurig countryclubmeisje ben' in me, vermengd met een gezonde dosis angst dat Marlboro Mans moeder of oma 's ochtends vroeg langs zouden komen om hem warme muffins of zoiets te brengen en dat ze mijn auto op de oprit zouden zien staan. Of nog erger, dat ze binnenkwamen en dat ik dan moest beslissen of ik wel of niet 'ik heb in de logeerkamer geslapen, ik heb in de logeerkamer geslapen' zou roepen, waardoor ik alleen nog schuldiger zou lijken. Daar heb ik geen zin in, zei ik tegen mezelf, en ik was vast van plan om nooit in die hachelijke situatie terecht te komen.

Terwijl Marlboro Mans sterke handen mijn vermoeide schouders masseerden, liep ik voor hem uit over de smalle veranda naar de oprit waar mijn stoffige auto op me stond te wachten. Maar voordat ik de trap af kon lopen hield hij me tegen door de riemlus aan de achterkant van mijn Anne Klein te pakken en me met een bijna schokkende kracht naar zich toe te trekken.

'Whooo!' riep ik geschrokken uit. Het klonk zo schril dat de coyotes antwoord gaven. Het gaf me een ongemakkelijk gevoel. Marlboro Man voelde dat hij aan de winnende hand was, trok mijn rug tegen zijn borstkas en sloeg zijn armen langzaam rond mijn middel. Terwijl ik mijn handen op zijn polsen legde en met mijn hoofd tegen zijn schouder leunde, begroef hij zijn gezicht in mijn hals. Plotseling leek september veel te ver weg. Ik moest deze man vierentwintig uur per dag voor mezelf hebben, zo snel als menselijk mogelijk was.

'Ik kan niet wachten tot we getrouwd zijn,' fluisterde hij. Elk woord stuurde duizend huiveringen naar mijn tenen. Ik wist precies wat hij bedoelde. Hij had het niet over de bruiloftstaart.

Zoals gewoonlijk was ik sprakeloos. Dat effect had hij nu eenmaal op me. Als hij iets zei over zijn gevoelens voor mij of zijn gedachten over onze relatie, waren al mijn antwoorden belachelijk, tam, onhandig, gênant. Zelfs als ik antwoord gaf, was het zoiets als 'ja, dat klopt' of 'dat vind ik ook' of het net zo onnozele 'o, dat is leuk'. Ik had dus geleerd om het moment in me op te nemen en hem zonder woorden te tonen dat ik hetzelfde voelde. Deze keer was niet anders; ik reikte naar achteren, naar zijn nek en liefkoosde die terwijl hij zijn gezicht in mijn hals duwde, waarna ik me plotseling omdraaide en mijn armen met alle hartstocht die ik in me had om hem heen sloeg.

Minuten later waren we terug bij de glazen schuifdeur. Ik stond tegen het glas terwijl Marlboro Man me daar vastpinde met zijn sterke, overtuigende lippen. Ik was aan hem overgeleverd en mijn rechterbeen haakte langzaam rond zijn kuit.

Plotseling klonk in het huis het luide gerinkel van zijn telefoon met draaischijf. Marlboro Man negeerde het geluid drie keer, maar het was laat en zijn nieuwsgierigheid kreeg de overhand. 'Ik kan maar beter opnemen,' zei hij, elk woord druipend van hartstocht. Hij rende naar binnen en liet mij alleen in een sensuele, wazige wolk. Gered door de bel, dacht ik. Helaas. Ik was duizelig en niet in staat om mijn evenwicht te bewaren. Was het de wijn? Maar wacht... Ik had helemaal geen wijn gedronken. Ik was dronken van zijn spieren en beneveld door zijn mannelijkheid.

Seconden later rende Marlboro Man de deur uit.

'Er is brand,' zei hij haastig. 'Een grote... Ik moet gaan.' Zonder te stoppen rende hij naar zijn pick-up.

Ik bleef staan, nog steeds bedwelmd, nog steeds zonder gevoel in mijn knieën. En op dat moment, net toen ik begon na te denken over de ongelooflijke ironie dat een prairiebrand mijn ziel waarschijnlijk had gered van branden in de hel, reed Marlboro Mans pick-up achteruit en remde abrupt naast de veranda. Hij draaide het raam naar beneden, leunde naar buiten en riep: 'Ga je mee?'

'O... eh... natuurlijk,' antwoordde ik. Ik rende naar de pick-up en sprong erin.

Een prairiebrand. Een echte prairiebrand, dacht ik terwijl Marlboro Mans diesel pickup wegreed van de oprit. Cool! Dit wordt zo gaaf!

Toen de pick-up even later de top van de heuvel naast zijn huis had bereikt, zag ik een onheilspellende oranje gloed in de verte.

Er trok een kilte door me heen en ik huiverde.

Marlboro Mans houding veranderde compleet. Er daalde ernst op hem neer terwijl hij recht voor zich uit keek en maar één doel voor ogen had: zo snel als menselijk mogelijk was bij het vuur komen. Ik huiverde van verwachting. Ik had nog nooit een prairiebrand gezien, laat staan een prairiebrand in het holst van de nacht. Ik voelde dezelfde opwinding die ik ook altijd had gevoeld als mijn vriendinnen en ik ons in de verlopen wijken van Los Angeles waagden. Het was heel ver verwijderd van de idyllische zevende fairway waar ik was opgegroeid.

Dat gold ook voor het prairiegras van Marlboro Mans ranch. Het was zo natuurlijk en wild en het wuifde prachtig in de avondbries, dezelfde bries die het vuur aan de horizon nu snel aanwakkerde. Het leek in niets op het gras van de golfbaan, dat altijd een exacte, voorgeschreven hoogte had en nooit onhandelbaar of onbeheersbaar was. Nu ik door de voorruit van Marlboro Mans pick-up naar het onmogelijk lange gras keek dat spookachtig werd verlicht door de koplampen, begon ik te begrijpen waarom prairiebranden een ernstige zaak waren. En toen zijn pick-up het hoogste punt bereikte en ik de ranch in zijn geheel kon zien, had ik geen enkele twijfel meer.

'Lieve hemel,' hijgde ik terwijl ik de omvang van de brand in me opnam.

'Deze is enorm,' zei Marlboro Man terwijl hij schakelde.

Het gevoel van opwinding dat ik eerder had gevoeld, veranderde in een gevoel van dreiging naarmate het inferno voor ons steeds groter werd. Toen we vlak bij de brand waren, kwamen er van alle kanten pick-ups met grote apparaten in de laadbak aanrijden. Cowboys en ranchers – niet meer dan silhouetten tegen de enorme muur van vuur – renden rond, sprongen op bluswagens en begonnen het vuur te bestrijden.

Marlboro Man en ik stapten uit zijn pick-up. Ik voelde de hitte onmiddellijk. Wat doe ik hier? dacht ik terwijl ik naar de Joan & Davis-flatjes met bronzen en zilveren accenten aan mijn voeten keek. Ze waren bepaald niet geschikt voor de gelegenheid.

'Vooruit!' riep Marlboro Man. Hij sprong achter op een naburige bluswagen die werd bestuurd door een oudere man. 'Ga bij Charlie zitten!' Hij wees naar de deur van het oude, koningsblauwe voertuig. Aangezien ik niet veel andere opties had, rende ik naar de truck en sprong erin. 'Hallo liefje,' zei de oude man terwijl hij schakelde. 'Ben je er klaar voor?'

'Eh... jazeker,' antwoordde ik. Wie was Charlie? Hadden we elkaar eerder gezien? Waarom zat ik in zijn bluswagen en waar nam hij me mee naartoe?

Ik had Marlboro Man die vragen willen stellen, maar hij was te snel op de achterkant van de truck geklommen. Voor zover ik wist reed ik in een pick-up met een oudere man die op het punt stond ons allebei rechtstreeks de hel in te rijden. Ik bedacht dat ik mijn vragen later zou moeten stellen, als ze niet meer zo relevant waren. Het vuur leek twee keer zo groot als het was geweest toen we hier aankwamen. Ik wilde dat ik ergens anders was. Een verlopen deel van L.A. zou fantastisch zijn.

Charlie remde vlak voor de vlammen – ik voelde de hitte door de voorruit – stuurde naar rechts en begon parallel aan de vlammenzee te rijden. Ik zag dat Marlboro Man van de laadbak van de truck sprong en de brandslang op het vuur richtte, waarbij hij zijn gezicht af en toe afschermde met zijn andere arm. Ik kon nauwelijks iets zien. Alleen vuur, silhouetten, en mijn leven dat voor mijn geestesoog voorbij rolde.

Als er brand is op het platteland, komt iedereen helpen. Dat is een ongeschreven regel, een algemene plattelandswaarheid. Prairiebranden hebben geen enkel respect voor personen en hekken en kunnen snel van ranch naar ranch overslaan, waarbij ze voedzaam gras, dieren en gebouwen verwoesten. Het is dan ook niet vreemd dat buren elkaar helpen het vuur te bestrijden. Bovendien – hoewel dat waarschijnlijk maar een klein onderdeel is – is het een excuus voor een groep mannen om bij elkaar te komen en de brand te bestrijden… Om zich te verzamelen bij een enorm inferno en blusapparatuur te gebruiken… Om rond te rijden en vlammen te doven… Om tegenvuren aan te steken en te proberen de verandering van windrichting te voorspellen. Mannen, of ze dat nu toegeven of niet, genieten van dat soort dingen.

Vrouwen zijn totaal anders. Minuten nadat Charlie ons tot binnen een meter van het vuur had gereden, was het nieuwtje eraf en werd ik overvallen door kribbigheid en angst. Dat kwam door een combinatie van het late tijdstip, angst voor mijn veiligheid en vooral angst omdat ik moest toezien hoe de vader van mijn vierennegentig toekomstige kinderen vlak voor een zee van woeste, opzwepende vlammen stond. Het kwam allemaal weer naar boven: de röntgenfoto's in het kantoor van mijn vader, die chirurg was en de risico's van alles berekende – van skiën en skelteren tot skateboarden – en alle medische tragedies en uitdagingen waarover ik uit de eerste hand had gehoord. Het hielp ook niet dat de beste vriendin van mijn zus op de middelbare school ernstig was verbrand bij een explosie en dat ik daardoor van dichtbij had gezien hoe verwoestend brandwonden kunnen zijn.

Deze gedachten bestormden me terwijl ik hulpeloos in de koningsblauwe bluswagen van een onbekende man met de naam Charlie zat. Hij reed vlak achter Marlboro Man, die het vuur over een steile, rotsachtige helling volgde. De pick-up rees en daalde en sprong terwijl Charlie over de grote stenen reed. Hij moest af en toe gas geven om over de grotere hobbels te komen en daarna boven op de rem staan zodat hij Marlboro Man niet raakte. Mijn fantasie sloeg op hol en ik zag het helemaal voor me: zo meteen zou Charlies timing verkeerd zijn en dan reed hij over Marlboro Man heen. En dan was hij gewond en opgesloten door de vlammen en dan verbrandde hij. Marlboro Man nam een enorm risico! Het ging in tegen alles wat ik wist over het vermijden van medische tragedies. Waarom had Marlboro

Man me eigenlijk meegenomen? Waarom had hij me niet gewoon naar huis laten gaan? Ik zou nu vlak bij mijn ouderlijk huis zijn geweest, bij mijn veilige, rookvrije bed op de golfbaan. Uit de buurt van brandend prairiegras. Uit de buurt van de hitte en de angst dat er iets verschrikkelijks zou gebeuren waardoor mijn leven in een klap zou veranderen. Mijn leven was het afgelopen jaar al zo drastisch veranderd; ik was er niet op voorbereid dat er nog meer veranderingen plaatsvonden.

Wat kon ik echter doen? Mijn raam naar beneden draaien en tegen Marlboro Man zeggen dat hij moest stoppen met die brandbestrijdingsonzin? Dat hij zijn brandslang moest laten vallen en me naar huis moest brengen? Dat hij samen met mij naar zijn huis moest gaan en daar moest blijven? Ja, zei ik tegen mezelf, dat klinkt als een perfect plan.

Ineens hoorde ik een stem over de 27 MC. 'Je staat in brand! Je staat in brand!' De stem herhaalde het. 'Charlie! Kom eruit! Je staat in brand!'

Ik was verstijfd en niet in staat om te verwerken wat ik net had gehoord. 'O, shit!' riep Charlie terwijl hij zijn deurkruk vastpakte. 'We moeten eruit, liefje, we moeten naar buiten!' Hij deed het portier open, zwaaide zijn zwakke knieën opzij en gebruikte de zwaartekracht om uit de pick-up te komen. Ik deed hetzelfde aan mijn kant en bedekte mijn hoofd instinctief terwijl ik op de grond terechtkwam. Ik rende bij de pick-up weg en botste frontaal tegen de broer van Marlboro Man aan die de vlammen die aan Charlies pick-up vraten probeerde te doven. Ik bleef rennen tot ik zeker wist dat ik niet meer in de gevarenzone was.

'Ree! Waar kom jíj vandaan?!?' riep Tim, die niet wist dat ik er was. 'Alles goed?' schreeuwde hij terwijl hij naar me keek om te controleren of ik niet in brand stond. Een cowboy schoot Charlie aan de andere kant van de truck te hulp. Hij was gelukkig ook ongedeerd.

Inmiddels was Marlboro Man zich bewust geworden van de consternatie. Niet omdat hij het had zien gebeuren, maar omdat zijn slang strak stond en Charlies truck niet meer achter hem aan reed. Een andere bluswagen was al naar de plek gereden waar Marlboro Man stond en ging verder met het blussen van de vlammen die op het punt hadden gestaan om een gammele oude pick-up, een net zo gammele oude man met de naam Charlie, en mij te verzwelgen. Gelukkig was Tim in de buurt geweest toen een windstoot de vlammen over Charlies truck had geblazen en had hij snel gereageerd.

Het vuur op de truck was nu uit, en Marlboro Man rende naar me toe, greep me bij mijn schouder en keek me onderzoekend aan om te controleren of ik nog heel was. Dat was ik. Fysiek gezien ging het uitstekend met me. Mijn zenuwstelsel was echter een janboel. 'Alles goed?' schreeuwde hij boven het geknetter van het vuur uit. Het enige wat ik kon doen was knikken en op mijn lip bijten om niet hysterisch te worden. *Mag ik nu naar huis?* was het enige wat er door mijn hoofd spookte. Dat, en *ik wil mijn moeder*. Het vuur was inmiddels verder weg, maar leek in intensiteit toe te nemen. Zelfs ik merkte dat de wind aanwakkerde.

Marlboro Man en Tim keken elkaar aan en barstten uit in een zenuwachtig gelach: het soort lachbui dat je overvalt als je bijna valt maar toch niet; als je auto bijna van een klif rijdt maar het je lukt om op de rand te stoppen; als je team de winnende voorzet bijna mist maar toch niet; of als je verloofde en een plaatselijke cowboy bijna levend verbranden, maar net niet. Ik had ook kunnen lachen als ik daar voldoende lucht voor had gehad, maar mijn longen waren leeg en het lukte me niet om in te ademen. Ik wilde geloven dat het de rook was, maar ik wist dat het niets anders was dan pure paniek.

Tim en Marlboro Man keken naar het vuur. 'Kom op, Charlie,' zei Tim. 'Als je ons naar de noordkant rijdt, dan pakken we het vuur daarvandaan aan.' Charlie, die in zijn leven waarschijnlijk al tientallen branden had meegemaakt, ging onverschrokken op Tims chauffeursstoel zitten. Realiseerde hij zich hoe dicht hij er daarnet bij was geweest om ernstig gewond te raken? Maar Charlie, een ruwe, taaie cowboy, was absoluut niet van streek.

Ik was echter erg van streek. Ik was heel erg van streek. De adrenaline stroomde uit mijn oogbollen.

'Kom mee,' zei Marlboro Man terwijl hij mijn hand pakte. Mijn voeten waren echter stevig verankerd. Ik zette geen stap in de richting van het vuur. 'Ga jij maar,' zei ik hoofdschuddend. 'Ik wacht wel in je pick-up.'

'Oké,' zei hij nadat hij me een snelle blik had toegeworpen. 'Daar ben je veilig.' Meteen daarna begon hij te rennen en sprong op de laadbak van Tims truck. Ik zag de drie dappere, gestoorde mannen recht de Hades in rijden.

Ik draaide me om en liep naar Marlboro Mans pick-up met de oranje gloed van het vuur achter me. Toen ik eenmaal op de achterbank zat, zag ik hoe het vuur – en alle brandbestrijders –

zich steeds verder verwijderden. Ik leunde met mijn hoofd tegen de deur en viel na een tijdje in een onrustige slaap. Ik droomde dat Marlboro Man en ik golf speelden en dat hij groene Izod-kleding droeg. Hij had een caddy die Teddy heette. Op het moment dat we bij de back negen waren, ging de deur van de pick-up open.

‘Hallo,’ zei Marlboro Man terwijl zijn hand mijn rug zachtjes streelde. Ik hoorde het geronk van voertuigen die wegreden.

‘Hallo,’ antwoordde ik. Ik ging rechtop zitten en keek op mijn horloge. Het was vijf uur. ‘Alles goed?’

‘Yep,’ zei hij. ‘We hebben het vuur eindelijk onder controle gekregen.’ Niet alleen zijn kleren waren zwart, maar ook zijn afgetobde, uitgeputte gezicht.

‘Mag ik nu naar huis?’ vroeg ik. Het was maar half een grap. Eigenlijk was het helemaal geen grap.

‘Het spijt me,’ zei Marlboro Man, die mijn rug nog steeds streelde. ‘Dat was krankzinnig.’ Hij grinnikte en gaf een kus op mijn voorhoofd. Ik wist niet wat ik moest zeggen.

Tijdens de rit naar zijn huis was het stil in de pick-up. Mijn gedachten sloegen op hol, wat nooit goed is om vijf uur ’s ochtends. En plotseling, om een onverklaarbare reden, verloor ik op het moment dat we bij de weg naar zijn huis kwamen mijn zelfbeheersing.

‘Waarom heb je me eigenlijk meegenomen?’ vroeg ik. ‘Ik bedoel, als ik alleen in iemands pick-up meerijd, waarom neem je me dan mee? Het is niet zo dat ik iemand heb kunnen helpen…’

Marlboro Man keek me vermoeid aan. ‘Had je soms een van

de blusapparaten willen bedienen?' vroeg hij met een vreemde scherpte in zijn stem.

'Nee, ik wil alleen... ik bedoel...' Ik zocht naar de juiste woorden. 'Ik bedoel dat het gewoon belachelijk was! Dat het geváárlijk was!'

'Tja, prairiebranden zíjn gevaarlijk,' antwoordde Marlboro Man. 'Maar zo is het leven. Dit soort dingen gebeurt nu eenmaal.'

Ik was chagrijnig. Het dutje had weinig gedaan om me te kalmeren. 'Wat bedoel je daarmee? Je rijdt gewoon de vlammen in en vergeet alle voorzichtigheid! Er hadden mensen kunnen sterven! Realiseer je je wel hoe krankzinnig dat was?'

Marlboro Man keek recht voor zich uit, wreef in zijn linkeroog en knipperde. Hij zag er uitgeput uit.

We arriveerden op zijn oprit op het moment dat de zon in het oosten boven de paardenstal opsteeg. Marlboro Man remde en parkeerde zijn pick-up. 'Ik heb je meegenomen omdat ik dacht dat je de brand wilde zien,' zei hij. Hij zette de motor uit en opende zijn portier. 'En omdat ik je hier niet alleen achter wilde laten.'

Ik zei niets. We stapten allebei uit en Marlboro Man begon naar zijn huis te lopen. En terwijl hij bleef lopen zei hij ze, de woorden die me tot op het bot verkilden.

'Ik zie je wel weer.' Hij draaide zich niet eens om.

Ik stond erbij zonder dat ik wist wat ik moest zeggen, hoewel ik diep vanbinnen wist dat ik dat niet hoefde. Ik wist dat hij me zou redden, zoals hij altijd had gedaan als ik sprakeloos was in zijn aanwezigheid. Hij zou zich omdraaien en me te hulp te schieten, hij zou me in zijn armen nemen en mijn ziel liefde geven, zoals alleen hij dat kon. Hij redde me altijd en deze keer zou niet anders zijn.

Maar Marlboro Man draaide zich niet om. Hij liep naar de achterveranda, de veranda waar we een paar uur eerder waren overvallen door hartstocht, waar de hitte tussen ons een voorbode was geweest van het vuur dat op de afgelegen prairie woedde, waar het veilig en gezellig en rustig was, waar ik Marlboro Man op mijn voorwaarden had, zonder gevaar, risico's of inmenging van de buitenwereld. En nu had een stomme, ongecontroleerde prairiebrand alles verpest.

Ik rende niet naar hem toe om me in zijn armen te storten, maar bleef roerloos op Marlboro Mans oprit staan. Ik was me er plotseling pijnlijk van bewust hoe onaangenaam mijn uitbarsting was geweest. Het enige geluid dat ik hoorde was de zachte klik van de achterdeur die achter hem dichtging.

17

Kwellende onzekerheid

Ik stond op zijn oprit en wist niet of ik achter hem aan moest rennen of weg moest gaan; het laatste was absoluut de gemakkelijkste van de twee opties. Ik was nog nooit zo uitgeput geweest en voelde naalden prikken als ik met mijn ogen knipperde. Ik kon me niet eens voorstellen hoe Marlboro Mans ogen moesten aanvoelen nadat hij meer dan vier uur in de vlammen van de prairiebrand had gestaard. In de verte loeide een koe. Wat zei ze tegen me? Je bent zóóóó stom. Ga hem achterna. Ik wist niet wat ik moest doen, hij had me nog nooit in deze positie gebracht. Hij nam het heft altijd in handen, hij was er altijd om me te redden.

Het romantische, het juiste, het dappere zou zijn om hem achterna te gaan. Om hem vast te pakken, te omhelzen... om 'het spijt me' te zeggen, of ik dat voelde of niet. Om te erkennen dat het voor ons allebei een vermoeiende nacht was geweest en dat ik overdreven had gereageerd. Om hem te tonen dat ik er voor hem was wat het leven ook in petto had en dat ik zielsveel van hem hield. Dat was wat mijn hart me opdroeg, maar mijn hoofd nam de leiding en herinnerde mijn bonkende hart aan de klank in Marlboro Mans stem en het koude, afstandelijke, terughoudende 'ik zie je wel weer', waardoor er duizend ijspegels in mijn borstkas prikten. Even later reed ik langzaam Marlboro Mans oprit af terwijl ik mezelf ervan probeerde te overtuigen dat de afgelopen paar uur een nare droom waren geweest en dat ik zo meteen wakker zou worden door het vertrouwde geluid van Marlboro Man, die belde om 'hallo' te zeggen. Het moest wel een nare droom zijn geweest, maar de hele weg naar huis bleef de telefoon oorverdovend zwijgen.

Een uur later reed ik de oprit van mijn ouderlijk huis op, het toneel van heel veel lange, hartstochtelijke omhelzingen tussen Marlboro Man en mij. Ik had vanaf groep vijf in dit huis gewoond en was deze veranda in allerlei schoenen op gelopen, van Sperry Top-Siders en Reebok high tops tot Birkenstocks. Ik had op deze veranda gestaan om afscheid te nemen van gala-afspraakjes en vriendjes en bandleden en tennisleraren. Maar de geesten van die afspraakjes waren lang geleden verdwenen; deze veranda was voor altijd verbonden met de zolen van Marlboro Mans laarzen. Hij had al mijn concentratie en aandacht in beslag genomen sinds ik hem die eerste keer in de bar had gezien. Het was een wervelwind geweest, een tsunami, een natuurramp die al mijn plannen had weggevaagd. Een week met een cowboy in een Wrangler en mijn leven was volkomen veranderd.

Terwijl ik de oprit op liep waar alles met een kus was begonnen, wist ik zonder enige twijfel dat hij de enige was die ik ooit echt had gewild. Ik liet me op mijn bed vallen en begroef mijn hoofd in mijn kussen met de wanhopige behoefte om in slaap te vallen. De slaap kwam echter niet, hoe graag ik mezelf ook wilde bevrijden van het afschuwelijke gevoel in mijn maag. Ik wilde niet weten dat de luchtbel was gebarsten, dat ik heel boos was geworden en tekeer was gegaan. Ik stond op, nam een lange verfrissende douche en besloot een wandeling over de golfbaan maken.

Ik liep in tegengestelde richting over de golfbaan; eerst langs de zevende fairway naar de zevende tee en daarna naar de zesde hole. Toen ik in de verte een aantal vroege golfers zag – gepensioneerden die hun sokken tot halverwege hun kuiten hadden opgetrokken – stak ik de zesde fairway over om mijn wandeling voort te zetten in de rough, een perfecte weerspiegeling van mijn situatie.

Een jachthond, die was opgesloten in een hondenhok van draadgaas, blafte naar me terwijl ik langs liep. 'Hou je kop,' snauwde ik alsof de hond me kon horen en zich er iets van zou aantrekken. Ik was chagrijnig en keek om me heen, op zoek naar een vogel of eekhoorn die me wilde irriteren; ik zou ze met één ijskoude blik uitschakelen. Ik was inmiddels vierentwintig uur wakker, behalve het dutje in Marlboro Mans pick-up terwijl hij de vuurzee bestreed. We hadden onze eerste ruzie sinds onze heerlijke liefdesrelatie was begonnen. Ik had moeite om te beseffen wat er precies was gebeurd, behalve dat ik was weggegaan met de kille stem van Marlboro Man in mijn oren. Ik kon me niet herinneren wat er vóór dat moment was gebeurd en het kon me ook niet schelen. Ik wist alleen dat ik moe en gebroken was en dat het verkeerd voelde.

En de enige met wie ik erover kon praten was een naamloze jachthond op een golfbaan.

Inmiddels liep ik bij de derde green, vlak bij de woning van een gepensioneerde arts. Hij zat op een houten bank in zijn zorgvuldig gemaaide achtertuin met zijn arm rond een bijzonder aantrekkelijke, oudere vrouw. Zijn eigen vrouw, met wie hij vijftig jaar getrouwd was geweest, was twee jaar geleden plotseling overleden, en de echtgenoot van deze vrouw, die eveneens arts was geweest, was vlak daarvoor aan een hartaanval gestorven. Ze hadden een gezamenlijke band gehad in hun verdriet en eenzaamheid en waren een paar maanden eerder met elkaar getrouwd.

'Goedemorgen,' zei ik met een zwak glimlachje terwijl ik langsliep.

Ze zwaaiden glimlachend naar me en namen daarna hun oorspronkelijke posities weer in: zijn arm rond haar schouder, haar hand op de binnenkant van zijn been. Ik hield van de aanblik van twee volwassenen op leeftijd die elkaar zoveel fysieke aandacht gaven die een intieme relatie suggereerde. Omdat ik zelf stapelverliefd was, verlangde ik daardoor heel erg naar Marlboro Man.

Ik was het type niet om te bellen. Om achter een man aan te lopen. Om vergiffenis te vragen. Ik leek veel te veel op mijn moeder – *het is prima met me... ik ben sterk... ik heb je niet nodig* – om het risico van een berouwvol telefoontje te lopen. Maar die ochtend maakte ik om een onverklaarbare reden een rondje om een enorme iep en rende naar huis terug. Ik moest met Marlboro Man praten. Ik kon de situatie niet langer verdragen.

Terwijl ik rende, dacht ik aan de oude dokter en zijn tweede vrouw op de houten bank. Ze hadden er vrolijk en tevreden uitgezien, ondanks het verdriet over het verlies van hun respectievelijke echtgenoten. Ze hadden samen de brokstukken opgeraapt en nieuw geluk gevonden. Niet door golf of bridge of winkelen of hun vrienden, maar bij elkaar.

Dat was het geluk dat ik bij Marlboro Man had gevonden en ik was niet van plan om dat te verpesten door mijn koppigheid. Ik begon sneller te lopen en liep even later het stille huis in. Mijn ouders waren een weekend weg in een poging hun wankelende huwelijk te redden. Mijn ogen waren opgezwollen en voelden vermoeid en mijn hart bonkte door de wandeling. Hoewel ik wist dat Marlboro Man waarschijnlijk nog sliep na de uitputting van de afgelopen nacht, moest ik gewoon bellen. Of hij nu sliep of wakker was, ik wilde niet dat er nog één moment voorbijging zonder dat ik het goed had gemaakt. Ik wilde dat hij wist dat de uitputting die hij ook voelde tot mijn uitbarsting had geleid. Het was uitputting gecombineerd met de adrenaline van een bijnadoodervaring, maar dat was een ander onderwerp voor een ander moment. Ik wilde dat hij wist dat ik geen vervelend, theatraal kind was maar dat ik me overweldigd had gevoeld door het vuur.

En dat ik op een houten bank in onze achtertuin wilde zitten als we tachtig waren, met zijn arm rond mijn schouder en mijn hand op de binnenkant van zijn been.

Ik had het zo druk met daaraan denken, dat ik me niet realiseerde dat ik Marlboro Mans telefoonnummer had ingetoetst en dat de telefoon al meer dan twaalf keer was overgegaan. Ik vermande me en hing op. Alleen psychoten lieten de telefoon meer dan twaalf keer overgaan. Het is eigenlijk wel goed, dacht ik. Hij heeft slaap nodig. Langzamerhand overviel de uitputting me. Ik ging op het bed van mijn ouders liggen – een bed dat ooit een gelukkige, veilige plek in ons huis was geweest – en viel in een diepe slaap.

Ik werd wakker in een schemerige kamer. Was het ochtend? Had ik de hele nacht geslapen? Ik keek naar mijn vaders elektrische wekker, die uit 1984 of zo stamde. Het was 19.23 uur. Mijn lichaam voelde zwaar en slap, alsof ik net wakker was geworden uit een winterslaap. Toen ik mijn voeten op het kleed zette en probeerde te gaan staan, begaven mijn knieën het bijna. Het was avond, ik had meer dan negen uur geslapen. Ik haalde diep adem en liep moeizaam naar de badkamer om te gaan douchen. Ik had zo zwaar geslapen dat ik het weg moest wassen.

Na de douche voelde ik me herboren. Ik wist zeker dat Marlboro Man inmiddels wakker was – toen ik eerder belde had hij waarschijnlijk geslapen – dus trok ik mijn favoriete spijkerbroek en net zo favoriete roze hemdje aan en schonk een glas van mijn moeders Far Niente chardonnay in. Nadat ik me in een comfortabele stoel in de zitkamer had genesteld, pakte ik de telefoon en belde Marlboro Man. Ik kon niet wachten om zijn stem te horen. Om te weten dat alles in orde was.

In plaats van zijn stem hoorde ik echter het sensuele gefluister van een zachte vrouwenstem.

'Hallo?' vroeg de vrouw zachtjes, alsof ze niet wilde dat iemand haar hoorde.

Verbaasd hing ik op. Verkeerd nummer, dacht ik en ik toetste Marlboro Mans nummer zorgvuldig nog een keer in.

Dezelfde stem nam op: 'Hallo?' De vrouw klonk jong en ademloos.

Ik verstijfde en hing haastig weer op.

Wat… wat was er in vredesnaam aan de hand?

De hese stem van de jonge vrouw klonk nog steeds in mijn oren en ik was absoluut niet in staat te bewegen. Mijn wangen prikten en mijn hele lichaam was verstijfd. Ik had dit in geen miljoen jaar verwacht.

Ik beet op de nagel van mijn duim terwijl ik nadacht over wat er daarnet was gebeurd. Wie wás dat? Ik was sprakeloos terwijl ontelbare afschuwelijke gedachten me bestormden. Het was zijn moeder beslist niet geweest. Ik zou haar lage, karakteristieke stem herkend hebben. Zijn broer Tim had geen relatie, dus dat was ook geen mogelijkheid. Hij had geen werkster, kok, acupuncturist of zus… en hij woonde te ver van de bewoonde wereld om toevallige bezoekers te krijgen. Geen enkel scenario, absoluut geen enkel scenario ter wereld, leek logisch.

Maar zelfs als er een geldige reden voor de aanwezigheid van een andere vrouw in zijn huis was geweest, dan kon ik de sexy, versluierde, heimelijke toon in de stem niet negeren. Het was geen stem die een moeder of tante zou gebruiken om de telefoon van iemand anders op te nemen. De vrouw klonk jong, intiem, wellustig.

De vrouw klonk naakt. Naakt en gebruind en tenger en rondborstig. Ik kon haar gezicht bijna voor me zien, met violetblauwe ogen en volle, rode lippen. Ik wilde mijn gedachten uitzetten zodat ze naar Het Land van Mensen die Niet Bestonden zou verdwijnen, de plek waar ze voor dit telefoontje had geleefd.

Maar ze wilde niet naar huis terug. Ik had voldoende films gezien om te weten wat de zachte stem van de vrouw te betekenen had. Zonder dat ik erbij was, wist ik het. Ze was daar met Marlboro Man. Ze was net zo verliefd op hem als ik. Ze had aan de zijlijn gewacht vanaf het moment dat hij en ik een relatie hadden gekregen. En door zijn frustratie over onze ruzie eerder die ochtend had hij troost gezocht bij dit meisje... deze vrouw... Met haar stem vol begeerte die ik de andere kant van de lijn had gehoord. Ze hadden de dag samen doorgebracht: hij had uitgerust en genoten van haar gezelschap; zij had zijn wonden verzorgd en zijn ziel gemasseerd. Hij had haar verteld over het vuur dat hij had bestreden en zij had medelijden met hem gehad en zijn schouders gemasseerd... en daarna zijn rug. Daarna had ze elke centimeter van zijn lichaam gekust zodat hij zich beter zou voelen.

Aaaaaaaaghhh! Ik sloeg mijn handen voor mijn gezicht, niet in staat om mijn fantasie te stoppen.

Marlboro Man loopt naar de badkamer om te gaan douchen en doet de deur achter zich dicht. De telefoon gaat. De sekspoes springt op, gewikkeld in een gekreukt laken – de dichtgeweven keperstof benadrukt haar gebruinde huid – en rent door de gang om op te nemen. Ze heeft geen sproeten. Haar sexy, warrige haar valt naar voren en kietelt haar wangen als ze de telefoon opneemt. Ze vermoedt dat ik het ben – hij heeft haar gewaarschuwd dat ik misschien bel – dus antwoordt ze zachtjes, omdat ze weet dat Marlboro Man niet wil dat ze opneemt. Maar ze moet wel: ze wil dat ik het weet, ze wil me op haar eigen manier vertellen dat hij nu van haar is. Zij is daar en ik ben hier. En Marlboro Man staat onder de douche. Naakt. En ze staat klaar om zijn rug de hele nacht te masseren.

Aaaaaaaaghhh! Ik trok mijn benen op en zat als een verstarde hoopje ellende op de comfortabele stoel en vervloekte elke film die ik ooit had gezien waarin een rondborstige, tengere, gebruinde vrouw speelde.

Ik haalde diep adem, in een poging mijn groeiende onrust te onderdrukken. Ik voelde me misselijk. Dit was geen emotie waarop ik voorbereid was – niet die avond, niet in het verleden, niet in de toekomst. We hadden de afgelopen paar maanden elke avond samen doorgebracht, dus hoe had dit dan kunnen gebeuren? Wanneer? Van alle dingen die ik ooit had kunnen bedenken, stond Marlboro Man die troost zocht in de armen van een andere vrouw zo ver onder aan de lijst dat het nog nooit bij me was opgekomen. Het ging in tegen alles wat ik inmiddels over hem wist. Hij was veel te doorzichtig om er nog een vrouw op na te houden, hoe tenger en gebruind ze ook was. Hij kon me al die tijd toch niet bedrogen hebben? Of toch wel?

Aan de andere kant hoorde je dit soort dingen voortdurend. Misschien was ik een van die vrouwen die niets in de gaten hebben tot alles in een soort nucleaire explosie van ontrouw ontploft. Maar... dat was onmogelijk! Of toch niet? De nagel van mijn duim was inmiddels helemaal verdwenen. Mijn pupillen waren star en vergroot. Mijn roze hemdje trilde boven mijn bonkende hart.

Op dat moment ging de voordeur open.

'H-h-h-hallo?' riep een dreunende stem. Geweldig. Het was Mike.

Ik haalde diep adem. 'Hallo, Mike,' perste ik eruit met mijn hoofd in mijn hand. Mijn hersenen raasden door.

'Hoi,' begon Mike. Ik zette me schrap. Ik was niet in de stemming voor Mike. Ik was voor niets of niemand in de stemming. Ik wilde hier gewoon zitten en geobsedeerd zijn. Het was nog maar zeven minuten geleden dat de sekspoes mijn wereld was binnen gekomen en ik had een hoop om over na te denken.

'Já, Mike?' antwoordde ik geïrriteerd.

Mike zweeg even. 'W-w-w-wat is er met jóú aan de hand?' Hij wist het altijd als ik in een rothumeur was.

'Niets, Mike!' snauwde ik. Ik wachtte even en probeerde mijn stem vriendelijker te laten klinken. 'Ik heb gewoon geen zin om te praten. Ik denk na.'

'O-o-o-ké, k-k-k-kun je me naar het winkelcentrum brengen?' vroeg Mike.

'Mike, wie heeft je net thuisgebracht?'

'Karole C-C-C-Cozby,' antwoordde Mike.

'En waarom heeft Karole je dan niet naar het winkelcentrum gebracht?' vroeg ik. Dit was precies waarom ik me schrap had gezet. Niets was ooit eenvoudig met Mike in de buurt.

'D-d-d-d-daarom niet,' snauwde Mike. 'Ik m-m-m-moet een ander overhemd aantrekken en ik wilde niet dat ze op me moest wachten, stomme kalkoenenkont!' Daarna stampte hij de trap op naar zijn kamer. Mike had een kleurig arsenaal aan krachttermen.

Ik had met hem kunnen blijven discussiëren, maar dat ging niet. Ik kon alleen blijven nadenken over de reden waarom de vrouw Marlboro Mans telefoon had opgenomen, maar die was er niet. Toch moest er een reden zijn. Maar die was er niet. Al zat ik hier de hele avond, ik zou het antwoord nooit te weten komen.

Ik stond op en liep naar de trap. 'Ik breng je straks naar het winkelcentrum, Mike,' schreeuwde ik naar boven. 'Maar je moet nog heel even wachten, oké?'

Mike gaf geen antwoord.

Ik liep terug naar de slaapkamer van mijn ouders waar ik onder de dekens wilde kruipen om de wereld te vergeten en hopelijk weer in slaap te vallen, zodat ik kon ontsnappen aan de realiteit van die avond. Het was alleen niet waarschijnlijk dat ik in slaap zou vallen nadat ik net negen uur had geslapen. Ik voelde me vreemd licht in mijn hoofd, verdoofd. Op het moment dat ik langs de voordeur liep schrok ik van een licht geklop. Misschien is het een van Mikes vrienden, dacht ik. Mooi! Dan hoef ik hem nergens naartoe te brengen.

Ik zwaaide de deur open en daar stond Marlboro Man, in zijn Wrangler, een spierwit overhemd en laarzen. En een lieve, hartverwarmende glimlach.

Wat doe je hier? dacht ik. Je hoort onder de douche te staan. Je hoort bij die sekspoes te zijn.

'Hallo,' zei hij, waarna hij geen tijd verspilde, naar binnen liep en zijn armen rond mijn middel sloeg. Mijn armen gingen als vanzelf naar zijn sterke schouders; mijn lippen vonden de zijne. Hij was zacht, warm, veilig. Onze eerste kus werd een derde, en een zesde, en een zevende. Het was dezelfde soort kus als de vorige avond, toen hij het telefoontje over de brand had gekregen. Ik hield mijn ogen stevig dicht terwijl ik van elke seconde genoot en me probeerde te verzoenen met de horrorfilm die pas geleden in mijn hoofd had gespeeld. Ik had er geen idee van wat er aan de hand was en op dat moment kon het me ook niet schelen.

'D-d-dat zie ik!' Mike kwam de trap af rennen en gaf Marlboro Man een stevige omhelzing.

'Hallo, Mike,' zei Marlboro Man terwijl hij hem geduldig op zijn rug klopte.

'Mike?' zei ik glimlachend terwijl ik met mijn ogen knipperde. 'Kun je nog een paar minuten geduld hebben?'

Mike liep giechelend naar de keuken.

Marlboro Man tilde me op zodat onze ogen op dezelfde hoogte waren. Glimlachend zei hij: 'Ik heb vanmiddag geprobeerd je te bellen.'

'Is dat zo?' zei ik. Ik had de telefoon helemaal niet gehoord. 'Ik, eh... ik heb een dutje van negen uur gedaan.'

Marlboro Man grinnikte. O, dat lachje. Dat had ik vanavond heel hard nodig.

Hij zette me op de grond. 'En…' zei hij, 'ben je nog steeds chagrijnig?'

'Nee,' antwoordde ik glimlachend. *En, wie is die vrouw in je huis? Wat heb je de hele dag gedaan?* 'Heb jij vandaag nog geslapen?' *En, wie is die vrouw in je huis?*

'Ja,' begon hij. 'Ik moest Tim vanochtend ergens mee helpen en daarna heb ik een paar uur op de bank geslapen. Daar ben ik van opgeknapt.'

Wie was die vrouw? Hoe heet ze? Wat voor cupmaat heeft ze?

Hij ging verder. 'Ik had de hele dag kunnen slapen, maar Katie en haar gezin hebben me gewekt,' zei hij. 'Ik was vergeten dat ze vanavond bij mij logeren.'

Katie. Zijn nicht Katie. Degene met de twee jonge kinderen.

'O… echt?' zei ik, waarna ik met een lange, stille uitademing ontspande.

'Ja. Het is nogal druk bij mij thuis,' zei hij. 'Ik dacht dat ik beter hiernaartoe kon komen om je mee te nemen naar de bioscoop.'

Ik glimlachte en streelde zijn rug. 'Dat klinkt perfect.' De rondborstige, gebruinde, mysterieuze vrouw verbleekte langzaam.

Mike kwam de keuken uit rennen, waar hij elk woord had gehoord.

'Hé, a-a-a-als jullie naar de film gaan, k-k-k-kunnen jullie me dan naar het winkelcentrum brengen?!' riep hij.

'Natuurlijk brengen we je naar het winkelcentrum, Mike,' zei Marlboro Man. 'Maar dat kost je tien dollar.'

Terwijl we met z'n drieën naar Marlboro Mans pick-up liepen, moest ik op mijn lip bijten om de enige negen woorden waaruit mijn woordenschat op dat moment bestond niet hardop te zeggen: God sta me bij – ik hou van die man.

18

Het paradijs is nog ver weg

De plannen voor de bruiloft vorderden gestaag en de datum kwam snel dichterbij. Mijn jurk was besteld – de laatste maat 34 die ik ooit zou dragen – en alle details van een prachtige bruiloft vielen netjes op zijn plek, ondanks de onrust in het vroeger zo gelukkige, vredige huis van mijn jeugd. Het huwelijk van mijn ouders hing aan een snel ontrafelende draad en ik kon alleen maar hopen dat ze het vol zouden houden tot de trouwdag. Soms wilde ik dat ze opschoten en uit elkaar gingen zodat we allemaal door konden gaan met ons leven. Maar dan zag ik tekenen dat de situatie verbeterde... om daarna teleurgesteld te zijn door een volgende ruzie of crisis of drama. Minstens een keer per week wilde ik dat ik gehoor had gegeven aan mijn opwelling om stiekem te trouwen.

Het was een verschrikkelijke tijd om over hors-d'oeuvres na te denken.

Toch vond ik troost in het plannen van de details van mijn bruiloft. Omdat ik gek op eten was, stond het diner hoog op mijn lijst met dingen-die-ik-kan-doen-om-me-af-te-leiden-van-het-instortende-huwelijk-van-mijn-ouders. Het bleek lastig, want er zouden niet alleen neurologen en bedrijfsmanagers op het feest in de country club komen, maar ook cowboys en manusjes-van-alles en boeren en veeartsen. Die zouden het niet waarderen als ze voor de lange rit naar mijn geboorteplaats beloond werden met crudités en *brie en croûte*.

Aan de andere kant was het een formeel feest, compleet met uitnodigingen op mooi bewerkt papier en luchtige, witte tule. Ik was er vrij zeker van dat cocktailworstjes in barbecuesaus niet voldoende zouden zijn. Bovendien was ik altijd gek geweest op mooi, elegant eten, en dankzij een jeugdige obsessie voor Martha Stewart wist ik precies wat voor eten ik op mijn bruiloft wilde. Gevulde cherrytomaatjes, komkommer met een mousse van gerookte zalm, kaviaar, kruidenkaasjes, radijsjes, gevulde peultjes, gemarineerde kipspiesjes en bergen garnalen. Het middelste kind in me zocht een manier om beide kanten tevreden te stellen. De receptie moest een eerbetoon zijn aan de achtergronden van zowel Marlboro Man als mij... Geen van de zeshonderd gasten mocht zich buitengesloten voelen.

Op de avond dat ik na begon te denken over de beste manier om het diner te regelen, was Marlboro Man naar het zuidelijke deel van het district vertrokken om naar een stuk land te kijken. Ik lag languit op mijn bed naar het plafond te staren, toen ik plotseling Het Idee kreeg: een deel van de country club zou gedecoreerd zijn met gouden bamboestoelen, architectonisch gearrangeerde orchideeën en rozen, en antieke kanten tafellakens. Violen zouden de gasten serenades brengen terwijl ze genoten van koude ossenhaas en champagne dronken. De geest van Martha Stewart zou aanwezig zijn en verklaren: 'Dit is mijn dochter, van wie ik hou. Ik ben heel tevreden over haar.'

Martha's verre nicht Mabel zou echter de voorkeur geven aan de danszaal aan de andere kant van de club, die het toneel zou zijn van een authentiek western-feestmaal: barbecue, broodjes met ragout, gebakken kip, bier. Op de picknicktafels lagen blauwgeruite tafellakens, een countryband speelde 'All My Exes Live In Texas' en overal stonden tinnen kroezen met wilde bloemen.

Ik glimlachte terwijl ik me het tafereel voorstelde. Onze twee werelden – die van Marlboro Man en die van mij – zouden elkaar treffen en samensmelten in een groot, harmonieus feest dat mijn permanente afscheid van het stadsleven, cappuccino en maatje 34 zou inluiden.

Terwijl ik diep in gedachten was, belde Marlboro Man me met zijn altijd perfecte timing.

'Hallo,' zei hij. Het gebrekkige mobieltje uit het midden van de jaren negentig benadrukte de rasperigheid van zijn stem.

'Jij bent precies degene die ik nodig heb,' zei ik terwijl ik papier en een pen pakte. 'Ik wil je iets vragen...'

'Ik heb je huwelijkscadeau vandaag gekocht,' onderbrak Marlboro Man me.

'Huh?' zei ik niet op mijn hoede. 'Huwelijkcadeau?' Ik hechtte er heel veel waarde aan om de dingen op de juiste manier te doen en ik schaamde me omdat ik niet aan een huwelijkscadeau voor Marlboro Man had gedacht.

'Yep,' zei hij. 'En je moet heel snel met me trouwen zodat ik het je kan geven.'

Ik giechelde. 'Vertel... wat is het?' vroeg ik. Ik had er geen flauw idee van. Ik hoopte dat het geen diamanten armband was.

'Je zult met me moeten trouwen om daarachter te komen,' antwoordde hij.

Hemel. Wat was het? Was de trouwring zelf niet het cadeau? Dat had ik altijd gedacht. Wat moest ik voor hem kopen? Manchetknopen? Een Italiaanse leren aktetas? Een Montblanc-pen? Wat gaf je een man die elke dag op zijn paard naar zijn werk vertrok?

'Dus, vrouw,' zei Marlboro Man, waarmee hij van onderwerp veranderde. 'Wat wilde je me vragen?'

'O ja,' zei ik, mijn gedachten weer bij het feest. 'Goed, ik wil dat je me vertelt wat je het allerlekkerste eten op de hele wereld vindt.'

Hij zweeg even. 'Waarom?'

'Ik doe een onderzoek,' antwoordde ik.

'Hmm...' Hij dacht even na. 'Waarschijnlijk biefstuk.'

Duh. 'Behalve biefstuk,' zei ik.

'Biefstuk,' herhaalde hij.

'En verder?' vroeg ik.

'Tja... biefstuk is erg lekker,' antwoordde hij.

'Oké,' zei ik. 'Ik snap dat je biefstuk lekker vindt. Maar ik moet iets meer hebben om mee te werken.'

'Waarom dan?' vroeg hij.

'Omdat ik onderzoek doe,' herhaalde ik.

Marlboro Man grinnikte. 'Goed, maar ik heb op het moment heel erge honger en het duurt nog drie uur voordat ik thuis ben.'

'Daar zal ik rekening mee houden,' zei ik.

'Broodjes met ragout... ossenhaas... chocoladetaart... spareribs... roerei,' ratelde hij al zijn favoriete troostvoedsel op.

Bingo, dacht ik glimlachend.

'En nu moet je opschieten en met me trouwen,' beval hij. 'Ik wil niet langer op je wachten.'

Ik vond het heerlijk als hij bazig deed.

Ik lag op mijn bed, duizelig vanwege mijn idee voor het feest. Het zou de perfecte brug tussen mijn oude leven en mijn nieuwe leven zijn, het perfecte symbool van het beste uit onze twee werelden. Het zou gekunsteld kunnen zijn en het zou een ongekend succes kunnen worden. Hoe dan ook, dat maakte niet uit. Ik stelde me het gelach van de aanwezige gasten voor, de bandleden die op hun banjo's speelden, de champagne. Ik deed mijn ogen dicht en zag de gouden bamboestoelen en de hoge, slanke bloemenarrangementen voor me en ik likte over mijn lippen terwijl ik me de gevulde peultjes voorstelde. Ik was altijd gek geweest op gevulde peultjes. Dat had Martha op haar geweten.

Vol energie sprong ik van mijn bed en ging naar beneden om mijn nieuwe ideeën met mijn moeder te delen, die wisselde tussen enthousiast betrokken en hopeloos afgeleid als het over mijn trouwplannen ging. Ik wist echter dat ze enthousiast zou zijn over mijn idee; ondanks haar problemen maakte ze graag plezier en was ze heel avontuurlijk. Toen ik onder aan de trap stond, zag ik dat de deur naar de zitkamer zoals gewoonlijk dicht was. Ik hoorde de gedempte tonen van het gespannen gesprek van mijn ouders, dat duidelijk ging over de staat van hun instortende huwelijk en wie waarvoor verantwoordelijk was.

De gevulde peultjes moesten wachten.

Omdat ik er niets mee te maken wilde hebben draaide ik me om en ging terug naar mijn slaapkamer, de enige dramavrije zone in huis. Het was te laat om naar de bioscoop te gaan of koffie te gaan drinken of naar een boekwinkel te gaan, en mijn veilige toevluchtsoord – mijn cowboy – reed over een snelweg in het midden van Oklahoma. Bij gebrek aan een andere aantrekkelijke optie liet ik het bad vollopen en goot er een overvloedige hoeveelheid aromatherapeutische bubbels bij. Ik ging erin zitten, legde mijn hoofd op de rand, deed mijn ogen dicht, inhaleerde de rozemarijn en lavendel en deed alles wat in mijn macht lag om het drukkende gevoel dat werd veroorzaakt door het wankelende huwelijk van mijn ouders van me af te schudden. Het was absoluut niet beter geworden in de maanden sinds Marlboro Man zijn aanzoek had gedaan, en de vraag was of de ramp zich voor, tijdens of na de huwelijksceremonie zou voltrekken.

Ik zat die avond in het warme water, probeerde de knopen uit mijn stijve schouders te masseren en deed mijn best om niet stapelgek te worden.

Marlboro Man haalde me de volgende avond op, precies een maand voor onze trouwdag. We verlangden naar elkaar nadat we een avond alleen hadden doorgebracht en begroetten elkaar met een heerlijk stevige omhelzing. De manier waarop zijn armen me vastpakten en hij zijn enorme kracht gebruikte om me op te tillen, raakte me in mijn ziel. Als zogenaamd sterke, onafhankelijke vrouw was ik er voortdurend verbaasd over hoe fijn ik het vond om opgetild te worden.

We reden de zonsondergang tegemoet en arriveerden bij zijn ranch op het moment dat de hemel van zalmroze in karmozijnrood veranderde. Ik snakte naar adem. Ik had nog nooit zoiets prachtigs gezien. De binnenkant van Marlboro Mans pick-up gloeide en het prairiegras danste in de avondbries. Alles was gewoon anders op het platteland. De aarde was niet langer alleen een plek waar ik woonde; hij leefde en had een hartslag. Het uitzicht op het platteland, met de enorme uitgestrektheid en de eindeloze variërende wolkenformaties, benam me de adem. Het was een spirituele ervaring om hier te zijn.

Ik keek om me heen en realiseerde me dat we over een andere weg reden dan die Marlboro Man normaal gesproken nam. 'Ik moet je je huwelijkscadeau geven,' zei hij voordat ik kon vragen waar we naartoe gingen. 'Ik kan geen maand wachten voordat je het krijgt.'

Er fladderden vlinders in mijn buik rond. 'Maar...' stamelde ik. 'Ik heb nog niets voor jou.'

Marlboro Man pakte mijn hand terwijl hij naar de weg bleef kijken. 'Ja, dat heb je wel,' zei hij, waarna hij mijn hand naar zijn lippen bracht en ik onmiddellijk in een plasje smeltende boter veranderde.

We namen bocht na bocht en ik probeerde te bedenken of we hier eerder waren geweest. Mijn richtingsgevoel was heel slecht, alles zag er voor mijn gevoel hetzelfde uit. Eindelijk, op het moment dat de zon achter de horizon verdween, kwamen we bij een oude schuur. Marlboro Man remde en parkeerde de auto.

Verward keek ik om me heen. Had hij een schuur voor me gekocht? 'Wat... wat doen we hier?' vroeg ik.

Marlboro Man gaf geen antwoord. In plaats daarvan zette hij de motor uit, draaide zich naar me toe en glimlachte.

'Wat is het?' vroeg ik terwijl we uit de auto stapten en naar de schuur liepen.

'Dat zul je wel zien,' antwoordde hij. Hij voerde absoluut iets in zijn schild.

Ik was zenuwachtig. Ik had er altijd een hekel aan gehad om cadeautjes open te maken in het bijzijn van de gulle gevers. Het gaf me een ongemakkelijk gevoel, alsof ik in een donkere kamer zat met een enorme schijnwerper op mijn hoofd. Ik kronkelde van onbehagen en wilde me omdraaien en wegrennen. Me verstoppen in zijn pick-up of in het weiland. Een paar weken onderduiken. Ik wilde geen huwelijkscadeau. Ik was een rare in dat opzicht.

'Maar… maar…' zei ik terwijl ik probeerde terug te krabbelen. 'Maar ik heb nog geen cadeautje voor jou.' Alsof ik hem op dat moment nog tegen kon houden.

'Maak je daar maar geen zorgen over,' antwoordde Marlboro Man. Hij sloeg zijn arm rond mijn middel terwijl we liepen. Hij rook heerlijk en ik haalde diep adem. 'Bovendien kunnen we dit cadeau delen.'

Dat is vreemd, dacht ik. Alle vluchtige ideeën die ik had gehad over een glinsterende armband of een schitterende ketting of andere sieraden leken plotseling vergezocht. Hoe konden hij en ik dezelfde diamanten armband delen? Misschien heeft hij zo'n hart met twee kettinkjes voor me gekocht, dacht ik, en dan draagt hij de ene helft en ik de andere. Ik kon het me eigenlijk niet voorstellen, maar Marlboro Man wist me altijd te verrassen. Aan de andere kant liepen we naar een schuur toe.

Misschien werkte hij aan een meubelstuk voor het huis? Een tweepersoonsbankje misschien? Zou dat geen allerliefst cadeau zijn? Ik durfde te wedden dat het gestoffeerd was met koeienhuid, of misschien met oude westernbrokaatstof. Ik had de stoffen in de oude John Wayne-films altijd prachtig gevonden. Misschien waren de poten van horens gemaakt? Het móést gewoon een meubelstuk zijn. Misschien was het een nieuw bed. Een bed waarin alle magie zou plaatsvinden, waarin we onze kinderen – of dat er nu een of zes waren – zouden verwekken, waarin de prairie vlam zou vatten in een explosie van hartstocht en begeerte, waarin…

Of misschien was het een puppy.

Ja! Dat moet het zijn, zei ik tegen mezelf. Het is een puppy, een mopshond zelfs, ter ere van de eerste keer dat ik in zijn bijzijn een huilbui heb gekregen. O hemel, hij geeft me een nieuwe Puggy Sue, dacht ik. Hij heeft gewacht tot vlak voor de bruiloft, maar hij wil niet dat de pup groter wordt voordat hij hem aan me geeft. O, Marlboro Man... dit is het meest romantische wat je ooit voor me hebt gedaan. Ik had me in mijn wildste dromen geen mooier liefdescadeau kunnen voorstellen. Een mopshond zou de perfecte brug tussen mijn oude en mijn nieuwe wereld zijn, een permanente en harige herinnering aan mijn oude leven op de golfbaan. Terwijl Marlboro Man de enorme schuurdeuren opentrok en de grote lichten aandeed die aan de balken hingen, begon mijn hart sneller te slaan. Ik kon niet wachten om zijn puppygeur te ruiken.

'Gefeliciteerd met ons huwelijk,' zei hij lief terwijl hij tegen de muur van de schuur leunde en met zijn ogen naar het midden gebaarde. Mijn ogen wenden aan het licht... en richtten zich langzaam op wat er voor me stond.

Het was geen pup. Het was geen diamant of paard of glanzend gouden armband en zelfs geen blender. Het was geen tweezitsbankje. Het was geen lamp. Recht voor me, omringd door verspreide hooibalen, stond een felgroene John Deere-zitmaaimachine. Een erg grote, erg groene, erg mechanische, erg met diesel gevulde John Deere-zitmaaimachine. Ik zweeg verbijsterd. En voor de honderdste keer sinds onze verloving flitste de realiteit van de toekomst waarvoor ik had getekend door me heen. Ik voelde een vlaag van paniek terwijl ik de diamanten armband waarvan ik dacht dat ik hem niet wilde hebben zag oplossen en in het niets verdwijnen. Zouden de cadeaus op de ranch altijd zo zijn? Had de wereld van het boerenbedrijf een andere lijst met huwelijkscadeaus? Zou ons eerste jaar huwelijk papier zijn… of motorolie? Zou het tweede huwelijksjaar katoen zijn of een kantenmaaier?

Ik moest dit noteren op de groeiende lijst van dingen die ik nog moest uitzoeken.

19

Vragen, vragen, vragen

Nadat het huwelijkscadeau was overhandigd, moesten Marlboro Man en ik nog een laatste item van onze lijst vinken voordat we konden trouwen: de huwelijkscursus. Deze een uur durende sessies met de halfgepensioneerde priester die onze kerk op dat moment leidde, waren een vereiste van de Anglicaanse kerk. Ik begreep de reden achter de gesprekken met een geestelijke. Voordat de kerk een huwelijk goedkeurt, wil ze ervan overtuigd zijn dat het stel de betekenis en ernst begrijpt van de (hopelijk) eeuwige verbintenis die ze aangaan. Ze wil het bruidspaar dingen geven om in overweging te nemen, thema's om over na te denken, zaken om op een rijtje te zetten. Ze wil voorkomen dat ze twee jonge geliefden een vermijdbaar gezinsdrama in stuurt. Natuurlijk begreep ik waar het om ging.

In realiteit was het echter een ongemakkelijk uur met een vriendelijke priester die het goed bedoelde en de juiste vragen stelde, maar die duidelijk geen energie meer had voor dit onderdeel van zijn werk. Het was emotioneel uitputtend voor me. Niet alleen moest ik opnieuw nadenken over logische dingen waarover ik al duizend keer had nagedacht, maar ik moest ook toezien hoe Marlboro Man, een kalme, verlegen plattelandsjongen, vragen moest beantwoorden over liefde, relaties en verplichtingen die hem werden gesteld door een priester die hij net had ontmoet. Hoewel hij beleefd en respectvol was, had ik medelijden met hem. Het waren onderwerpen waar een cowboy zelden met een derde over praatte.

'Wat zou je doen als Ree ernstig ziek werd?' vroeg priester Johnson aan Marlboro Man.

'Dan zou ik haar verzorgen, sir,' antwoordde Marlboro Man.

'Wie van jullie gaat er koken?'

Marlboro Man glimlachte. 'Ree is een geweldige kok,' antwoordde hij. Ik zat trots rechtop en probeerde niet te denken aan de linguini met mosselsaus en de gemarineerde biefstuk van de haas en alle andere goedbedoelde maaltijden die ik in het begin van onze relatie had verpest.

'En de afwas?' ging priester Johnson verder, alsof hij Gloria Steinem was. 'Ben je van plan daarmee te helpen?'

Marlboro Man krabde aan zijn kin. 'Natuurlijk,' antwoordde hij. 'Maar dit zijn geen dingen waar we echt over gepraat hebben.' Hij klonk vriendelijk. Beleefd.

Ik wilde in een holletje wegkruipen. Ik wilde tandsteen laten verwijderen. Ik wilde de enorme prairiebrand van een tijd terug bestrijden. Alles was beter dan dit.

'Hebben jullie besproken hoeveel kinderen jullie willen?'

'Ja, sir,' zei Marlboro Man.

'En?' vroeg priester Johnson door.

'Ik wil er graag een stuk of zes,' antwoordde Marlboro Man terwijl er een viriele glimlach op zijn gezicht verscheen.

'En wat vindt Ree daarvan?' vroeg priester Johnson.

'Zij zegt dat ze er één wil,' antwoordde Marlboro Man terwijl hij naar me keek en mijn knie aanraakte. 'Maar ik ben haar aan het bepraten.'

Priester Johnson fronste zijn voorhoofd. 'Hoe lossen Ree en jij conflicten op?'

'Tja...' antwoordde Marlboro Man. 'Om u de waarheid te zeggen hebben we nauwelijks conflicten. We kunnen heel goed met elkaar overweg.'

Priester Johnson keek over zijn bril. 'Ik weet zeker dat je iets kunt bedenken.' Hij wilde schandalen horen.

Marlboro Man tikte met zijn laars op de steriele vloer van priester Johnsons studeerkamer en keek hem recht in de ogen. 'Ree is een keer bijna van haar paard gevallen toen we samen reden,' begon hij. 'Daar was ze nogal overstuur door. En een tijd geleden heb ik haar meegesleept naar een brand en toen werd de situatie een beetje gevaarlijk...' Marlboro Man en ik keken elkaar aan. Het was het ergste conflict dat we hadden gehad en het had minder dan twaalf uur geduurd.

Priester Johnson keek naar me. 'Hoe ben je daarmee omgegaan, Ree?'

Ik voelde me verstijven. 'Eh... eh...' Ik tikte met mijn Donald Pliner-muiltje op de grond. 'Ik heb hem verteld hoe ik me voelde. En daarna was het goed.'

Ik haatte elk moment ervan. Ik wilde niet ondervraagd worden. Ik wilde niet dat mijn relatie met Marlboro Man met behulp van algemene vragen werd geanalyseerd. Ik wilde gewoon rondrijden in zijn pick-up en naar de graslanden kijken en me samen met hem op de bank nestelen om films te kijken. Dat was tot nu toe uitstekend gegaan, het was kenmerkend voor onze relatie. Maar priester Johnsons vragen drongen me in de verdediging, alsof we op de een of andere manier onze verantwoordelijkheid naar elkaar toe verzuimden als we niet elke dag doorbrachten met diepe, beschouwelijke gedachten over de details van onze toekomst samen. Gebeurde veel daarvan niet op een natuurlijke manier? Had het echt nut om dat nu uit te zoeken?

Maar de ondervraging ging verder:

'Wat willen jullie voor jullie kinderen?'

'Hebben jullie over budgettaire zaken gepraat?'

'Welke rol hebben jullie ouders in jullie leven?'

'Hebben jullie het gehad over jullie politieke voorkeuren? Jullie standpunten met betrekking tot belangrijke onderwerpen? Jullie geloof? Jullie godsdienst?'

En mijn persoonlijke favoriet: 'Wat gaan jullie op de lange termijn doen om elkaars creativiteit te stimuleren?'

Ik had niets tegen priester Johnsons vragen. Het waren goede vragen – voor een avond met een kamer vol vrienden die graag diepzinnig wilden praten waren ze fantastisch. Maar ze leken op de een of andere manier niet bij Marlboro Man en mij te passen en bij alle paren die van elkaar hielden en bereid waren om de sprong te wagen en aan een leven samen te beginnen. Sommige vragen waren duidelijk omdat we dat al wisten en echt niet officieel hoefden te bespreken. Andere leken voorbarig omdat we dat niet per se hoefden te weten en gaandeweg zouden uitzoeken. Sommige vragen waren pijnlijk vaag.

'Hoeveel weten jullie over elkaar?' was priester Johnsons laatste vraag voor die dag.

Marlboro Man en ik keken elkaar aan. We wisten nog niet alles, dat zou onmogelijk zijn. We wisten alleen dat we bij elkaar wilden zijn. Was dat niet genoeg?

'Tja, ik kan alleen voor mezelf spreken,' zei Marlboro Man. 'Ik heb het gevoel dat ik alles weet wat nodig is om ervoor te zorgen dat ik met Ree wil trouwen.' Hij legde zijn hand op mijn knie en mijn hart maakte een sprongetje. 'En de rest... ik neem aan dat we ons daarmee bezig gaan houden als dat nodig is.' Zijn rustige vertrouwen kalmeerde me en het enige waaraan ik trouwens kon denken was hoe lang het zou duren voordat ik had geleerd om op mijn nieuwe grasmaaier te rijden. Ik had nog nooit een grasveld gemaaid. Wist Marlboro Man dat? Misschien had hij een goedkoper model voor me moeten kopen.

Op dat moment stond priester Johnson op om afscheid van ons te nemen. Ik pakte mijn tas, die naast mijn stoel stond.

'Bedankt, priester Johnson,' zei ik.

'Wacht nog even,' zei hij terwijl hij zijn handen in de lucht stak. 'Ik geef jullie een opdracht mee.' We waren bijna ontsnapt.

'Ik wil dat jullie me laten zien hoeveel jullie over elkaar weten,' begon hij. 'Ik wil dat jullie allebei een collage voor me maken.'

Ik keek hem even aan. 'Een collage?' vroeg ik. 'Zo een met plaatjes uit tijdschriften en lijm?'

'Dat is precies wat ik bedoel,' antwoordde priester Johnson. 'Het hoeft niet groot of uitvoerig te zijn; gewoon een vel papier van een normaal formaat. Ik wil dat jullie dat volplakken met plaatjes die alle dingen vertegenwoordigen die jullie over de ander weten. Neem de collages mee naar ons gesprek volgende week en dan bekijken we ze samen.'

Dat was een onverwachte ontwikkeling.

Ik maakte de fout om naar Marlboro Man te kijken, die zich waarschijnlijk ongemakkelijker voelde dan hij ooit had gedaan bij het vooruitzicht dat hij aan de slag moest met papier en lijm in een poging iemand anders te bewijzen hoeveel hij wist over de vrouw met wie hij ging trouwen. Hij probeerde uitdrukkingsloos te kijken en respectvol te blijven, maar ik had zijn mooie gezicht vaak genoeg bestudeerd om te weten wanneer er dingen onder de oppervlakte plaatsvonden. Marlboro Man was uitermate sportief geweest tijdens onze huwelijksgesprekken, en dit – de opdracht om een collage te maken – was zijn beloning.

Ik trok een vrolijk gezicht. 'Dat wordt leuk!' zei ik enthousiast. 'We kunnen van de week een keer bij elkaar gaan zitten…'

'Nee, nee, nee…' corrigeerde priester Johnson me terwijl hij met zijn handen zwaaide. 'Jullie mogen het niet samen doen. Het punt is nu juist om er onafhankelijk van elkaar voor te gaan zitten en de collage te maken zonder dat de ander daarbij aanwezig is.'

Priester Johnson was verschrikkelijk bazig.

We gaven hem een hand, beloofden om ons huiswerk de volgende keer mee te nemen en liepen naar het parkeerterrein. Toen we eenmaal buiten de kerkdeuren waren, gaf Marlboro Man me een klap.

'Au,' riep ik. 'Waar was dat goed voor?'

'Gewoon je dinsdagse pak slaag,' antwoordde Marlboro Man.

Ik glimlachte. Ik was altijd dol op dinsdag geweest.

We stapten in de pick-up en Marlboro Man startte de motor. 'Hé,' zei hij terwijl hij zich naar me toe draaide. 'Kan ik wat tijdschriften van je lenen?' Ik giechelde terwijl we wegreden bij de kerk. 'En ik kan ook wel wat lijm gebruiken,' voegde hij eraan toe. 'Ik denk niet dat ik dat in huis heb.'

De voorbereidingen voor onze bruiloft vorderden in een snel tempo. Ik koos de taart uit, kocht mijn trouwschoenen, nam een definitieve beslissing over het diner en stuurde de countryband een voorschot. Ik haalde mijn moeder lang genoeg weg uit haar huwelijkscrisis voor een afspraak met de bloemist zodat we de orchideeën en margrieten konden uitzoeken. Ik was aanwezig bij feestjes die ter ere van mijn huwelijk waren georganiseerd door vrienden van mijn ouders die er allemaal geen flauw idee van hadden dat het huwelijk van hun vrienden in duigen lag. Ik begon mijn bezittingen in te pakken ter voorbereiding op mijn verhuizing naar mijn nieuwe huis op de ranch, net als ik destijds had ingepakt om naar Chicago te vertrekken. Het was een onwerkelijk gevoel om te weten dat ik al snel bij de man van mijn dromen zou wonen en dat ik het huis van mijn jeugd binnenkort zou verlaten.

Ik hervatte mijn dinsdagavonddinertjes met Ga-Ga, Delphia, Dorothy en Ruthie, en nam hun kleinsteedse gesprekken in me op alsof mijn leven en mijn óverleven ervan afhingen.

Ik vond die etentjes heerlijk. En gepaneerde kipfilet had nog nooit zo lekker gesmaakt.

Intussen werkte Marlboro Man keihard. Om zich voor te bereiden op onze drieweekse huwelijksreis naar Australië had hij het schema met alle dingen die op de ranch gedaan moesten worden aangepast en probeerde hij het transportseizoen, dat anders veel langer duurde, in een periode van twee weken te persen. Ik merkte de verandering; zijn telefoontjes naar mij waren zeldzamer en er lag meer tijd tussen. Hij stond veel vroeger op dan hij anders deed, en als hij me 's avonds belde om lief 'welterusten' te fluisteren voordat zijn hoofd het kussen raakte, was zijn stem rasperiger en vermoeider dan anders. Hij werkte als een paard.

Te midden van dat alles doemde de deadline voor onze collageopdracht op. Het was de maandagavond voor onze afspraak met priester Johnson en zowel Marlboro Man als ik had nog geen tijd gehad voor onze collages. Er was gewoon te veel te doen: te veel koeien, te veel beslissingen die met de bruiloft te maken hadden, te veel gezellige films op Marlboro Mans zachte leren bank. We hadden veel te veel liefde om te koesteren als we bij elkaar waren en bovendien had priester Johnson ons uitdrukkelijk gezegd dat we niet samen aan onze collages mochten werken. Ik vond dat geen probleem: aan tafel zitten en plaatjes uit tijdschriften knippen was het laatste wat ik wilde als ik bij zo'n knappe man was. Het zou een schandalig misbruik van onze tijd samen zijn.

Toch wilde ik niet met lege handen op onze afspraak aankomen, dus die avond verschanste ik me in mijn kamer met het voornemen niet naar buiten te komen voordat ik priester Johnsons 'hoe goed ken je je verloofde'-collage af had. Ik zocht in de opslagkamer op de eerste verdieping en pakte de enige oude tijdschriften die ik kon vinden: *Vogue, Golf Digest* en de *Seventeen* met Phoebe Cates op het omslag.

Perfect. Ik wist zeker dat ik een overvloed aan bruikbaar materiaal zou vinden. Dit is zo stom, dacht ik op het moment dat de telefoon in mijn slaapkamer luid begon te rinkelen. Het moest Marlboro Man zijn.

Ik nam op. 'Hallo?'

'Hoi,' zei hij. 'Wat ben je aan het doen?' Hij klonk uitgeput.

'O... niet veel,' antwoordde ik. 'En jij?'

'Tja...' begon hij, zijn stem donker en ernstig. 'Ik heb een probleem.'

Ik wist niet alles over Marlboro Man, maar ik wist voldoende om te weten dat er iets aan de hand was.

'Wat is er?' vroeg ik terwijl ik een foto van American football – gevonden in een oude *Seventeen* – op mijn collage plakte.

'Er is net een aantal veetrucks aangekomen,' zei hij terwijl hij het sympathieke geloei van de koeien probeerde te overstemmen. 'Ze zouden hier morgenavond arriveren, maar ze zijn vroeg...'

'Wat vervelend,' zei ik, niet zeker wetend wat hij bedoelde.

'Dus nu moet ik al dit vee vanavond bewerken en op transport zetten... en tegen de tijd dat ik daarmee klaar ben, kan ik niets meer aan de collage doen,' begon hij. Onze afspraak met priester Johnson was om tien uur de volgende ochtend. 'Ik denk dat ik morgenochtend heel vroeg naar jou toe kom en hem bij jou maak,' zei Marlboro Man. Zijn stem kwam nauwelijks boven het vee uit.

'Weet je dat zeker?' vroeg ik. 'Hoe laat denk je dat je hier bent?' Ik zette me schrap.

'Ik dacht om een uur of zes,' zei hij. 'Dan heb ik voldoende tijd om de collage te maken voordat we naar onze afspraak gaan.'

Zes uur? 's Ochtends? Bah, dacht ik. Ik kan nog maar een week uitslapen. Als we getrouwd zijn, weet ik niet hoe laat ik uit bed moet.

'Goed,' zei ik met een stem vol bezorgdheid. 'Dan zie ik je morgenochtend. O, en als ik de deur niet meteen opendoe ben ik waarschijnlijk met gewichten aan het trainen of zo.'

'Natuurlijk,' zei Marlboro Man toegeeflijk. 'Verrek geen spieren. We trouwen over minder dan een week.'

De vlinders fladderden in mijn maag terwijl ik ophing en verder ging met mijn collage. Ik besloot om er helemaal voor te gaan en te doen alsof ik terug was in groep acht, toen ik een soortgelijke 'wie ben ik'-collage had moeten maken voor mijn lerares, mevrouw Stinson. Ik was destijds meer dan een week bezig geweest met het uitknippen van plaatjes uit oude ballettijdschriften, het opplakken van foto's van Gelsey Kirkland, Mikhail Baryshnikov en een aantal andere balletgroten die ik in die tijd verafgoodde, en het versieren van de randen en de ruimtes tussen de foto's met plaatjes van spitzen, tutu's, tiara's, ballettassen en beenwarmers. Ballet was destijds mijn leven en dat was mijn hele schoolperiode zo gebleven. Het was het enige geweest waarin ik was geïnteresseerd, totdat er jongens in beeld kwamen, en zelfs zij moesten concurreren met ballet om mijn tijd, energie en aandacht.

Ik werkte tot 's avonds door en haalde herinneringen op aan mijn jeugd terwijl ik een collage over de man van mijn toekomst maakte. Ik voelde een bitterzoete nostalgie voor het meisje dat in groep acht de balletcollage had gemaakt. En ook voor het meisje dat ik in de eerste en de tweede klas van de middelbare school was geweest, toen mijn gedachten volledig in beslag werden genomen door de kleur kam die ik de volgende ochtend in de kontzak van mijn Lee-spijkerbroek zou stoppen, in de tijd dat mijn ouders nog bij elkaar waren en van elkaar hielden. Toen ik nog niet wist dat een gebroken gezin zoveel pijn kon doen.

Ik werkte en werkte, en voordat ik het wist was mijn collage af. Het meesterstuk, dat nog steeds vochtig was van de lijm, bevatte foto's van paarden – met dank aan de Marlboro-sigarettenadvertenties – en football. Er waren foto's van Ford pick-ups en groen gras en alles wat ik in de oude tijdschriften over het plattelandsleven had kunnen vinden. Ik had een foto van een ratelslang – Marlboro Man haatte slangen – en een foto van een donkere hemel vol sterren – Marlboro Man was als kind bang geweest voor het donker. Er waren foto's van blikjes Dr Pepper, een chocoladecake en John Wayne, die me een grote dienst had bewezen door in een advertentie in *Golf Digest* uit het begin van de jaren 1980 te verschijnen.

Mijn collage bevatte echter geen foto's die stonden voor de minder tastbare dingen – de echte dingen – die ik over Marlboro Man wist. Dat hij zijn broer Todd nog elke dag miste. Dat hij verlegen was in sociale situaties. Dat hij onbekende Bijbelverhalen kende: niet de typische Samson en Delilah en David en Goliath-verhalen, maar duistere, minder bekende verhalen die ik na een leven lang bladeren nog niet zou hebben gevonden. Dat hij toen hij zeven was tijdens het verstoppertje spelen in een lege vuilnisbak op de kermis was gekropen en dat de brandweer hem daaruit had moeten bevrijden. Dat hij spaghetti haatte omdat het zo lastig was om te eten. Dat hij lief was. Beschermend. Ernstig. Sterk. De collage was niet compleet, er ontbrak vitale informatie. Maar het moest voldoende zijn. Ik was moe.

Mijn telefoon ging om middernacht, op het moment dat ik de scharen en tijdschriften en lijm van mijn bed haalde. Het was Marlboro Man, die net thuis was nadat hij tweehonderdvijftig koeien had bewerkt. Hij wilde alleen welterusten zeggen. Daarom zou ik voor altijd van hem houden.

'Wat heb je vanavond gedaan?' vroeg hij. Zijn stem was rasperig. Hij klonk uitgeput.

'O, ik ben net klaar met mijn huiswerk,' antwoordde ik terwijl ik in mijn ogen wreef en naar de collage op mijn bed keek.

'Goed van je,' zei hij. 'Ik ga eerst een paar uur slapen voordat ik morgenochtend naar je toe kom om eraan te werken...' Zijn stem stierf weg. Arme Marlboro Man – ik had zoveel medelijden met hem. Hij had de koeien aan een kant, priester Johnson aan de andere kant, een bruiloft over minder dan een week en een vakantie van drie weken op een ander continent. Het laatste wat hij nodig had was bladeren door oude exemplaren van *Seventeen* op zoek naar foto's van lipgloss en zonnebrandcrème. Het laatste wat hij nodig had was die foto's vast te moeten lijmen.

Mijn hersenen sloegen op hol en mijn hart sprak. 'Hoor eens…' zei ik. Ik had plotseling een briljant idee. 'Ik heb een idee. Slaap morgenochtend uit, je bent zo moe…'

'Nee, dat komt wel goed,' zei hij. 'Ik moet aan de–'

'Ik doe de collage voor je,' viel ik hem in de rede. Het was de perfecte oplossing.

Marlboro Man grinnikte. 'Ha… absoluut niet. Ik doe mijn eigen huiswerk.'

'Nee, echt!' hield ik vol. 'Ik doe het. Ik heb alle spullen hier liggen en ik ben er helemaal voor in de stemming. Ik kan hem binnen een uur af hebben en dan kunnen we allebei tot minstens acht uur slapen.'

Alsof hij ooit tot acht uur had geslapen.

'Nee, het komt wel goed,' zei hij. 'Ik zie je morgenochtend…'

'Maar… maar…' probeerde ik opnieuw. 'Dan kan ík in elk geval tot acht uur slapen.'

'Welterusten.' Marlboro Mans stem stierf weg, waarschijnlijk viel hij met de hoorn tegen zijn oor in slaap.

Ik besloot zijn protest te negeren en besteedde het uur daarna aan zijn collage. Ik gooide mijn hele ziel en zaligheid erin, groef diep en gaf alles, terwijl ik me erover verbaasde hoe goed ik mezelf kende. Ik gaf mezelf af en toe een complimentje omdat ik Marlboro Mans huiswerk voor hem deed. Huiswerk dat verplicht was als we getrouwd wilden worden door priester Johnson. Als Marlboro Man zo moe was dat hij zich per ongeluk versliep, hoefde hij priester Johnsons studeerkamer niet met lege handen binnen te lopen.

Ik werd 's ochtends vroeg wakker doordat Marlboro Man op de voordeur klopte. Hij was door en door een rancher en had zich aan zijn belofte gehouden om er om zes uur te zijn. Ik had het kunnen weten. Hij had waarschijnlijk minder dan vijf uur geslapen.

Ik strompelde naar beneden terwijl ik vergeefs probeerde eruit te zien alsof ik langer dan zeven seconden wakker was. Toen ik de voordeur opendeed stond hij daar, in zijn Wrangler, onmogelijk aantrekkelijk voor iemand die zoveel slaap te kort kwam. De liefheid van zijn vriendelijke glimlach paste bij zijn aandoenlijk opgezwollen ogen, waardoor hij er ondanks het staalgrijze haar uitzag als een klein jongetje. Ik voelde vlinders in mijn buik en vroeg me af of dat gevoel ooit zou verdwijnen.

'Goedemorgen,' zei hij terwijl hij naar binnen liep en zijn gezicht tegen het mijne duwde. Duizenden kleine veertjes kietelden mijn huid.

Marlboro Man verkondigde dat hij klaar was om aan de collage te beginnen en ik glimlachte terwijl we naar boven liepen. Ik nam onmiddellijk een spurt naar de badkamer, waar ik mijn tanden driftig poetste. Twee keer. Ik droeg een pyjama. Mijn ogen waren gezwollen. Ik zag eruit alsof ik twee keer zo oud was. Toen ik eindelijk mijn slaapkamer in liep, stond Marlboro

Man naast mijn bed en bekeek de twee collages die hij in zijn handen hield.

'Jij hebt een ernstig probleem,' zei hij terwijl hij de collage die ik voor hem had gemaakt omhooghield.

'Een probleem?' Ik glimlachte. 'Met jou of met priester Johnson?'

'Allebei,' zei hij, waarna hij me vastpakte en op bed gooide. 'Het was niet de bedoeling dat je dat deed.' Ik lachte en probeerde me los te wringen. Hij kietelde mijn ribben. Ik gilde.

Drie seconden later, toen hij vond dat hij me voldoende had gestraft, gingen we met ons hoofd tegen de kussens van mijn bed zitten. 'Je hebt mijn huiswerk voor me gemaakt,' zei hij terwijl hij de collage weer oppakte en bekeek.

'Ik kon niet slapen,' zei ik. 'Ik had de creatieve activiteit nodig.' Marlboro Man keek naar me, onzeker of hij me moest kussen om me te bedanken of me gewoon nog wat moest kietelen.

Ik gaf hem geen kans. Ik pakte de collage en legde hem alles uit, zodat hij voorbereid was op onze afspraak.

'Hier is een pakje sigaretten,' zei ik. 'Omdat ik op de middelbare school heb gerookt.'

'Uh-huh,' zei hij. 'Dat wist ik.'

'En hier is een glas witte wijn,' ging ik verder. 'Omdat ik witte wijn heerlijk vind.'

'Ja, dat heb ik gemerkt,' antwoordde Marlboro Man. 'Maar denk je dat priester Johnson er geen probleem van maakt dat die dingen erop staan?'

'Nee, hij is van de Anglicaanse kerk,' zei ik.

'Ik snap het,' zei hij.

Ik ging verder met mijn collageoriëntatie, wees naar het staaltje van mijn favoriete kleur turkoois... de mopshond... de balletschoenen... de bonbons. Hij keek en luisterde aandachtig terwijl hij zich voorbereidde op de aanstaande ondervraging van priester Johnson. Langzamerhand deden het vroege tijdstip en de warmte van mijn slaapkamer hun werk, en voordat we het wisten waren we weggezakt in de onweerstaanbare zachtheid van mijn bed, onze armen en benen verstrengeld.

'Ik denk dat ik van je hou,' fluisterde zijn rasperige stem. Zijn lippen raakten mijn oor bijna en zijn armen sloten zich nog dichter rond mijn lichaam en slokten me bijna helemaal op.

We werden net op tijd wakker voor onze afspraak van tien uur. Ironisch genoeg vroeg priester Johnson nauwelijks naar de details van onze collages. In plaats daarvan liepen we bijna het hele uur in de kerk rond om ons voor te bereiden op de aanstaande repetitie. Hoeveel ik ook om priester Johnson gaf, ik was meer dan opgelucht dat dit onze laatste officiële afspraak was voordat hij eindelijk aan de slag ging en ons trouwde. We waren met vlag en wimpel geslaagd voor de test die priester Johnson ons had gegeven en voelden ons maar een klein beetje schuldig dat we met ons huiswerk hadden gesjoemeld.

Veel tijd voor schuldgevoelens hadden we trouwens niet; de bruiloft was over vijf dagen.

20

Geen gezicht

Ik had een ellenlange lijst met dingen die ik nog moest regelen: cadeautjes voor de bruidsmeisjes, de koffiemaaltijd, beslissingen op het gebied van de catering... en proberen de sfeer tussen mijn ouders vredig te houden. Het lukte hen niet meer te verbergen dat de spanning tussen hen een nieuw hoogtepunt had bereikt. Hun huwelijk bloedde en dat werd met de dag erger. Elke kinderlijke hoop die ik had gehad dat mijn trouwdag hun huwelijk op de een of andere manier zou transformeren en redden, waardoor alles werd teruggedraaid, was een onnozele hersenschim gebleken. Het vliegtuig verloor snelheid, het stortte neer. Ik hoopte alleen dat het de grond pas zou raken nadat ik over het middenpad was gelopen.

Marlboro Mans huwelijksvoorbereidingen waren net zo ingewikkeld. Niet alleen moest hij zich voorbereiden op onze drieweekse huwelijksreis door een lange lijst ranchtaken af te werken, maar hij moest onze huwelijksreis, die hij helemaal zelf had voorbereid, nog definitief regelen. Hij maakte ook regelmatig ritten naar het huis van mijn ouders om mijn tassen en dozen en bezittingen over te brengen naar het huis op de ranch dat we binnenkort als pasgetrouwd stel zouden delen. Het was een houten hut, iets kleiner dan negentig vierkante meter, die vlak achter het grote gele stenen huis lag, dat werd gerenoveerd. Omdat het huisje meer dan twintig jaar leeg had gestaan, hadden we het de afgelopen paar weken in onze vrije tijd van onder tot boven schoongemaakt, de plavuizen vloer vervangen en de kleine badkamer en keuken opgeknapt, zodat we er meteen na onze huwelijksreis konden gaan wonen. Het huis lag centraler op de ranch dan het huis waar Marlboro Man woonde toen we elkaar ontmoetten, en als we in het huisje woonden konden we de renovatie van het grote huis van dichtbij begeleiden. En als we uiteindelijk in het grote huis gingen wonen, hadden we een leuk, klein gastenhuis dat perfect was voor oma's of broers en zussen die op bezoek kwamen. Perfect voor de slaapfeestjes van de kinderen.

Het huisje van negentig vierkante meter en het grotere, half gerenoveerde huis van twee verdiepingen dat ernaast was gebouwd, zou onze woonstede zijn, samen met de roestige, afbladderende veeafscheidingen, de oude maar degelijk gebouwde schuur en de overwoekerde tuin vol dode takken. Het zou veel werk zijn om het terug te krijgen in de staat waarin het hoorde te zijn, maar het was van ons en we hielden ervan.

Omdat ik niet veel ervaring had met de landelijke levensstijl, beschouwde ik ons huisje als een klein plekje hemel op aarde – de plek waar Marlboro Man en ik onze dagen zouden doorbrengen in romantisch plattelandsgeluk. Waar ik elke ochtend de koeien zou melken in mijn strokenrok in prairiestijl, zoals degene die ik in 1983 bij The Limited Black had gekocht. Waar de vogels vrolijk zouden tjilpen en op mijn keukenvensterbank zouden landen terwijl ik de afwas deed. Waar de zon altijd in het oosten opkwam en in het westen onderging. Waar nooit, absoluut nooit iets teleurstellends of verdrietigs of angstaanjagends of tragisch zou gebeuren.

Ik had in elk geval gelijk over de zon.

Het was de week van ons huwelijk, de belangrijkste week van mijn leven, kilometers verheven boven de dag dat ik Miss Sympathie was geworden in de enige missverkiezing waaraan ik ooit had meegedaan. Dit was de week waarin alles zou veranderen. Het leven zoals ik dat kende – op de golfbaan, in een appartement, flat of loft in de stad – zou voorbij zijn. De feesten zouden voorbij zijn, en cappuccino, en boekwinkels. Maar door mijn blinde verliefdheid kon ik me daar onmogelijk druk om maken.

Ik was herboren sinds Marlboro Man mijn leven was binnengekomen. Zijn ongedwongenheid en ongegeneerde passie hadden me bevrijd van het keurslijf van cynisme, van het idee dat liefde iets was om aan te werken of je het hoofd over te breken. Hij was mijn leven binnengereden op een gevlekt grijs paard en had mijn hart gered van het cynisme. Hij had me geleerd dat je het zegt als je van iemand houdt en dat als het aankomt op zaken die het hart raken, spelletjes spelen iets voor puisterige zestienjarigen is.

Tot dat moment was ik een kind geweest dat zich voordeed als een gedesillusioneerde volwassene, die de liefde beschouwde als tikkertje spelen in het zwembad van de country club: als ze achter me aan zwommen, zwom ik weg. Er waren altijd beschuldigingen van stiekem kijken en vals spelen, en je eindigde altijd verbrand en gerimpeld. En niemand won ooit.

Marlboro Man had me uit het zwembad getrokken, had een handdoek over mijn schouders vol blaren gelegd en had me naar een wereld gedragen waar liefde niets te maken had met competitie of sport of strategie. Hij vertelde me dat hij van me hield als hij daar zin in had, als hij eraan dacht. Hij zag nooit een reden om dat niet te doen.

Het was dus de week van mijn huwelijk en mijn moeder, die blij was met elke gelegenheid om de disharmonie en stress van haar eigen huwelijk te ontlopen, hielp me de laatste dingen voor het feest in de country club te regelen. Betsy was thuis en zij en mijn moeder knipten rechthoeken van rode en blauwe zakdoekenstof, vulden die met vogelzaad en maakten er bundeltjes van met behulp van bindgaren. Ze haalden prachtig verpakte cadeaus bij de plaatselijke cadeauwinkel op en hielpen me ze een voor een te openen. Ze hielpen me met het regelen van de cadeautjes voor mijn drie bruidsmeisjes, van wie een natuurlijk mijn zus was, en ze hielden Mike bezig, die door alle activiteit in huis aardig op weg was om manisch te worden. Ze zorgden dat er hotelkamers waren gereserveerd voor de gasten die buiten de stad woonden en ze deden mijn was.

Intussen besloot ik om een gezichtsbehandeling te nemen. Ik wilde een beetje vertroeteld worden. Ik moest in een donkere kamer liggen, zonder deurbel of telefoon of bloemen, zonder rode en blauwe zakdoekrechthoeken en bindgaren. Ook toen al, toen ik halverwege de twintig was, wist ik wanneer het me te veel ging worden. Ik wist wanneer ik moest ontspannen. Een schoonheidssalon was altijd de oplossing geweest.

Ik maakte een afspraak voor een behandeling van een uur, eerder om de lengte van de behandeling dan de behandeling zelf, en vond elke seconde ervan heerlijk. Het aroma van essentiële oliën vulde de ruimte en zachte Afrikaanse, spirituele muziek speelde boven mijn hoofd. Tien minuten voor het einde van de behandeling pakte Cindy, de schoonheidsspecialiste, een fles met een speciale vloeistof. 'Dit,' zei ze zachtjes terwijl ze de dop van de fles openmaakte en een grote wattenbol pakte: 'Dit… is magie.'

'Wat is het?' vroeg ik. Het antwoord kon me niet echt schelen, zolang ik maar wat langer in die stoel kon blijven liggen. De Afrikaanse muziek was geweldig.

'Het geeft je huid een gezonde glans,' antwoordde ze. 'De mensen zullen niet weten wat je hebt gedaan, maar ze zullen zich afvragen waarom je er zo fantastisch uitziet. Het is perféct voor je trouwdag.'

'O,' zei ik. 'Dat klinkt fantastisch.' Ik liet me dieper in de comfortabele gestoffeerde vinyl stoel zakken.

De wattenbol bewoog zachtjes over mijn gezicht en liet een heerlijk koel gevoel achter. Cindy veegde over mijn voorhoofd, langs mijn neus naar beneden en over mijn wangen naar mijn kin. Het ontspande me en ik doezelde weg. Heel langzaam begon ik in slaap te vallen. Ik overwoog om nog een uur te boeken.

Maar plotseling begon het te branden.

'Cindy, dit voelt niet goed,' zei ik terwijl ik mijn ogen opendeed.

'Mooi.' Cindy klonk zorgeloos. 'Begin je het te voelen?'

Seconden later had ik hevige pijn. 'Ik voel het heel erg,' antwoordde ik terwijl ik de armleuningen van de stoel vastgreep tot mijn knokkels wit werden.

'Tja, dat kan elk moment stoppen...' hield ze vol. 'Het doet gewoon zijn magische werk...'

Mijn gezicht brandde weg. 'Au! Echt, Cindy! Haal dat spul van mijn gezicht! Ik word gek van de pijn!'

'O, hemel...' antwoordde Cindy terwijl ze een natte washand pakte en de nucleaire oplossing snel van mijn huid begon te vegen. Eindelijk verminderde het brandende gevoel.

'Hemel,' zei ik in een poging aardig te blijven. 'Ik denk niet dat ik dat ooit nog een keer wil proberen.' Ik slikte hard in een poging de pijnreceptoren te laten stoppen met vuren.

'Hmm,' zei Cindy verbaasd. 'Het spijt me dat het een beetje prikte, maar je zult het morgenochtend als je wakker wordt prachtig vinden. Je huid zal er heel fris en dauwachtig uitzien.'

Dat is je geraden, dacht ik terwijl ik Cindy betaalde voor de marteling en de kleine salon verliet. Mijn gezicht prikte, en niet op een goede manier. Terwijl ik naar mijn auto liep, gingen de sluisdeuren met trouwdagzorgen weer open:

Stel dat de rits van mijn jurk stuk is?
Stel dat de band niet komt opdagen?
Stel dat de garnalen verdacht smaken?
Ik weet niet hoe ik de two-step moet dansen.
Hoe lang duurt de vlucht naar Australië?
Zijn er tarantula's in dat land?
Stel dat ik een schorpioen in bed vind?

De gezichtsbehandeling had weinig gedaan om me te ontspannen.

Die avond hadden Marlboro Man en ik een afspraak. Het was de donderdagavond voor onze trouwdag en het repetitiediner was de avond erna. Het zou onze laatste avond samen zijn voordat we 'ja' tegen elkaar zouden zeggen. Ik kon niet wachten om hem te zien, omdat ik hem achtenveertig martelend lange uren niet had gezien. Ik miste hem verschrikkelijk.

Toen hij voor de deur stond, deed ik open en glimlachte naar hem. Hij zag er prachtig uit. Massief. Onweerstaanbaar.

Grinnikend liep hij naar me toe en kuste me. 'Je ziet er mooi uit,' zei hij zachtjes terwijl hij een stap naar achteren deed. 'Je hebt vandaag in de zon gezeten.'

Ik slikte toen ik terugdacht aan de pijn van mijn gezichtsbehandeling en maakte me er zorgen over hoe mijn huid er de volgende dag uit zou zien. Ik had gewoon thuis moeten blijven om in te pakken.

Marlboro Man en ik gingen naar de bioscoop. We verlangden

naar een rustig moment in het donker. We konden het nergens anders vinden. In het huis van mijn ouders was het een drukte van belang met mensen en voorbereidingen en cadeaus en op de ranch van Marlboro Man logeerden neven en nichten van hem. Een donkere bioscoop was ons enige toevluchtsoord en we maakten volledig gebruik van het feit dat er maar twee stelletjes in de zaal zaten. We gingen terug naar onze tienerjaren en vrijden onbeschaamd naarmate de film vorderde. Ik legde mijn been over het zijne en liet mijn hand op zijn gebruinde biceps rusten. Marlboro Mans arm lag rond mijn middel terwijl de temperatuur tussen ons opliep. Twee dagen voor onze trouwdag zaten we te vrijen in een donkere bioscoopzaal. Het was een van de meest romantische momenten van mijn leven.

Tot de bakkebaarden van Marlboro Man over mijn gevoelige gezicht schuurden en ik ineenkromp van de pijn.

Toen we bij mijn huis waren liep Marlboro Man met me mee naar de deur, zijn arm stevig rond mijn middel. 'Zorg ervoor dat je wat slaap krijgt,' zei hij.

Mijn hart sprong op. 'Ik weet het,' zei ik terwijl ik stilstond en hem dicht tegen me aan trok. 'Ik kan niet geloven dat het bijna zover is.'

'Ik ben blij dat je niet naar Chicago bent verhuisd,' fluisterde hij, waarna hij zacht grinnikte, het geluid dat deze situatie had veroorzaakt. Ik herinnerde me dat ik de avond dat Marlboro Man me had gevraagd om niet te gaan op precies dezelfde plek had gestaan, in dezelfde positie. Hij had me gevraagd om onze relatie een kans te geven en ik kon nog steeds niet geloven dat we zo ver waren gekomen.

Ik ging meteen naar mijn slaapkamer nadat Marlboro Man en ik elkaar welterusten hadden gezegd. Ik moest verder inpakken en ik moest mijn gezicht verzorgen, dat me met de minuut meer irritatie bezorgde. Ik keek in de badkamerspiegel. Mijn gezicht was vuurrood. Geïrriteerd. Ontstoken. O, nee. Wat had die beul van een Cindy met me gedaan? Wat moest ik doen? Ik waste mijn gezicht met koel water en een zachte reiniger en keek opnieuw in de spiegel. Het was nu erger. Ik zag een monsterlijk kreeftengezicht, dat heel mooi zou kleuren bij het kersenrode mantelpakje dat ik de volgende avond naar het repetitiediner wilde dragen.

Maar mijn witte jurk zaterdag? Dat was een ander verhaal.

Ik viel als een blok in slaap en werd de volgende ochtend vroeg wakker. Vier heerlijke seconden dacht ik niet aan het gezichtstrauma van de vorige dag. Daarna vlogen mijn handen naar mijn gezicht: de huid voelde strak en ruw. Ik sprong uit bed, rende naar de badkamer, deed het licht aan en keek in de spiegel om mijn gezicht te inspecteren.

Ik zag meteen dat de roodheid minder was. Dat was een goede ontwikkeling en bemoedigend, maar toen ik beter keek zag ik het eerste stadium van vervelling rond mijn kin en neus. Mijn maag trok samen; het was de dag van de repetitie. Het was de dag waarop ik niet alleen mijn vrienden en familie zou zien, die ongeacht de monsterlijke conditie van mijn huid van me hielden, maar ook heel veel mensen die ik nog nooit had ontmoet, zoals buren, neven en nichten en schoolvrienden van Marlboro Man. Ik was niet enthousiast over het idee dat hun eerste indruk van mij iets zou zijn dat schilfers inhield. Ik wilde fris zijn. Dauwig. Prachtig. Niet ruw en droog en geïrriteerd. Niet nu. Niet dit weekend.

Ik bekeek de schade in de spiegel en concludeerde dat de plutonium die Cindy de beul de vorige dag op mijn gezicht had gesmeerd een soort peeling was geweest. Het branden kwam eerst, waarna de huid ging vervellen. Dit kon erg zijn. Dit kon heel, heel erg zijn. Maar stel dat ik het proces kon versnellen? Als ik het verlangen van mijn huid om te vervellen kon bespoedigen, zou ik de volgende achtenveertig uur misschien doorkomen.

Het enige wat ik wilde was achtenveertig uur. Ik vond dat niet te veel gevraagd.

Ik pakte mijn favoriete scrubcrème, die ik tijdens mijn studie ook altijd had gebruikt. Hij schuurde niet zo als de abrikozenscrubcrème van drogisterijhuismerken maar was korrelig genoeg om te werken. Het moest het magische middel zijn. Het moest lukken. Eerst waste ik mijn onfortuinlijke gezicht met een milde reinigingslotion, daarna kneep ik een kleine hoeveelheid scrubcrème op mijn vingers en begon het vervelproces een handje te helpen.

Ik hield mijn adem in. Het deed verschrikkelijk veel pijn.

Ik scrubde en scrubde terwijl ik me afvroeg waarom er gezichtsbehandelingen bestonden als ze zo'n marteling veroorzaakten. Ik ben een aardig mens, dacht ik. Ik ga naar de kerk. Waarom komt mijn huid in opstand? De week voordat een meisje ging trouwen moest een fijne tijd zijn. Ik zou door het huis van mijn ouders moeten huppelen met een plumeau die glitter verspreidde om mijn huwelijkscadeaus die overal in huis stonden te laten fonkelen. Ik zou meloenballetjes moeten eten en in de keuken moeten lachen met mijn moeder en zusje omdat het bijna zover was. *Vind je die Waterford-vaas niet prachtig? O, de taart wordt zó mooi.*

In plaats daarvan stond ik in mijn badkamer, waar ik mijn gezicht onder schot hield en het op commando dwong om te vervellen.

Ik droogde mijn gezicht af en keek in de spiegel. Het resultaat was bemoedigend. De droogte leek iets minder en mijn huid was roze van het scrubben, maar in elk geval vielen er geen schilfers dode opperhuid als tragische confetti van mijn gezicht. Om droogte te voorkomen smeerde ik een dikke laag vochtinbrengende crème op mijn gezicht. Het prikte – het effect van de isopropylalcohol in de crème – maar na de martelgang van de vorige dag kon ik het verdragen. De zenuwuiteinden op mijn gezicht hadden me een heel nieuw pijnniveau leren verdragen, mijn pijngrens was verhoogd.

De volgende dag begon ik me om drie uur 's middags aan te kleden voor het repetitiediner. Het mooie kersenrode mantelpakje had zwarte stiksels en ik had de rok naar een coupeuse gebracht omdat ik hem wilde laten inkorten tot halverwege mijn dijbenen, een ongelukkige gewoonte die ik had opgepikt doordat ik aan het eind van de jaren tachtig te vaak naar *Knots Landing* had gekeken. Ik was vrij slank en niet bijzonder vol van boven, en mijn billen waren heel gewoon. Als ik een deel van mijn lichaam wilde accentueren, waren dat mijn benen.

Toen ik bij de repetitie in de kerk arriveerde gaf mijn oma me een kus, keek naar beneden en zei: 'Ben je de helft van je mantelpakje vergeten?'

De coupeuse was een beetje fanatiek geweest.

Vrienden en familie begonnen bij de kerk te arriveren: Becky en Connell, mijn twee hartsvriendinnen en tevens mijn bruidsmeisjes; Marlboro Mans neven en nichten en schoolvrienden; en Mike, mijn lieve broer Mike die iedereen die de kerk in kwam omhelsde, van de oude dametjes tot de gespierde voormalige footballspelers van de hogeschool. Op het moment dat ik mijn oom John begroette zag ik Mike in de richting van Tony stormen, Marlboro Mans beste schoolkameraad.

'H-h-h-hoe heet je?' echode Mikes stem door de kerk.

'Hoi, ik ben Tony,' zei Marlboro Mans vriend terwijl hij zijn hand uitstak.

'L-l-leuk je te ontmoeten, Tony', riep Mike, die Tony's hand stevig vastgreep.

'Leuk om je te ontmoeten, Mike,' zei Tony, die zich waarschijnlijk afvroeg wanneer hij zijn hand terug zou krijgen.

'Je bent heel knap,' zei Mike.

O, god. Alsjeblieft niet, dacht ik.

'Eh... dank je wel, Mike,' antwoordde Tony met een ongemakkelijke glimlach. Als het mijn repetitie niet was geweest, had ik misschien wat popcorn gemaakt en was ik achterovergeleund om van de show te genieten. Maar ik kon gewoon niet kijken. Mikes aanhankelijkheid was niet altijd even gemakkelijk voor andere mensen.

De repetitie zelf verliep rustig, tot priester Johnson besloot dat het tijd was om Marlboro Man en mij te laten zien hoe we op de juiste manier naar het trouwaltaar moesten lopen. Blijkbaar kwamen al priester Johnsons theologische studies en werk samen in het feit of Marlboro Man en ik het altaar op de perfecte en correcte manier naderden, omdat hij vastbesloten was om dit erin te hameren.

'Op dit punt,' instrueerde priester Johnson, 'begin je te draaien en geeft Ree je een arm.' Hij duwde Marlboro Man zachtjes in de juiste richting en we begonnen naar voren te lopen.

'Nee, nee, nee,' zei priester Johnson. 'Kom terug, kom terug.'

De schoolvrienden van Marlboro Man gniffelden.

'O... wat hebben we verkeerd gedaan?' vroeg ik priester Johnson nederig. Misschien had hij de waarheid over onze collages ontdekt.

Hij liet het ons opnieuw zien. Marlboro Man moest draaien, lopen en dan even op mij wachten. En als ik hem een arm gaf, moest hij me naar het altaar leiden.

Wacht. Dat deden we net toch?

We probeerden het opnieuw en priester Johnson corrigeerde ons. 'Nee, nee, nee,' zei hij terwijl hij aan onze armen trok tot we terug waren bij onze uitgangspositie. De vrienden van Marlboro Man grinnikten en mijn maag knorde, maar Marlboro Man bleef kalm en beheerst, hoewel hij voortdurend werd gecorrigeerd door de priester van zijn verloofde met betrekking tot iets wat helemaal niet relevant was voor de verbintenis die we de volgende dag zouden aangaan.

We deden het nog zeven keer en na elke herhaling werd het me duidelijker dat dit priester Johnsons laatste test voor ons was.

Vergeet de collageopdracht, dat was niets. De echte beslissing of Marlboro Man en ik volwassen genoeg waren om te trouwen was afhankelijk van deze test: konden we kalm naar de instructies blijven luisteren terwijl er een lekker diner met biefstuk en drankjes in de country club op ons wachtte? En hoewel ik wist dat Marlboro Man op zijn tanden zou bijten en het bleef verdragen, wist ik niet of ik dat ook kon.

Maar dat hoefde ik niet te doen. Aan het begin van de achtste keer, net nadat priester Johnson opnieuw begon met 'Nee. Jullie doen het niet goed, jongens...' echode Mikes luide stem door de met hout en marmer gedecoreerde kerk.

'Schiet eens op, priester Johnson!'

Het gegniffel veranderde in lachen en ik zag vanuit mijn ooghoeken dat Tony Mike een high five gaf.

Godzijdank dat Mike er was. Hij had honger en wilde naar het feest.

We konden eindelijk naar de country club voor het elegante repetitiediner dat ons werd aangeboden door de ouders van Marlboro Man. Het was een grote bijeenkomst met al onze goede vrienden en dierbare familieleden. Tijdens het diner werd er veel gelachen, er klonk getinkel van glazen en mijn broer Doug noemde mijn toekomstige schoonmoeder meerdere keren 'Ann'.

Mijn schoonmoeder heet geen Ann.

Nadat het diner achter de rug was, was het tijd voor de officiële speeches: mijn jeugdvriendin Becky haalde grapjes aan die alleen wij tweeën begrepen; een oom van Marlboro Man, die een grappig gedicht voor de gelegenheid had geschreven, legde de hele groep het zwijgen op met zijn indrukwekkende stem; mijn zusjes lieve, emotionele herinneringen ontlokten een 'aahhhhh' aan alle aanwezigen; mijn vader schoot vol en kon niet verder praten, waarna alle vrouwen begonnen te huilen door deze uiting van vaderlijke emotie.

Ik kreeg een brok in mijn keel. Ik wist dat zijn tranen een veel diepere betekenis hadden dan alleen een vader die zijn dochter het allerbeste wenst. De drukte van de afgelopen week had de situatie tussen mijn ouders naar de achtergrond geduwd. Het was een afschuwelijke grap dat het huwelijk van mijn ouders aan een zijden draadje hing op het moment dat ik met mijn grote liefde aan een nieuw leven begon. Als ik mezelf toestond er lang over na te denken, zou ik instorten.

Ik haastte me naar mijn vader toe en omhelsde hem vrolijk en bemoedigend. Op dat moment liep Tom, een van Marlboro Mans beste vrienden, naar de microfoon.

Tom had een vol glas wijn bij zich, dat duidelijk niet het eerste van die avond was. Hij lalde en wankelde toen hij begon te praten en zijn ogen waren nog niet halfdicht, maar dat zou niet lang meer duren.

'Ik ben van mening,' begon Tom, 'dat dit is waar het in de liefde allemaal om draait.'

'En... en... en ik ben van mening,' ging hij verder, 'ik ben van mening dat het hier allemaal... het is allemaal liefde hier.'

Lieve hemel. Nee.

'En het enige wat ik kan zeggen is dat ik van mening ben,' ging hij verder, 'dat het fantastisch is om te weten dat echte liefde juist nu in deze tijd mogelijk is.

Ik ken deze man al heel, heel lang,' zei hij terwijl hij naar Marlboro Man wees, die beleefd naar hem zat te luisteren. 'En ik ben van mening, dat het enige wat ik kan zeggen is dat het een heel lange... lange tijd is.'

Tom was bloedserieus. Het was geen grappig bedoelde toost. Dit was 'zijn mening'. Hij maakte dat telkens weer duidelijk.

'Ik wil eindigen met te zeggen... dat ik van mening ben... dat liefde... dat liefde... alles is,' ging hij verder.

De aanwezigen begonnen te gniffelen. Aan de grote tafel waar Marlboro Man en ik met onze vrienden zaten, begonnen er mensen te lachen.

Iedereen behalve Marlboro Man. In plaats van te gniffelen en te lachen om zijn vriend – die hij vanaf zijn jeugd kende en die een paar zware jaren achter de rug had – gebaarde hij naar iedereen aan onze tafel dat ze stil moesten zijn, gevolgd door een gefluisterd: 'Niet om hem lachen.'

Daarna deed Marlboro Man iets wat ik had kunnen weten. Hij stond op, liep naar zijn vriend toe, die zich razendsnel op gênant terrein begaf, gaf hem een vriendschappelijke hand en klopte hem op zijn rug. De dinergasten klapten in plaats van in het bulderende gelach uit te barsten dat eerder had gedreigd.

Ik keek naar de man met wie ik ging trouwen, die altijd zachtheid en compassie had voor mensen die gepest of belachelijk gemaakt werden. Hij had nog nooit een greintje ongemak gevoeld in aanwezigheid van mijn gehandicapte broer Mike, terwijl Mike heel wat keren op zijn schoot had gezeten of had gesmeekt of hij hem naar het winkelcentrum wilde brengen. Zo lang ik hem kende had hij nooit iemand bespot of belachelijk gemaakt. En hoewel zijn goede vriend Tom niet bepaald ontwikkelingsgestoord was, was hij er net gevaarlijk dicht bij geweest om door een zaal vol mensen tijdens een repetitiediner te worden uitgeroepen tot dorpsgek. Marlboro Man had zich er echter mee bemoeid en had ervoor gezorgd dat dat niet gebeurde. Mijn hart zwol op van emotie.

Later, toen er al mensen weg waren en Betsy en ik naar de damestoiletten renden om onze make-up te inspecteren, maakte ze een opmerking over Marlboro Mans ridderlijkheid en zuchtte over zijn vriendelijkheid.

Plotseling kwam ze dichter bij me staan, haar aandacht op mijn kin gericht.

'O... mijn... god...' zei ze met haar hand voor haar mond. 'Wat is er met je gezicht aan de hand?'

Mijn maag verkrampte. Ik vond een flesje Jergens-lotion naast de wasbakken en begon het in mijn huid te wrijven, vastbesloten om mijn vervellende huid tot overgave te dwingen.

De meeste gasten waren na het diner al naar huis gegaan; de overblijvende groep – een gevarieerde melange van belangrijke figuren in onze levens – was vertrokken naar het hotel waar alle gasten van buiten de stad sliepen. Marlboro Man en ik waren er nog niet aan toe om welterusten tegen elkaar te zeggen en zaten bij hen in de kleine hotelbar, die gelukkig voor mij schemerig was verlicht. We zaten rond een stel kleine tafels te praten en te lachen, brachten toosten op elkaar uit en lalden verschillende late-avond-versies van 'ik ben zo blij dat ik je ken' en 'ik ben gek op je, kerel'. Te midden van alle bruiloftsgekte was in een kelderbar zitten met ooms, schoolvrienden en -vriendinnen, broers en zussen een ontspannend, kalmerend elixer. Ik wilde het gevoel bottelen en voor altijd bewaren.

Het was echter al laat en ik zag dat Marlboro Man naar de klok in de bar keek.

'Ik denk dat ik terugga naar de ranch,' fluisterde hij terwijl zijn broer een grap aan de groep vertelde. Marlboro Man had een lange rit voor de boeg en daarna een leven lang met mij. Ik kon het hem niet kwalijk nemen dat hij goed wilde slapen.

'Ik ben ook moe,' zei ik terwijl ik mijn tas onder de tafel vandaan pakte. De lange dag begon zijn tol te eisen.

We stonden op en namen afscheid van alle mensen die zo veel van ons hielden. Mannen stonden op, sommigen wankel, en gaven Marlboro Man een hand. Vrouwen bliezen kushandjes en riepen 'we houden van jullie, jongens' naar ons terwijl we de zaal uit liepen en gedag zwaaiden. Niemand ging met ons mee. Zo veel hielden ze niet van ons.

We liepen naar onze auto's op het parkeerterrein van het hotel, die onder een groepje bomen symbolisch naast elkaar stonden. De slaap had me definitief overvallen; mijn hoofd viel op Marlboro Mans schouder terwijl we liepen. Zijn brede arm lag geruststellend rond mijn middel. Op het moment dat we bij mijn zilveren Camry stonden, begon de temperatuur tussen ons op te lopen.

'Ik kan niet wachten tot morgen,' zei hij terwijl hij me tegen het portier van mijn auto duwde, zijn lippen in mijn hals. Alle zenuwen in mijn lichaam vuurden tegelijkertijd terwijl zijn sterke handen op mijn onderrug lagen. Ik trok hem steeds dichter tegen me aan.

We kusten en kusten nog wat meer, flirtten gevaarlijk en gingen daarna nog een stap verder. Ongecontroleerde prairiebranden ontvlamden in onze lichamen; zelfs mijn knieën gloeiden. Ik kon niet geloven dat deze man, deze adonis die me zo hartstochtelijk in zijn armen hield, echt van mij was. Dat ik hem over een kleine vierentwintig uur helemaal voor mezelf zou hebben. Het is te mooi om waar te zijn, dacht ik terwijl ik mijn rechterbeen rond zijn linkerbeen sloeg en in zijn keiharde biceps kneep. Het was net of ik was opgesloten in een chocoladewinkel waar ook heerlijke chardonnay en patat werden verkocht, waar de hele dag *Gone With The Wind* en Joan Crawford-films werden gedraaid en ze tegen me hadden gezegd dat ik me mocht uitleven. Hij was voor de rest van mijn leven mijn eigen privéspeelplaats. Ik voelde me bijna schuldig, alsof ik iets van de wereld afpakte.

Het was zo donker dat ik vergat waar ik was. Ik had geen gevoel meer voor geografie of tijd of ruimte, zelfs niet toen hij zijn handen rond mijn gezicht legde, zijn voorhoofd tegen het mijne duwde en zijn ogen dichtdeed, alsof hij van dit emotionele moment wilde genieten.

'Ik hou van je,' fluisterde hij op het moment dat ik ter plekke stierf. Het was niet handig om de avond voor mijn bruiloft dood te gaan. Ik wist niet hoe mijn moeder dat aan de bloemist moest uitleggen.

Ik had die avond een half glas wijn gedronken, maar voelde me volkomen dronken. Toen ik eindelijk thuiskwam, had ik er geen idee van hoe ik daar was gekomen. Ik was in een roes, dronken van een cowboy. Een cowboy die over minder dan vierentwintig uur mijn echtgenoot zou zijn.

21

Ze droeg een leliewitte jurk van Vera Wang

Ik deed mijn ogen open. Het was ochtend. Ik hoorde het gezoem van een langsrijdende elektrische golfkar op de zevende fairway en van beneden kwam de geur van koffie. Gevalia-koffie, de postorderbonen waarvan mijn moeder koffie zette sinds ze voor het eerst over het merk had gehoord, op het strand in Hilton Head tijdens een zomer in het begin van de jaren tachtig. 'Ge-vá-lia,' riep mijn moeder altijd zangerig als haar maandelijkse bestelling binnenkwam. 'Ik hou zo van mijn Ge-vá-li-a.'

Ik hield ook van haar Gevalia.

Mikes dreunende stem klonk beneden. Hij zat zoals gewoonlijk aan de telefoon.

'M-m-m-mijn zus trouwt vandaag,' hoorde ik hem tegen

iemand aan de andere kant van de lijn zeggen. 'En ik g-g-g-ga zingen op het f-f-f-feest.'

Er volgde een lange pauze. Ik zette mezelf schrap.

'O, w-w-w-waarschijnlijk "Elvira",' zei Mike.

Heel fijn, dacht ik terwijl ik uit bed stapte. Mike zingt 'Elvira' op mijn feest. Alsof mijn vervellende huid niet erg genoeg was, had ik er nu nog een schrikbeeld bij dat me de rest van mijn trouwdag zou terroriseren. Ik poetste mijn tanden, hield mijn pyjama aan en strompelde naar beneden. Ik had Gevalia nodig om de uitdagingen die voor me lagen onder ogen te zien.

'Oooooh, *pretty woman*,' zong Mike toen ik de keuken in liep.

Mike had duidelijk helemaal geen smaak. Nu al mijn mooie nachthemden en pyjama's waren ingepakt voor de huwelijksreis, was ik veroordeeld tot mijn oude, vertrouwde, grijze, satijnen pyjama van Victoria's Secret die ik rond 1986 had gekocht, in de tijd dat model Jill Goodacre oppermachtig was geweest. Hij was zacht en versleten en verbleekt en enorm behaaglijk en comfortabel. Maar hij was absoluut niet mooi, wat mijn broer Mike ook zei.

'Goedemorgen, Mike,' mompelde ik terwijl ik rechtstreeks naar de koffiepot liep.

'Ooooooh,' riep hij plagerig. 'Iemand gaat vanavond tróúwen. Ooooooooh...'

'Yep,' zei ik terwijl ik mijn eerste heerlijke slok koffie nam. 'Het is nauwelijks te geloven, vind je niet?'

Mike sloeg zijn hand voor zijn mond, giechelde en vroeg: 'En... gaan jullie ook... zoenen?'

'Dat hoop ik wel,' zei ik. Daardoor moest Mike nog harder lachen.

'Oooooooh!' gilde hij. 'Krijgen jullie een baby?'

Hemel.

Ik nam nog een slok Gevalia voordat ik antwoord gaf. 'Vandaag niet.' Mike begon weer te lachen. Hij was duidelijk op dreef.

'Wat is er vanochtend zo grappig, Mike?' vroeg ik.

'Je b-b-b-buik wordt zó dik,' antwoordde hij. Mike naderde een manische periode, het resultaat van een paar lange, drukke dagen waarin zijn ritme was verstoord. Al snel zou de onvermijdelijke instorting volgen. Ik hoopte alleen dat ik dan in het vliegtuig naar Australië zou zitten. Het zou niet prettig zijn.

'Ach, wat jij wilt, Mike,' antwoordde ik terwijl ik deed alsof ik verontwaardigd was.

Daarna stond mijn speciale, fantastische broer op en liep naar de koffiepot, waar ik stond. Hij was bijna twintig centimeter kleiner dan ik, sloeg zijn korte armen om me heen en klampte zich aan me vast in een stevige omhelzing. Met zijn kalende hoofd op mijn borstkas klopte hij me liefhebbend op mijn rug.

'Je bent heel mooi,' zei hij.

Ik sloeg mijn armen rond zijn schouders en liet mijn kin op zijn glanzende hoofd rusten. Ik probeerde antwoord te geven, maar had plotseling een brok in mijn keel. Ik beet op mijn lip en voelde mijn neus prikken.

'Je bent mijn mooie, mooie zus,' herhaalde Mike, die niet van plan was me snel los te laten.

Het was net wat ik nodig had op die zaterdagochtend: een

ellenlange omhelzing van mijn broer Mike. 'Ik hou van je, Mikey,' perste ik eruit, en langzaam rolde er een bitterzoete traan over mijn wang.

Ik nam een lang, verfrissend bubbelbad, scrubde mijn nog steeds vervellende huid verwoed, kreeg telefoontjes van vriendinnen en voelde me een beetje misselijk. De lunch met de bruidsmeisjes was om twaalf uur: aspergesandwiches, kletsen over de huwelijksreis, lachen, plannen maken, opwinding. En veel gepraat over het platteland en hoe het me in vredesnaam moest lukken om daar te wonen.

Ik voelde me nog steeds misselijk.

Toen ik na de lunch thuiskwam, probeerde ik vergeefs een dutje te doen. Het had totaal geen nut; de adrenaline stroomde door mijn lichaam. Ik controleerde mijn koffer voor de huwelijksreis nog een laatste keer – alles was er, net als de afgelopen tien keer dat ik hem had gecontroleerd – ging op mijn bed liggen en staarde naar het behang terwijl ik me realiseerde dat het waarschijnlijk de laatste keer was dat ik dat deed.

Voordat ik het wist, was het vier uur, tijd om te douchen.

Ik voelde me inmiddels heel misselijk.

Ik vertrok om half zes naar de kerk, in mijn spijkerbroek, op slippers en met steenrode lippenstift op. Mijn moeder, die kalm en koel als een bergmeer was, droeg mijn witte, eenvoudige, romantische jurk, met een lijfje in korsetstijl en ragdunne mouwen. Ik sjouwde met mijn schoenen, oorbellen, make-up en scrubcrème, voor het geval mijn gezicht besloot op het laatste moment te gaan vervellen. Ik was niet van plan om me gewonnen te geven en het vervellen zonder slag of stoot te laten winnen. Niet op mijn trouwdag.

Ik liep de trap van de kerk op: de prachtige grijze kerk met de mooie rode deuren en de troostende geur van zondagsschool en koffie en wierook en wijn. Ik was hier gedoopt, had mijn communie hier gedaan en de geloofsbelijdenis van Nicea geleerd. Ik kende de bijna bovenaardse schoonheid van de heldere ochtendzon die door de glas-in-loodramen naar binnen scheen. De kerk had me begeleid tijdens een ondeugende jeugd en een met angsten gevulde puberteit, en was de plek van veel tienerverliefdheden geweest: op Donnie, de veel oudere schoolvriend van mijn broer, die dreigend en gevaarlijk was en waarschijnlijk niet eens wist hoe ik heette; op Stevo, die twee jaar ouder was, mijn gedachten in de brugklas in beslag had genomen en mijn hart had gebroken toen hij verliefd werd op mijn goede vriendin Carrie; en later op Bruce, de weduwnaar en vader van twee kleine kinderen, die ik een tijdlang dacht te kunnen redden, maar die mij beschouwde als een onnozel schoolmeisje dat niets wist over het echte leven, of verlies, of verdriet.

Hij had gelijk gehad.

Alle belangrijke mijlpalen en theologieën en jongens die me spiritueel hadden gevormd, schoten door mijn hoofd terwijl ik de trap van de kerk op liep. En nu zou ik het belangrijkste moment meemaken: mijn huwelijk met de enige man op aarde met wie ik mijn leven wilde delen. Het was tot op heden absoluut mijn favoriete gebeurtenis.

Eric, mijn Duitse kapper, wachtte op me in de kleedkamer.

Hij had mijn roodbruine haar geknipt sinds ik zes was en had het gefatsoeneerd nadat ik zelf een heel erg mislukte pony had geknipt, na zomers met grote hoeveelheden zonnebrandcrème en rampzalige thuispermanenten. Hij was er nooit voor teruggedeinsd om hooghartig commentaar te geven op mijn folliculaire bokkensprongen en had me in de loop der jaren veel Duitse levenslessen meegegeven over elk onderwerp, van puisterige middelbare-schooljongens tot actuele onderwerpen en politiek. En met zijn superieure kennis over theater en kunst en opera had hij me meer dan eens het gevoel gegeven dat ik dom en onbeschaafd was.

Maar ik was gek op hem. Hij was belangrijk voor me. Toen ik hem vroeg om naar mijn trouwdag te komen om mijn haar op te steken in een elegante, sexy en ongedwongen stijl, antwoordde Eric simpel: 'Ja.'

Op het moment dat ik op de stoel zat, gaf hij me een standje omdat ik mijn haar net had gewassen.

'Et ies kewoon te klad,' snauwde hij.

'Het spijt me,' smeekte ik. 'Geef me alsjeblieft geen straf, Eric. Ik wil niet dat mijn haar tijdens de huwelijksnacht stinkt.'

Voor het eerst in mijn leven zag ik Eric ontspannen en toegeeflijk glimlachen.

Ik vond het heerlijk dat hij er was.

De klok tikte de minuten weg tot het zeven uur was en we kregen te horen dat de in smoking geklede Marlboro Man was gearriveerd. Hij had de dag doorgebracht met zijn bruidsjonkers en gasten, en was met ze naar de stad gereden om voor allemaal zwarte cowboylaarzen te kopen die bij hun smoking pasten.

Zwarte instapschoenen – en toilettassen met monogram – waren niet bepaald zijn stijl. Zelfs Mike had een paar laarzen gekregen, die hij trots liet zien aan alle gasten die de kerk binnenkwamen.

Mijn zusje reeg het smalle lijfje van mijn jurk dicht, Eric bevestigde mijn eenvoudige tulen sluier terwijl ik in mijn witte satijnen pumps gleed. Ik deed mijn best om mijn longen met lucht te vullen, maar wat ik ook deed, ze zetten alleen gedeeltelijk uit. Mijn jurk in maatje 34 – ergens tussen de perfecte pasvorm en een maatje te klein – hielp mijn ademhaling niet.

'We moeten over vijf minuten naar beneden,' verkondigde de vrouwelijke koster bij de deur.

Mijn borstkas begon te verstrakken terwijl mijn bruidsmeisjes – en Mike, die zijn positie bij de deur in de steek had gelaten om naar de kleedkamer te komen – gilden. Ik dacht onmiddellijk aan mijn ouders. Genoten ze? Of beleefden ze deze dag op de automatische piloot? Begroette mijn vader de gasten beneden terwijl hij bedacht dat het allemaal één grote farce was, omdat zijn eigen huwelijk instortte waar hij bij stond? Ik keek naar mijn moeder, die de kamer uit liep om naar beneden te gaan. Ze zag er stralend uit. Was ze ergens anders met haar gedachten? Mijn maag verkrampte terwijl ik zag hoe mijn drie bruidsmeisjes hun boeketten pakten en elkaar hielpen met hun make-up. Mijn overactieve hersenen bleven voortrazen.

Stel dat Mike een aanval krijgt tijdens het feest? Stel dat hij een scène veroorzaakt? Heb ik genoeg schoenen ingepakt voor de huwelijksreis? Stel dat ik het niet fijn vind om op het platteland te wonen? Wordt er van me verwacht dat ik de tuin beplant? Ik weet niet hoe ik een paard moet zadelen. Stel dat ik me daar niet thuis voel? Ik heb nooit leren squaredancen. Is het do-si-do of allemande links? Wacht... is het squaredance? Of de two-step? Ik ken die dansen niet eens. Ik hoor daar niet thuis. Stel dat ik een baan wil? Er ís daar geen baan. Weet J dat ik vandaag trouw? En Colin? En Kev? Stel dat ik flauwval tijdens de plechtigheid? Dat heb ik tientallen keren bij America's Funniest Home Videos *gezien. Er valt altijd iemand flauw. Stel dat het eten koud is als we in de country club arriveren? Wacht... het hoort koud te zijn. O, nee... sommige gerechten zijn koud, andere niet. Stel dat ik niet degene ben naar wie Marlboro Man op zoek is? Stel dat mijn gezicht begint te vervellen op het moment dat ik 'ja' zeg? Stel dat mijn jurk in mijn panty blijft steken? Ik ben plotseling zo trillerig. Mijn handen zijn helemaal nat en klam...*

Ik had nog nooit een paniekaanval gehad, maar ik zou al snel ontdekken dat er voor alles een eerste keer is.

O, Ree, niet doen... Niet op dit moment.

Mijn hart bonkte wild. Ik probeerde telkens opnieuw diep adem te halen, zodat mijn lichaam geen zuurstoftekort zou krijgen. Ik had het benauwd, en dat kwam niet door mijn bijna te kleine jurk, maar door de spanning van het moment. Ik voelde mijn hoofd op mijn nek trillen, alsof ik een *wiebelhondje* was. Ik trilde zenuwachtig en was bang. Ik had meer tijd nodig. Konden we dit alsjeblieft een andere keer doen?

Ondanks mijn beverigheid begonnen mijn bruidsmeisjes en

ik aan de lange wandeling naar de benedenverdieping. Mijn knieën trilden bij elke stap. Mijn wangen prikten.

Mijn zus Betsy keek in mijn richting. 'Hé,' zei ze bezorgd. 'Is alles goed met je?'

'Ja, hoezo?' antwoordde ik snel terwijl ik probeerde mijn zenuwstelsel te bedwingen, in elk geval de komende veertig minuten of zo.

'O... niets,' zei ze voorzichtig, omdat ze me niet bang wilde maken.

Op dat moment kwam Becky tussenbeide. 'Jeetje,' riep ze uit. 'Wat ben je bleek! Je gezicht is net zo wit als je jurk!' Becky nam nooit een blad voor haar mond.

'O, God,' mompelde ik en dat meende ik letterlijk. 'Alsjeblieft, God, help me...' Ik voelde het zweet op mijn bovenlip, mijn voorhoofd, in mijn nek. Als ik Gods hulp ooit nodig had gehad, dan was het op dit moment. Dit was absoluut en onbetwist het moment.

'Geef me wat tissues!' hijgde ik. 'Snel!' Mijn drie bruidsmeisjes gaven gevolg aan mijn koortsachtige eisen. De koster stond er beleefd bij en keek op haar horloge terwijl Betsy, Becky en Connell hun lavendelkleurige boeketjes op de vloer legden en begonnen te vegen en te deppen en me koelte toe waaiden.

'Stop ze onder mijn oksels!' beval ik terwijl ik mijn armen in de lucht stak. Becky stopte gehoorzaam lavendelkleurige Kleenex-tissues op elke centimeter ruimte in mijn Vera Wang-jurk terwijl ze niet meer bijkwam van het lachen. Ik zag dat de Kleenex bij de boeketten paste. Wat een prachtig toeval.

Het orgel speelde Bach en ik dacht terug aan mijn zweetaanval op het bruiloftsfeest van Marlboro Mans nichtje, waardoor ik nog meer begon te zweten. Betsy pakte wat tijdschriften van de haltafel en met z'n drieën waaiden ze me koelte toe om mijn plotselinge transpiratiebui een halt toe te roepen. Wat was er met me aan de hand? Ik was een jonge, fitte, gezonde vrouw. Ik stelde me voor dat Vera Wang, als ze me kende, me waarschijnlijk mijn geld zou teruggeven en haar jurk zou opeisen als ze zag wat mijn zweetklieren met haar prachtige creatie deden. Ik nam me voor om nooit meer te trouwen. Veel te veel druk. Veel te veel zweet veroorzakende druk.

'Het is tijd om te gaan,' verkondigde de koster streng. Ik stormde de badkamer in om mijn spiegelbeeld te controleren. Ik zag er verhit uit. Ik hoopte dat het vertaald zou worden als een 'gezonde blos'. Maar zonder poeder, mascara of een masker tot mijn beschikking had ik geen andere keus dan snel mijn vingers door mijn pony te halen, nog een keer half adem te halen en naar beneden te gaan om mijn rechtmatige plaats aan het begin van de kerk op te eisen. Tijdens alle gekte van de afgelopen maanden had weglopen en stiekem trouwen nog nooit zo aantrekkelijk geleken. Ik gaf opdracht aan mijn bruidsmeisjesslaafjes om alle vochtige Kleenex uit mijn jurk te halen en daarna begonnen we aan onze wandeling naar beneden. Becky lachte nog steeds. Ze was altijd een vriendin geweest op wie ik kon steunen.

Zodra we in het voorportaal stonden en mijn vader en ik elkaar aankeken, verdwenen alle zorgen en zweetgerelateerde angsten. Het verdriet van zijn problemen met mijn moeder was zichtbaar achter het tijdelijke masker van vreugde dat hij voor deze dag op zijn gezicht had geplakt. Ik wist dat het verschrikkelijk voor hem was; ook een vrolijke familiegebeurtenis kon het verdriet omdat hij zijn vrouw voelde wegglippen niet verminderen. Het werd er waarschijnlijk alleen erger door. Hoewel ik die dag niet wist hoe snel het zou gebeuren, wist ik dat hij zich er heel erg bewust van was dat zijn relatie met mijn moeder in acuut gevaar verkeerde. Terwijl hij om zich heen keek naar de zwarte stropdassen, de parels en de glimlachende gezichten, moet hij gevoeld hebben dat het de laatste keer was dat we als gezin bij elkaar zouden zijn en dat alles al snel zou veranderen. En ondanks de korte afleiding door mijn paniekaanval – en de klamme nattigheid van mijn trouwjurk – voelde ik het ook.

'Je ziet er prachtig uit,' zei mijn vader terwijl hij naar me toe liep en me zijn arm aanbood. Zijn zachte stem, nog zachter dan anders, brak en stierf weg. Ik gaf hem een arm en samen liepen we naar de grote houten deuren die naar de prachtige kerk leidden waar ik als jong meisje was gedoopt, vlak nadat ons gezin lid was geworden van de kerk. Waar ik op twaalfjarige leeftijd het vormsel had ontvangen bij de bisschop. Ik droeg die dag een zwarte jurk van Gunne Sax met een Schots ruitpatroon, prachtige stroken en een vetersluiting op de rug: een lijfje in korsetstijl dat, zo realiseerde ik me nu, een voorbode was geweest van de stijl van mijn trouwjurk. Ik keek door de ramen naar het middenpad en zag mezelf knielen, de gerimpelde, verweerde handen van de bisschop op mijn roodbruine haar. Ik huiverde van emotie en mijn neus prikte door de warme, nostalgische tranen.

Ik beet op mijn lip en liep met mijn vader naar voren. Connell begon over het middenpad te lopen terwijl de organist 'Jesu, Joy of Man's Desiring' speelde. Als ik mijn ogen dichtdeed hoorde ik dezelfde muziek op de 8-trackspeler in de Oldsmobile stationcar van mijn moeder. Was dat het London Symphony Orchestra of het Mormon Tabernacle Choir geweest? Ik wist het niet meer. Ik had deze muziek gekozen voor als ik over het middenpad liep omdat het me aan mijn jeugd deed denken... aan Bach... aan thuis, en niet omdat het op de lijst met acceptabele bruiloftsmuziek van *Modern Bride* stond. Ik zag Becky achter Connell aan lopen en daarachter liep mijn zus Betsy. Haar bijna gitzwarte haar glansde in het prachtige licht van de kerk. Ik was zo blij dat ik een zus had.

De koster bracht mijn vader en mij naar de deur. 'Het is zover,' fluisterde ze. Mijn maag verkrampte. Wat gebeurde er? Waar was ik? Wíe was ik? Op dat moment botsten mijn werelden: de oude wereld met de nieuwe, het verleden met de toekomst. Ik voelde dat mijn vader diep inademde en ik volgde zijn voorbeeld. Hij was zenuwachtig, ik voelde het. Ik was ook zenuwachtig. Terwijl we onze plek in de deuropening innamen, kneep ik in zijn arm en fluisterde: 'Ik hou van je.' Het was ons speciale zinnetje.

'Ik hou ook van jou,' fluisterde hij terug. En terwijl ik mijn hoofd naar de voorkant van de kerk draaide, gingen mijn ogen meteen naar hem toe – naar Marlboro Man, die helemaal voorin stond en strak naar me keek.

Ik zweefde op wolken naar voren. Er waren anderen in de kerk – dat wist ik natuurlijk – maar ik zag niemand. Niemand behalve Marlboro Man in zijn zwarte smoking, zijn witte das en de nieuwe zwarte cowboylaarzen die hij speciaal voor deze gelegenheid had gekocht. Zijn korte haar, dat de kleur van tin had, zijn zachtaardige glimlach. Hij was een droombeeld – sterk, stabiel, perfect. Maar het waren zijn glimlach en de geruststellende uitdrukking op zijn gezicht waardoor ik over het middenpad bleef lopen. Het was geen verwaande, arrogante glimlach, maar een glimlach vol emotie. Misschien dacht hij aan onze geschiedenis, aan het begin dat uiteindelijk naar dit moment had geleid. We hadden eindelijk ons voorbestemde doel bereikt, wat tevens een mooi begin was. Ik was dankbaar dat we elkaar toevallig hadden ontmoet en liefde bij elkaar hadden gevonden.

Plotseling stond ik naast hem, met mijn arm door de zijne en mijn hart in zijn handen.

Wij zijn als gemeente bijeen om het huwelijk van deze man en deze vrouw voor Gods aangezicht in te zegenen en om met hen en voor hen te bidden. De kerk van Jezus Christus belijdt, dat het huwelijk een door God geschonken mogelijkheid is, een gemeenschap voor het hele leven, waarin het aan twee mensen gegeven wordt elkaar te verblijden en te dienen, liefde en trouw te schenken en te ontvangen, in voorspoed en in tegenspoed.

Ik keek naar Marlboro Man, die aandachtig luisterde en elk woord in zich opnam. Mijn hand lag op zijn bicep en ik kneep er zachtjes in en probeerde tegelijkertijd naar priester Johnson te luisteren, ondanks de afleiding van Marlboro Mans door het zware werk geperfectioneerde spieren. De rest was één waas: de ijzeren kandelaars aan de einden van de banken; mijn moeders olijfgroene zijden jasje met de Chinese kraag; Mikes smoking; Mikes kale hoofd.

Beloof jij jouw man lief te hebben, hem te eren en bij te staan, en hem trouw te blijven, in goede en kwade dagen, in rijkdom en armoede, in ziekte en gezondheid, tot in de dood?

'Ja, dat beloof ik.' Ik ademde in.

De geur van rozen; het avondlicht dat door de glas-in-loodramen naar binnen scheen.

Beloof jij jouw vrouw lief te hebben, haar te eren en bij te staan, en haar trouw te blijven, in goede en kwade dagen, in rijkdom en in armoede, in ziekte en in gezondheid, tot in de dood?

'Ja, dat beloof ik.' Die stem. De stem van alle telefoongesprekken. Ik kon niet geloven dat ik met die stem trouwde.

We keken elkaar aan, onze handen verstrengeld.

Ik beloof hier voor God en zijn gemeente dat ik je als mijn wettige vrouw uit Gods hand wil aanvaarden en ik beloof je dat ik je, met Gods hulp, nooit zal verlaten maar trouw zal blijven in goede en kwade dagen, in rijkdom en armoede, in gezondheid en ziekte tot de dood ons scheidt. Ik beloof dat ik je zal liefhebben, dienen en respecteren.

Hij stond voor me met een ernstig gezicht. Mijn hart maakte een sprongetje. Daarna sprak ik dezelfde woorden uit.

Ik beloof hier voor God en zijn gemeente dat ik je als mijn wettige man uit Gods hand wil aanvaarden en ik beloof je dat ik je, met Gods hulp, nooit zal verlaten maar trouw zal blijven in goede en kwade dagen, in rijkdom en armoede, in gezondheid en ziekte tot de dood ons scheidt. Ik beloof dat ik je zal liefhebben, dienen en respecteren.

Marlboro Man keek naar me terwijl ik praatte, en luisterde naar me. Mijn stem brak; de emotie kreeg de overhand. Het was een prachtig moment – het mooiste moment sinds we elkaar hadden ontmoet.

Heer, zegen de ringen die deze man en deze vrouw elkaar geven als blijvend teken dat zij in Uw naam met elkaar verbonden zijn.

We knielden en priester Johnson ging verder met de zegening.

God, wees deze twee geliefden nabij, in hun liefste wensen, in hun diepste momenten, in alles wat zij samen dromen. Wees de hand van hun liefde. De rots waarop zij hun gezin bouwen. Door Christus onze Heer.

Mijn hart bonkte in mijn borstkas. Dit was echt, het was geen droom. Zijn hand hield de mijne vast.

Dan verklaar ik jullie nu tot man en vrouw.

Ik had niet een keer nagedacht over de kus. Ik had gewoon aangenomen dat deze als alle andere kussen op trouwerijen zou zijn. Terughoudend. Gepast. Bescheiden. Vluchtig. De echte kussen bewaarde je voor later, als je alleen was. Country club-meisjes zoenden niet in het bijzijn van anderen. Net als kauwgom kauwen mocht het alleen als niemand het kon zien.

Maar Marlboro Man was geen country club-jongen. Hij had het memo niet gelezen waarin de regels en bepalingen werden uitgelegd over elkaar in het openbaar kussen. Ik ontdekte dat toen de kus begon. Hij sloeg zijn liefhebbende, beschermende armen om me heen en kuste me intens. Voor het oog van mijn familie en die van hem, voor het oog van priester Johnson en de koster en onze bruidsmeisjes en -jonkers en kennissen, van wie ik de helft vanavond voor het eerst zag. Maar het leek Marlboro Man niet te kunnen schelen. Hij kuste me precies zo als hij me na ons eerste afspraakje had gekust, de avond dat mijn laarsje met hoge hak vast was komen te zitten in een scheur in de oprit en ik bijna was gevallen. De avond dat hij me had gevangen met zijn lippen.

We vrijden in de kerk: er is geen andere manier om het te omschrijven. En ik voelde me net zo ondersteboven als ik de eerste avond was geweest. De kus duurde uren, dagen, weken. Waarschijnlijk was het niet langer dan tien tot twaalf seconden, wat voor een huwelijksplechtigheid een behoorlijk lange kus is. En het had langer kunnen duren als het hartstochtelijke moment niet plotseling was verstoord doordat iemand in zijn handen klapte.

'Wooohoooo! Yes!' schreeuwde de persoon. 'Yes!'

Het was Mike. De aanwezigen begonnen te lachen en Marlboro Man en ik duwden onze voorhoofden tegen elkaar aan, waarmee we het moment voor altijd in ons geheugen opsloegen. We waren één, dat was nu tastbaar voor me. Het was geen leeg woord, geen theologisch begrip of wensgedachte. Het was een officieel 'jij en ik tegen de wereld'-gevoel. Vanaf dat moment zou niets wat een van ons deed of zei of van plan was zich in een vacuüm apart van de ander afspelen. We zouden de feestdagen niet apart van elkaar bij onze respectievelijke families vieren. We zouden geen last-minute reizen met vrienden of vriendinnen naar Mexico boeken. Niet dat we zin hadden in een last-minute reis naar Mexico met vrienden en vriendinnen, maar toch.

De kus had de overeenkomst op heel veel manieren bezegeld.

Ik liep trots de kerk uit als Marlboro Mans vrouw. Toen we de deuren uit kwamen waar mijn vader en ik een halfuur eerder door naar binnen waren gelopen, trok Marlboro Man zijn arm uit mijn greep en sloeg hem instinctief rond mijn middel, waar hij hoorde. De andere arm volgde, en voordat ik het besefte waren we verstrengeld in een liefhebbende omhelzing en genoten we van het moment van afzondering voordat de gasten – zussen, neven en nichten, broers, vrienden – bij ons waren.

We waren getrouwd. Ik inhaleerde diep en blies mijn adem uit. Het transpireren was eindelijk gestopt. En door de airco in de kerk was mijn leliewitte Vera Wang bijna helemaal droog.

Na wat formele foto's op de binnenplaats van de kerk vertrokken we naar de country club. Het was binnen de kortste keren feest. Er waren genoeg mensen om een klein eiland mee te bevolken en voldoende voedsel om ze dagenlang te voeden. Genoeg champagne om een zwembad van Olympische afmetingen te vullen en voldoende geluk en vrolijkheid om een hele tijd op te teren. De ranchers waren klaar met de veetransporten, de boeren hadden de oogst achter de rug. Twee families waren verenigd. Er waren voldoende goede redenen om het te vieren.

Ik werd door iedereen in Marlboro Mans familie omhelsd, met inbegrip van zijn oma Ruth, zijn neef Matthew en Matthews mooie, levendige moeder Marie. Marie leed aan borstkanker in het vierde stadium, maar liet zich de kans niet ontnemen om haar zoon als een van Marlboro Mans bruidsjonkers te zien. Ze leek gelukkig.

We dansten op John Michael Montgomery's 'I Swear'. We sneden de bruidstaart aan, die uit zeven lagen bestond, en smeerden hem tegen de traditie in niet in elkaars gezicht. We kletsten en liepen rond en lachten. We hielden elkaars hand vast en mengden ons onder de gasten, maar na een tijdje viel het me op dat ik de in smoking geklede bruidsjonkers – vooral Marlboro Mans vrienden van de hogeschool – al een tijd niet had gezien.

'Wat is er met alle jongens gebeurd?' vroeg ik.

'O,' zei hij. 'Die zijn in de mannenkleedkamer.'

'Echt?' vroeg ik. 'Roken ze daar sigaren of zo?'

'Tja...' Hij aarzelde en grinnikte daarna. 'Ze kijken naar een footballwedstrijd.'

Ik lachte. 'Naar welke wedstrijd kijken ze dan?' Het moest belangrijk zijn.

'ASU tegen Nebraska,' antwoordde hij.

ASU? Zijn vroegere hogeschool? Tegen Nebraska? Om de kampioenstitel te verdedigen? Hoe had ik dat over het hoofd kunnen zien? Marlboro Man had er geen woord over gezegd. Hij was zo'n fanatieke college-footballfan dat ik niet kon geloven dat hij de trouwdatum niet had verplaatst voor zo'n belangrijke wedstrijd. Naast de ranch was football altijd Marlboro Mans voornaamste interesse in het leven geweest. Hij keek naar alle uitgezonden ASU-wedstrijden en voor de niet uitgezonden wedstrijden vertrouwde hij op de ooggetuigeverslagen van zijn beste vriend Tony, die naar elke wedstrijd ging.

'Ik wist niet eens dat ze speelden,' zei ik. Ik weet niet waarom ik het niet wist. Het was tenslotte september, maar het was gewoon niet bij me opgekomen. Ik neem aan dat ik het te druk had gehad met alle voorbereidingen voor de grote verandering in mijn leven. 'Hoe komt het dat jij niet beneden bent om te kijken?' vroeg ik.

'Ik wilde je niet alleen laten,' zei hij. 'Straks probeert iemand je te versieren.' Hij grinnikte.

Ik lachte. Ik zag het helemaal voor me – een dronken oude gast die naar de bar strompelde, naar mijn trouwjurk keek en me lallend probeerde te versieren:

Woon je hier in de buurt?

Wat heb je een mooie jurk aan...

En... ben je getrouwd?

Marlboro Man was niet in gevaar. Daar was ik absoluut zeker van. 'Ga naar de wedstrijd kijken,' zei ik terwijl ik naar de trap gebaarde.

'Nee,' zei hij. 'Dat hoeft niet.' Hij wilde de wedstrijd zo graag zien dat ik het in de lucht geschreven zag staan.

'Nee, echt,' zei ik. 'Ik moet toch met de meiden kletsen. Ga. Nu.' Ik draaide mijn rug naar hem toe, liep weg en dwong mezelf niet achterom te kijken. Ik wilde het hem gemakkelijk maken.

Ik zou hem ruim een uur niet zien. Arme Marlboro Man. Onzeker van het protocol voor echtgenoten met betrekking tot het kijken naar een footballwedstrijd tijdens het huwelijksfeest, was hij de eerste helft de kleedkamer in en uit gerend. Het moest zo intens martelend voor hem geweest zijn. Ik was heel blij dat hij eindelijk bij de jongens zat.

Ik ging terug naar het feest op het moment dat Mike voor de vierde keer 'Elvira' begon te zingen. Zijn stem echode over de hele stad. '*Giddyuppa oompah-pah oompah-pah mow mow...*' Het was alsof het nummer voor Mike was gemaakt. Alle aanwezigen dansten de boogie-woogie: mijn nieuwe zwager Tom danste met mijn nichtje Julie, Marlboro Mans neef Thatcher zwierde met Betsy over de dansvloer, de buurman van mijn ouders, dokter Burris, danste met iedereen.

Ik sloeg mijn armen over elkaar, leunde met mijn rug tegen de muur van de danszaal en genoot van een moment alleen in het donker. Marlboro Man was blij nu hij samen met zijn beste schoolkameraden football keek. De gasten waren blij: ze dansten en lachten en aten broodjes met ragout. Mijn moeder dronk wijn in het formele dansgedeelte en praatte met oude vriendinnen. Eindelijk zag ik een glimp van mijn vader. Hij danste met Beth en Barbara, de zusjes van mijn bruidsmeisje Becky, die al heel lang bevriend waren met onze familie. Onze vaders hadden samen op school gezeten en we kenden elkaar al vanaf het embryostadium. Mijn vader en Beth en Barbara lachten. Hij draaide ze rond en gooide ze achterover en liet ze pirouettes maken. Hij was heel even gelukkig.

Ik ademde in, deed mijn ogen dicht en sloeg het moment in mijn geheugen op.

Ineens stopte de muziek. De band had een onderbreking nodig van Mikes verzoekjes. Terwijl ze het podium af liepen, klonk er plotseling een explosie van geluid op de begane grond van de country club.

ASU had de wereld geschokt door Nebraska te verslaan. De uiteindelijke score was 19-0.

Eenentwintig september zou de geschiedenis ingaan als de meest gedenkwaardige dag in Marlboro Mans leven.

Niet veel later was het tijd voor ons om te vertrekken; het was na middernacht en we moesten nog kilometers rijden voordat we naar bed konden. Nadat ik mijn boeket had gegooid en we afscheid hadden genomen, renden Marlboro Man en ik de country club uit en namen plaats op de achterbank van een zwarte, glanzende limousine die ons naar de stad honderd kilometer verderop zou brengen, waar we zouden slapen voordat we de volgende dag naar Australië vertrokken. Nadat we waren weggereden van de zwaaiende, met vogelzaad gooiende menigte bij de ingang van de club, gleden we onmiddellijk in elkaars armen en zakten weg in een poel van witte zijde en zwarte laarzen en slaperige, tomeloze romantiek.

Het was allemaal zo nieuw. Een nieuwe jurk, een nieuwe liefde, een nieuw land – Australië – waar we allebei nog nooit waren geweest. Een nieuw leven samen. Een nieuw leven voor mij. Nieuw kristal, zilver, porselein. Een net gerenoveerd, piepklein cowboyhuis dat ons kleine huis op de prairie zou zijn als we terugkwamen van onze huwelijksreis.

Een nieuwe echtgenoot. *Mijn* echtgenoot. Ik wilde het telkens weer herhalen, ik wilde het van de daken schreeuwen, maar ik kon niet praten. Ik had het druk. De hartstocht had bezit van ons genomen en was niet meer te stuiten. We waren doodmoe en uitgeput van de afgelopen week, maar eenmaal in de afzondering van de limousine konden we het niet meer tegenhouden en lieten we ons gaan. Het was dezelfde passie die ons door de eerste periode van onze relatie had geleid en er uiteindelijk voor had gezorgd dat ik afscheid had genomen van het leven dat ik van plan was te leiden. In plaats daarvan was ik een deel van Marlboro Mans leven geworden. Diezelfde passie verzekerde me ervan dat alles precies was zoals het moest zijn. De passie maakte het allemaal logisch.

Het jaar daarna zou het echte leven ons bestormen.

Een paar dagen na onze trouwdag zouden we onverwacht, verontrustend nieuws krijgen waardoor we onze huwelijksreis afbraken. Een paar weken later zouden we schokkende dingen meemaken: dood, scheiding, teleurstelling. In het eerste jaar van ons leven samen zouden we moeilijke beslissingen, pijnlijke conflicten en drastische veranderingen meemaken.

Maar door de passie konden we het allemaal verdragen.

Deel drie

22

Ziek, zwak en misselijk

Toen ons vliegtuig in Sydney landde wreef ik in mijn ogen, die na veertien uur in het vliegtuig zo opgezet waren dat ik maar vijftien centimeter voor me kon zien. Behalve dat we naar de Australische film *Cosi* met Toni Collette hadden gekeken en we een paar keer hadden geknuffeld onder een vilten deken, had ik bijna de hele vlucht geslapen. Ik was uitgeput, niet alleen door de bruiloft met zeshonderd gasten, maar ook door het huwelijk van mijn ouders, dat nu al bijna een jaar op een achtbaan leek. Ik had in maanden niet zo diep geslapen.

Omdat we de internationale datumgrens waren gepasseerd, was het dinsdagochtend toen Marlboro Man en ik eindelijk incheckten in hotel Park Hyatt dat aan de haven van Sydney lag.

Uitgehongerd smulden we van een grote schaal roerei van het ontbijtbuffet voordat we naar onze kamer gingen, die uitkeek over de haven, op afstand bedienbare gordijnen had en een marmeren bad dat net groot genoeg was voor twee pasgetrouwden die vastbesloten waren om zo snel als menselijk mogelijk was alle details van elkaars lichaam te leren kennen. We kwamen woensdagmiddag pas weer boven water.

'Laten we hier drie weken blijven,' zei Marlboro Man terwijl we dromerig in ons huwelijksbed lagen en hij met zijn vinger over mijn schouderblad streelde.

'Klinkt goed,' zei ik terwijl ik naar zijn gezicht met bakkebaarden keek. Sydney was mijn nieuwe favoriete plek op aarde.

Marlboro Man trok me naar zich toe, onze hoofden lagen tegen elkaar, onze benen waren zo innig verstrengeld als orthopedisch mogelijk was. We gingen helemaal in elkaar op.

Langzamerhand realiseerden we ons dat we na het roerei van vierentwintig uur geleden niets meer hadden gegeten. Het was de enige lichamelijke behoefte waaraan we geen gehoor hadden gegeven.

Ik herinnerde me dat ik een McDonald's naast de ingang van ons hotel had gezien, en omdat ik wel wat beweging kon gebruiken, bood ik aan om naar buiten te glippen om wat veilig en voorspelbaar Amerikaans voedsel te halen, wat de tijd zou overbruggen tot het diner in het restaurant waar we die avond een tafeltje hadden gereserveerd. Onze bloedsuikerspiegel was te laag om in de stad op zoek te gaan naar een restaurant voor een snelle lunch.

Ik wist dat Marlboro Man alleen ketchup op zijn hamburger

wilde en dat bestelde ik dan ook toen ik aan de beurt was: 'Een hamburger, alleen ketchup graag.'

'Je wilt dus alleen *kitchipinmite*?' vroeg het meisje achter de balie.

'Sorry?'

'Kitchipinmite?'

'Eh... pardon?'

'Je wilt gewoon een hamburger met kitchipinmite?'

'Eh... wat?' Ik had er geen flauw idee van wat het arme kind zei.

Het kostte me zo'n tien minuten voordat ik me realiseerde dat het arme Australische meisje achter de toonbank mijn bestelling alleen had herhaald: kitchip (ketchup) inmite (and meat). Het was een traumatische bestelervaring.

Ik ging terug naar de hotelkamer en Marlboro Man en ik stortten ons op het voedsel.

'Het smaakt een beetje vreemd,' zei mijn nieuwe echtgenoot.

Ik was het met hem eens. Het vlees smaakte anders dan in Amerika.

Die avond kleedden we ons mooi aan – Marlboro Man droeg een strakke Wrangler en een mooi zwart overhemd, ik een soepele taupekleurige jurk en zwarte pumps – en vertrokken naar het restaurant dat volgens een van onze reisbrochures de meest sublieme dinerervaring in heel Sydney beloofde. We knuffelden in de taxi naar het restaurant, dat was gehuisvest op de bovenste verdieping van een flatgebouw.

'Je bent van mij,' zei Marlboro Man terwijl zijn sterke hand mijn knie liefkoosde op een manier waardoor ik de taxichauffeur wilde vragen ons naar het hotel terug te brengen. Mijn behoefte aan een uitgebreide maaltijd was het enige wat me naar het restaurant dreef.

Het leek alsof het de lift niet meer dan seconden kostte om de zesendertigste verdieping te bereiken. Toen de liftdeuren opengingen werden we welkom geheten in een fantastisch vijfsterrenrestaurant door iemand met een prachtig Australisch accent. Ik haalde diep adem en snoof de geuren op van gegrild vlees, knoflook, wijn en versgebakken brood. Het was totaal anders dan de McDonald's-ervaring eerder die dag, en toen we eenmaal naar ons tafeltje waren gebracht en de menukaart bestudeerden, wist ik dat het een succes zou worden. Het was een subliem restaurant.

Ineens begonnen de woorden op het menu rond te draaien. Ik knipperde met mijn ogen, maar daardoor werd mijn zicht nog waziger. Ik keek naar Marlboro Man, die de rundvleesgerechten bestudeerde, en voelde plotseling een golf van misselijkheid. Ik pakte het glas water dat de ober net naar onze tafel had gebracht, maar tegen de tijd dat ik de eerste slok had genomen was de situatie ernstig verslechterd. Plotseling waren de geuren van het vijfsterrenrestaurant een kwelling. Ik had het gevoel dat ik groen was.

'Ik ben zo terug,' zei ik. Ik legde de menukaart neer en haastte me naar de toiletruimte, die boven aan de wenteltrap aan de andere kant van het restaurant was. Tegen de tijd dat ik boven aan de trap was, hield ik mijn hand tegen mijn mond gedrukt.

Ik was net op tijd in het toilet en braakte alles uit wat ik de afgelopen zes maanden had gegeten.

Wat is dit? vroeg ik mezelf af. Kon het door het vlees van McDonald's komen? Misschien was dat kangoeroe geweest.

Ik voelde me daarna gelukkig een stuk beter en strompelde naar de wastafels, waar twee mooie jonge Australische vrouwen hun sexy blonde haren borstelden en hun korte rokken rechttrokken zodat ze perfect rond hun gebruinde dijbenen sloten. Hun prachtige, goudbruine kleur was ongetwijfeld het gevolg van de krachtige Australische zon. Ik keek in de spiegel en zag een gezicht met mascaravlekken en uitpuilende ogen. In mijn haast om bij de tafel weg te komen had ik mijn tas achtergelaten, zodat ik geen make-up had om mijn gezicht bij te werken. Ik gebruikte de geurende handzeep om het zwart van mijn gezicht te wassen en pakte een gratis kam om mijn haar te fatsoeneren. Ik hoopte dat er geen braaksel in mijn golvende roodbruine lokken zat. Dat zou Marlboro Mans maaltijd beslist verpesten.

'Is alles goed?' vroeg Marlboro Man toen ik terug was bij onze tafel. Hij had een cola besteld en zijn broodbordje lag vol kruimels. Ik was meer dan tien minuten weg geweest.

'Ja,' zei ik. 'Het spijt me, maar ik... ik werd daarnet ineens misselijk.'

'Hoe komt dat?' vroeg hij, gealarmeerd door de groene teint van zijn kersverse vrouw.

'Ik heb er geen idee van, het overviel me ineens,' legde ik uit. 'Maar nu is het weer goed.'

'Misschien ben je zwanger,' zei hij met een schalkse grijns.

Ik wist voldoende over het tijdstip van bevruchting en ochtendmisselijkheid om te beseffen dat een zwangerschap het probleem niet was. 'Dat is het denk ik niet...' begon ik. Ik voelde me nog misselijker worden dan daarnet en rende terug naar de toiletruimte, waar ik opnieuw overgaf, dit keer in een ander hokje.

Sydney, we hebben een probleem.

Ik voelde me onmiddellijk beter en verzorgde mijn uiterlijk terwijl ik besloot het voedsel die avond over te slaan, maar Marlboro Man had eten nodig en ik was niet van plan om de eerste officiële maaltijd van onze huwelijksreis te verpesten. Alsjeblieft, God, alsjeblieft, dacht ik. Laat dit de laatste keer zijn.

Ik kamde mijn pony weer, die zweterig begon te worden.

Toen ik dit keer de toiletruimte uit kwam, stond Marlboro Man vlak voor de deur, net als hij had gedaan in het huis van zijn oma toen ik een zweetaanval had tijdens de bruiloft van zijn neef. Hij sloeg zijn armen om me heen terwijl ik mijn ooghoeken depte met een papieren zakdoekje. Door het kokhalzen traanden mijn ogen verschrikkelijk.

'Wat is er aan de hand, schat?'

Het was de eerste keer dat hij me zo noemde. Ik voelde me er heel getrouwd door.

'Ik heb geen flauw idee,' zei ik. 'Ik moet een maaginfectie of zo opgelopen hebben. Het spijt me zo.'

'Het hindert niet. We kunnen naar het hotel terug gaan.'

'Nee! Ik wil dat je eet...'

'Dat is geregeld. Ik heb daarnet het hele broodmandje leeggegeten en twee cola gedronken. Wat mij betreft kunnen we weg.'

De misselijkheid overviel me weer en ik rende terug naar de toiletten.

Nadat ik opnieuw had overgegeven, besloot ik zijn aanbod te accepteren.

Toen we bij het hotel uit de taxi stapten merkte ik dat ik moeite had met lopen. Ik had geen druppel alcohol gedronken, maar plotseling kon ik niet in een rechte lijn lopen. Ik pakte Marlboro Mans arm vast om mezelf in evenwicht te houden tot we in onze kamer waren, waar ik me onmiddellijk op het bed liet vallen en me in het dekbed wikkelde.

'Ik vind het zo vervelend voor je,' zei Marlboro Man, die naast me op bed ging zitten en met mijn haar speelde, een gebaar dat te veel voor me bleek te zijn.

'Wil je dat alsjeblieft niet doen?' vroeg ik. 'De beweging maakt me misselijk.'

Het was een ramp. Ik was een brakende loser.

Marlboro Man was degene die medelijden verdiende.

Ik viel die avond om negen uur in slaap en bewoog me niet tot ik de volgende ochtend om negen uur wakker werd. Ik lag nog steeds als een pop in het dekbed gewikkeld. Marlboro Man was niet in de kamer. Ik was gedesoriënteerd en duizelig en struikelde naar de badkamer als een dronken studente na een lange avond feesten. Ik zag er echter niet uit als een studente. Ik was groenig bleek en zag er uitgeput uit. Marlboro Man had waarschijnlijk het vliegtuig naar Amerika genomen nadat hij wakker was geworden en had gezien naast wie hij de hele nacht in bed had gelegen. Ik dwong mezelf een warme douche te nemen, ook al draaide de marmeren badkamer voortdurend om me heen. Het water dat over mijn rug stroomde zorgde ervoor dat ik me iets beter voelde.

Toen ik opgefrist in de Park Hyatt-badjas uit de badkamer kwam, zat Marlboro Man op het bed. Hij las een Australische krant die hij op straat had gekocht, samen met wat jus d'orange en een kaneelbroodje voor mij in de hoop dat ik daarvan zou opknappen.

'Kom hier,' zei hij terwijl hij op de lege plek naast zich klopte. Ik gehoorzaamde en kroop naast hem. Binnen de kortste keren waren onze armen en benen zo innig verstrengeld dat we niet wisten waar de een ophield en de ander begon. Zo bleven we bijna een uur liggen, terwijl hij over mijn rug wreef en vroeg of ik me al beter voelde, en ik de misselijkheid die nog steeds dreigend boven ons geluk hing probeerde te negeren.

Ik dwong mezelf op te staan en me aan te kleden. Ik was vastbesloten om een jonge, stralende bruid en fantastisch huwelijksreisgezelschap te zijn. We gingen buiten het hotel lunchen en probeerden een museum te bezoeken, maar de duizeligheid werd erger. Ik moest iets doen. 'Ik ga terug naar het hotel om een dokter te zoeken,' zei ik. 'Ik heb geen zin om onze huwelijksreis hierdoor te laten verpesten.'

'Ik denk dat je zwanger bent,' suggereerde Marlboro Man opnieuw. Ik wist echter dat het dat niet was.

We vonden een medisch centrum in de buurt van het hotel en kregen een afspraak met dokter Salisbury, een mooie lange vrouwelijke arts met een krachtige, troostrijke stem en natuurlijk blond haar. Na een flink aantal neurologische testen en diagnostische standaardvragen vroeg ze uiteindelijk: 'Heb je onlangs een lange vlucht gemaakt?'

Ik vertelde haar dat we van Oklahoma naar Los Angeles waren gevlogen en daarna van Los Angeles naar Sydney.

'Heb je veel geslapen tijdens de vlucht?' ging ze verder.

'Zo'n beetje de hele tijd,' antwoordde ik. Ik voelde me ongerust worden. Had ik iets besmettelijks opgelopen? Tbc misschien? Griep? Een ernstige aanval van malaria? 'Wat is er mis, dokter? Vertel het me maar, ik kan het aan.'

'Ik denk dat je een stoornis aan je evenwichtsorgaan hebt,' zei ze, 'wat voornamelijk is veroorzaakt door het vele slapen tijdens de lange vlucht.'

Een stoornis van mijn evenwichtsorgaan? Wat saai. Gênant gewoon.

'Wat heeft slaap daarmee te maken?' vroeg ik. Als dochter van een arts had ik wat meer informatie nodig.

Ze legde uit dat ik, omdat ik tijdens de vlucht bijna niet wakker was geweest, dus ook niets had gemerkt van de luchtdrukveranderingen en daarom niet had gegaapt of iets anders had gedaan om mijn oren te ontlasten. De duizeligheid en misselijkheid werden veroorzaakt doordat mijn oren met vocht gevuld waren.

Fantastisch, dacht ik. Ik ben een ongelooflijke slapjanus. Het was een echt hoogtepunt van onze huwelijksreis.

'Is er iets wat ze kan doen om de misselijkheid te verlichten?' vroeg Marlboro Man, die naar een concrete oplossing zocht.

De dokter schreef wat pillen tegen zwelling van het slijmvlies en tegen de misselijkheid voor, en ik liep vernederd haar behandelkamer uit.

De volgende ochtend voelde ik me veel beter – halleluja – wat goed was omdat we onze huurauto gingen ophalen voor onze tocht langs de kust van Australië.

Marlboro Man had de hele reis van tevoren geregeld, tot en met de huurauto waarmee we vanaf Sydney langs de oostkust naar het noorden zouden rijden. Hij was er erg opgewonden over geweest om naar Down Under te gaan. Hij had altijd willen zien op welke manier de Australische veehouderijen – die bekend stonden als *cattle stations* – verschilden van de ranches in Amerika.

Het was het midden van de jaren negentig, een paar jaar voordat de SUV-revolutie uitbrak. Omdat we van plan waren om drie weken in Oz te blijven en we veel bagage hadden, en omdat Marlboro Man was opgegroeid met grote auto's en een gewone auto niet prettig vond, had hij besloten om een SUV te huren.

Britz Rentals of Australia was een autoverhuurbedrijf dat inderdaad SUV's verhuurde. En niet zomaar SUV's, maar Toyota Land Cruisers, die in die tijd werden beschouwd als luxe auto's. Marlboro Man had van tevoren een Land Cruiser gereserveerd en was heel enthousiast dat hij korting had gekregen. We verlieten ons mooie hotel, laadden onze bagage in de taxi en vroegen de chauffeur ons naar Britz te brengen, waar we onze glanzende Toyota Land Cruiser zouden ophalen en aan onze liefdesreis langs de oostkust van Australië zouden beginnen.

Toen de werknemer bij Britz Rentals of Australia kwam aanrijden in onze vooraf betaalde auto, sperde ik mijn ogen wijd open en wist meteen dat we een probleem hadden. Het was inderdaad een SUV, de Toyota Land Cruiser die Marlboro Man had gereserveerd. Hij was glanzend wit en schoon. En op de motorkap, het dak, alle vier de deuren en de achterklep stonden in enorme feloranje en koningsblauwe letters de woorden Britz Rentals of Australia.

Ik zag Marlboro Mans kaakspieren verstrakken nu zijn ergste nachtmerrie waarheid werd. Hij kon het nauwelijks verdragen om naar deze aandacht trekkende verschrikking te kijken, laat staan dat hij zich kon voorstellen ermee langs de hele oostkust te rijden. Helaas was het niet mogelijk hem om te wisselen voor een andere auto, maar al had Britz voor die week nog huurauto's gehad, dan had het toch niet uitgemaakt. Alle auto's van hun wagenpark waren bedekt met dezelfde oranjeblauwe promotionele graffiti.

Omdat we geen alternatief hadden gingen we op weg. Marlboro Man vond het vreselijk dat we zo opvielen. Ik was een extravert middelste kind, dus het kon mij niet zoveel schelen, maar voor Marlboro Man was dit meer dan hij kon verdragen. Hij had het gevoel dat we in de gezinsauto van de Griswolds uit *National Lampoon's Vacation* reden.

Het was een smet op wat de perfecte huwelijksreis had kunnen zijn.

Behalve mijn evenwichtsorgaanstoornis. En het braken. En de nogal buideldierachtige bijsmaak van de hamburgers.

23

For a few dollars less

We reden naar de mistige Blue Mountains ten noorden van Sydney en namen onze intrek in een hotel in de nevelige bergen. Ik was nog steeds misselijk, maar het stille, geïsoleerde hotel nodigde uit om in onze kamer te blijven, roomservice te bestellen en geen uitstapjes te maken, zodat we niet in de huurauto van Britz hoefden te rijden. We vonden het prima om in een hotelkamer aan de andere kant van de wereld te relaxen, helemaal in elkaar op te gaan en ons af te vragen waarom we ooit naar huis terug zouden gaan als dat betekende dat we elkaar meer dan tien seconden moesten loslaten. We waren versmolten, onlosmakelijk met elkaar verbonden in een permanente staat van lichamelijke eenheid. Het was precies zoals een huwelijksreis moest zijn. Ik voelde me bovendien een stuk beter. De berglucht was goed voor mijn evenwichtsorgaan.

Uiteindelijk zouden we echter naar huis moeten. Marlboro Man moest een ranch leiden – het was binnenkort tijd om meer vee op transport te zetten – en de renovatie van ons gele stenen huis vorderde gestaag. We moesten naar huis om aan ons nieuwe leven samen te beginnen in plaats van onze dagen in bed door te brengen.

Het was midden in de nacht in de Blue Mountains toen de telefoon in onze hotelkamer overging. Marlboro Man en ik schrokken allebei. We wisten niet eens hoe laat het in Australië was, laat staan in andere delen van de wereld. Ik had moeite mijn ogen te openen. De mist was een bedwelmend elixer.

'Hallo?' zei Marlboro Man. Ik hoorde een mannenstem aan de andere kant van de lijn.

Langzaam viel ik weer in slaap, tot Marlboro Man rechtop in bed ging zitten en zijn benen over de rand zwaaide, zodat zijn voeten de grond raakten.

'Verdomme, Slim,' zei hij. 'Dat is helemaal niet goed.'

Ik deed mijn ogen open. Ik had er geen idee van waarover hij het had.

Ik luisterde naar Marlboro Man, die een intensieve discussie met zijn broer voerde. Het was zakelijk en het leek geen goed nieuws te zijn.

'Oké, Slim,' zei hij. 'Bel me als je meer weet.'

Marlboro Man ging weer onder de dekens liggen. Ik hoorde hem zuchten.

'Is alles in orde?' vroeg ik slaperig terwijl ik mijn been boven op hem legde.

'O...' zei hij terwijl hij omrolde en zijn kussen goed legde. 'De graanmarkt heeft vandaag een enorme duikvlucht gemaakt.'

Ik wist niet of hij moe of gestrest was, of een beetje van allebei, maar ik hoorde aan zijn stem dat het nieuws onverwacht was.

Ik lag een tijdje te woelen voordat ik uiteindelijk in slaap viel en droomde over onze trouwdag, mijn ouders, ons gele indiaanse huis en onze afgrijselijke Land Cruiser.

De volgende dag reden we voornamelijk zwijgend naar de Gold Coast. Marlboro Man had nog een keer met Tim gebeld voordat we bij het hotel wegreden en de situatie klonk behoorlijk angstaanjagend. De prijzen voor maïs en tarwe daalden terwijl Marlboro Man op een ander continent was en niet in staat was om de situatie in de gaten te houden en zijn aandelen te beheren, de aandelen die eventuele fluctuaties van de veemarkt moesten opvangen. Hij wilde praten en genieten van onze reis naar het noorden, maar hij werd gewoon te veel door de problemen in beslag genomen om aandacht aan me te besteden. Hij had een nieuwe vrouw en een nieuw huis, en nauwelijks een week na zijn trouwdag werd zijn financiële situatie, die hij als veilig had beschouwd, met elk telefoontje van zijn broer Tim onzekerder. Ik wist niet wat ik moest zeggen of doen: ik wilde geen vrolijk gezicht trekken en doen alsof er niets ernstigs aan de hand was, maar aan de andere kant wilde ik het niet erger maken dan het was door hem er elke vijf minuten naar te vragen.

Van alle dingen die er tijdens onze huwelijksreis waren gebeurd, was dit de meest onwerkelijke ontwikkeling.

We namen onze intrek in ons strandhotel en zetten de gespannen situatie thuis lang genoeg van ons af om een strandwandeling te maken en kreeft te eten in een informele eettent aan het strand. Marlboro Man en ik deelden een kreeftenstaart die groter was dan de meeste koeien op de ranch, en ik bestelde een kreeftenstoofschotel als bijgerecht. Binnenkort gingen we terug naar Oklahoma en ik was niet van plan om uit Australië te vertrekken zonder zo veel mogelijk kreeft te hebben gegeten.

Ik boerde zachtjes terwijl we terugliepen naar ons hotel. Er zat veel kreeft in mijn maag.

Tegen de tijd dat we in ons hotel terug waren, lachten we weer. Marlboro Man plaagde me over alle kleren die ik op onze huwelijksreis had meegenomen en ik gaf een stomp op zijn arm, waarna hij me in een hoek van de lift duwde en me kietelde. Ik dreigde om in mijn broek te plassen als hij niet stopte en dat was geen grapje. Ik had een glas wijn en twee glazen cola light bij de kreeft gedronken en het was geen goed idee om me te kietelen in de lift.

Het knipperende lampje op de telefoon schreeuwde ons toe toen we de slaapkamer van onze suite in liepen. Marlboro Man ademde hoorbaar uit. Hij wenste zijn broer en de graanmarkten en de onzekerheden van het boerenbedrijf duidelijk naar de maan. Ik was het met hem eens.

Met het oog op de recente ontwikkelingen pakte Marlboro Man de telefoon echter om het laatste nieuws van Tim te horen. Ik ging naar de badkamer om me op te frissen en een champagnekleurige, satijnen nachtjapon aan te trekken. Ik was van plan de strijd aan te gaan met de externe krachten die me van de aandacht van mijn echtgenoot wilden beroven. Ik poetste mijn tanden en deed Jil Sander-parfum op voordat ik de deur naar de slaapkamer opendeed, vast van plan om Marlboro Man te verleiden zodat hij zijn zorgen vergat. Ik wist dat ik kon winnen.

Hij hing net op toen ik binnenkwam.

'Verdomme,' hoorde ik hem mompelen terwijl hij zich op het enorme kingsize bed liet vallen.

O, nee. Jil Sander had een zware taak voor de boeg.

Ik ging naast hem liggen met mijn hoofd op zijn arm. Hij legde zijn arm op mijn middel, ik sloeg mijn been over hem heen.

Hij zuchtte. 'De markten zijn helemaal onderuit gegaan.'

Ik kende de details niet, maar ik wist dat het niet goed was.

Ik wilde de gebruikelijke dooddoeners niet uiten – maak je geen zorgen, probeer er niet aan te denken, we lossen het op, alles komt goed – maar ik wist niet genoeg over het onderwerp om er iets zinnigs over te zeggen. Ik wist dat hij en zijn broer veel land bezaten. Ik wist dat ze hard werkten om dat te kunnen betalen. Ik wist dat ze geen advocaat of arts waren en geen neveninkomen hadden om de ranch mee te bekostigen. Ze waren voor hun levensonderhoud volkomen afhankelijk van heel veel dingen waarover ze geen controle hadden, zoals het weer, de fluctuaties op de markt, vraag en aanbod, geluk. Ik wist dat ze hun schaapjes nog niet op het droge hadden, daar had ik het met Marlboro Man over gehad. Maar ik begreep niet genoeg van de complicaties van deze hobbel om hem ervan te overtuigen dat alles op zakelijk gebied goed zou komen. En hij wilde dat waarschijnlijk niet van me horen.

Ik deed dus het enige wat in me opkwam. Ik overtuigde mijn nieuwe echtgenoot ervan dat alles goed was tussen ons door me naar hem toe te buigen, de lamp uit te doen en de liefde tussen ons – die helemaal niets te maken had met markten of graan – het werk te laten doen.

We werden twee uur later kotsmisselijk wakker door een voedselvergiftiging. De kreeft nam op een gewelddadige manier wraak. Het enige voordeel was dat de hotelsuite een apart toilet had, waar ik me installeerde, terwijl Marlboro Man zich in de badkamer terugtrok. We vroegen ons allebei af hoe een perfecte, fantastische huwelijksreis zo verschrikkelijk verkeerd kon gaan.

Als ik het niet zo druk had gehad met naar het plafond staren en wensen dat de dood me kwam redden, zou ik hysterisch gelachen hebben. Dit moest een van de meest hilarisch-tragische huwelijksreizen in de geschiedenis zijn.

Niet dat het ook maar een beetje leuk was.

Zesendertig uur later zaten we in het vliegtuig naar Amerika. Na een hele dag overgeven, diarree en overvloedig transpireren – om maar te zwijgen over mijn evenwichtsorgaanstoornis, de Griswold Family-huurauto en het verschrompelende appeltje voor de dorst thuis – zei ik tegen Marlboro Man dat ik vond dat we onze huwelijksreis moesten afbreken en naar huis moesten gaan, waar we konden ontspannen en uitpakken en helder nadenken. Ik wilde niet dat mijn nieuwe echtgenoot nog meer stress had omdat hij een vrolijk gezicht moest trekken terwijl we langs de kust naar het Great Barrier Reef reden: drie hele weken in Australië waren geen vereiste voor het leven dat we samen begonnen.

'We komen een keer terug,' zei ik tijdens onze tussenlanding in Auckland, en dat meende ik. Ondanks alle idiote gebeurtenissen van de afgelopen week had ik genoeg van Australië gezien om te weten dat ik er terug wilde komen, maar dan graag onder normalere omstandigheden.

Toen we landden, ademde Marlboro Man diep in en uit, alsof hij wist hoe groot de strijd was die op twee uur rijden van de luchthaven op hem wachtte, op de ranch waar hij was opgegroeid, op het land waar hij en zijn familie zo van hielden.

Ik ademde ook uit, terwijl ik me realiseerde dat we net officieel de grens waren gepasseerd naar de echte grotemensenwereld.

24

Zoals het klokje thuis tikt

Tim stond bij de bagageband op ons te wachten en begroette ons met een geforceerde glimlach. Hij gaf Marlboro Man een hand en klopte hem geruststellend op zijn arm. Mijn nieuwe zwager gaf me een warme omhelzing en heette ons welkom, maar ik zag zijn ongerustheid, die dik en duister en antracietgrijs was, als de aswolk van een uitgebarsten vulkaan. We zwegen grotendeels tijdens de rit naar de ranch, afgezien van een paar anekdotes over onze met braaksel gevulde huwelijksreis en een verslag van Tim over de ernst van de situatie op de markten. Ze vermeden de 'wat als' en 'wat moeten we doen'-vragen bewust en probeerden in plaats daarvan te begrijpen hoe alles in zo'n korte tijd zo'n duikvlucht had kunnen nemen. En, gezien het feit dat het vlak na onze feestelijke bruiloft was gebeurd, hoe ongelooflijk de timing was.

De zon verdween net achter de horizon toen we stopten bij ons kleine huis op de prairie. Ondanks alle chaotische toestanden waarin we ons bevonden, kon ik er niets aan doen dat ik moest glimlachen toen ik ons huisje zag. Ons huis, dacht ik, wat een vreemde reactie was omdat ik er nog nooit een nacht had doorgebracht. Nu ik hier echter stond voelde ik de hartslag van onze liefdesrelatie die op deze ranch was begonnen, de ritjes die we hadden gemaakt, het eten dat we hadden gekookt, de avonden waarop we samen naar onderzeeërfilms hadden gekeken op zijn oude leren bank. Die bank had Marlboro Man al naar ons nieuwe huisje verhuisd zodat we er meteen van konden genieten.

Die arme bank had zich vast verschrikkelijk alleen gevoeld zonder ons.

Tom nam afscheid nadat hij had geholpen mijn honderdvijftig kilo zware koffers naar binnen te sjouwen. Marlboro Man en ik keken rond in ons huisje, dat brandschoon was en rook naar nieuwe verf en leren cowboylaarzen, die op een rij bij de muur naast de voordeur stonden. De ingang gloeide van het licht van de ondergaande zon dat door het raam naar binnen scheen en ik pakte een van mijn koffers om die naar de slaapkamer te brengen. Voordat ik het handvat had kunnen pakken, sloeg Marlboro Man zijn armen stevig rond mijn middel en droeg me naar de leren bank, waar we ons op lieten vallen, vermoeid door de jetlag en alle emoties, maar ook met een plotselinge aanval van begeerte. Dat laatste was vrij onlogisch gezien de week die we net achter de rug hadden.

'Welkom thuis,' zei hij met zijn lippen in mijn nek. Mmm. Dit was een vertrouwd gevoel.

'Dank je,' zei ik terwijl ik mijn ogen dichtdeed en van elke seconde genoot. Terwijl zijn lippen over mijn hals gleden, hoorde ik het geluid van de koeien in het weiland dat ten oosten van ons huis lag. We waren thuis.

'Je bent zo heerlijk zacht,' zei hij. Zijn handen gingen naar de rits van mijn nonchalante zwarte jasje.

'Jij ook,' zei ik terwijl ik over het kortgeknipte haar van zijn achterhoofd streelde en hij zijn greep verstevigde. 'Maar... eh...' Ik zweeg even.

Mijn zwarte jasje lag nu op de grond.

'Ik... eh...' ging ik verder. 'Ik denk dat ik eerst wil douchen.' En dat was ook zo. Ik wist niet precies wat het voor mijn persoonlijke hygiëne had betekend om de internationale datumgrens te passeren, maar ik had het gevoel dat ik tien jaar lang niet had gedoucht. Ik kon me niet voorstellen dat ik ons huis in zo'n toestand zou inwijden. Ik wilde naar lelie en lavendel en Dove-zeep ruiken op de eerst nacht samen in ons huisje. Niet naar kerosine. Niet naar luchthavens. Niet naar kleren die ik al twee dagen droeg.

Marlboro Man grinnikte – voor het eerst sinds dagen – en zoals hij al zo vaak had gedaan tijdens onze verkering, duwde hij zijn voorhoofd tegen het mijne. 'Ik ook,' zei hij met een ondeugende toon in zijn stem.

En na die woorden gingen we samen naar de badkamer, waar we onze huwelijksreis van ons af wasten met een combinatie van kruidenlotions en plattelandswater.

'Het spijt me van onze huwelijksreis,' zei Marlboro Man toen we de volgende ochtend wakker werden. Het was half vier en nog donker buiten. We waren klaarwakker. Onze biologische klokken waren in een staat van opperste verwarring. Hij liefkoosde mijn zij terwijl ik me uitrekte en zuchtte. Ons bed was zo warm en gezellig.

'Het maakt niet uit,' zei ik glimlachend. 'Ik ben zo blij dat we thuis zijn... Ik vind het hier heerlijk.'

Onze slaapkamer was klein, ongeveer tweeënhalve meter bij tweeënhalve meter, en leek net een beschermende cocon.

'Ik vind het heerlijk om jóú hier te hebben,' antwoordde hij.

We bleven de hele ochtend in bed en probeerden te vergeten dat er een wereld buiten onze cocon bestond.

Marlboro Man en ik installeerden ons de eerste dagen van ons getrouwde leven op de ranch. Hij bracht zijn dagen door met het vee verzorgen en zijn avonden met het napluizen van de zakelijke verwikkelingen rond de imploderende financiële situatie waarin Tim en hij zich bevonden. Ik bracht mijn dagen door met wennen en zijn modderige kleren wassen, waarbij ik al snel merkte dat al mijn pogingen om de groenbruine mestvlekken weg te krijgen mislukten. Ik bedacht dat ik honderd spijkerbroeken van het merk dat hij droeg kon bestellen, zodat ik hem elke dag gewoon een nieuwe kon geven. Ik zag geen ander alternatief.

Ik pakte mijn kleren uit, hing ze in de kleine kast die Marlboro Man en ik deelden en legde wat er niet in paste netjes opgevouwen in bakken die onder het bed stonden. De talloze scrubcrèmes en gezichtscrèmes en lotions die ik gedurende de afgelopen jaren had verzameld, vulden de helft van de grote houten medicijnkast die boven de wastafel aan de badkamermuur hing. Mijn kookboeken – oude en nieuwe – kregen een plek op de planken boven de keukenkastjes.

We hadden geen plek om de huwelijkscadeaus die we hadden gekregen – zoals zilveren bladen en kristallen wijnglazen en tinnen dekschalen – neer te zetten. Marlboro Mans moeder kwam langs om me te helpen alles in te pakken en op te bergen in het garageappartement dat grensde aan het gele stenen huis, waarvan de renovatie gestaag vorderde.

'S Avonds probeerde ik te wennen aan de nieuwe keukenapparatuur: een draagbaar vierpits-gaskomfoor, een roestvrijstalen wasbak, een nieuwe, glanzende koelkast. Ik had een schattige tegel uitgekozen met koeien in waterverfkleuren die waren opgedeeld in de verschillende stukken vlees, en teksten in het Frans – een wanhopige poging van mijn kant om werelds te zijn – zodat het woord 'boeuf' nu onze aanrechtbladen sierde. Marlboro Man moest erom lachen.

Op onze zesde avond thuis, na voornamelijk op broodjes met hardgekookte eieren te hebben geleefd, kookte ik een kip in de nieuwe Calphalon-soeppan die ik cadeau had gekregen van mijn kamergenootje van de universiteit, en haalde de kip daarna uit de pan met de roestvrijstalen tang die ik van de moeder van een jeugdvriendin had gekregen. Toen de kip voldoende was afgekoeld, haalde ik het vlees van het bot. Ik besloot om onze keuken in te wijden met mijn moeders spaghetti met kip, troostvoedsel waarvan ik dacht dat het midden in de roos zou zijn tijdens onze eerste week thuis. Ik kookte de spaghetti en voegde daar de kip en groene en rode paprika aan toe. Om mijn status als goddelijke huisvrouw waar te maken, deed ik er daarna geconcentreerde champignonroomsoep bij. Ik hield twee open blikken minstens een minuut boven de mengkom voordat de gestolde inhoud er eindelijk in een cilindervormige massa uit floepte. Ik voegde een scheut bouillon en geraspte scherpe cheddarkaas toe, mengde alles door elkaar, bracht het op smaak met zout en cayennepeper, goot de massa in een aardewerken schaal, een cadeau van een nicht van mijn schoonmoeder, en zette de schaal in de oven. De ovenschotel rook zo als in mijn jeugd, wat waarschijnlijk de laatste keer was dat ik dit gerecht had gegeten. Het verbaasde me dat de geur van een bepaald gerecht meer dan twintig jaar in iemands geheugen kon zijn opgeslagen. Op het donkerbruine haar en het instortende huwelijk na was ik officieel mijn moeder geworden.

Marlboro Man, die blij was dat hij iets warms te eten kreeg, verkondigde dat hij nog nooit zo lekker had gegeten. Ik keek naar de rotzooi in de keuken en had zin om te verhuizen.

Marlboro Man en ik keken die avond films. Onze satellietontvanger was nog niet aangesloten, dus had hij zijn filmcollectie en videorecorder uit het oude huis gehaald. En ik hoefde niet naar huis te rijden toen de film afgelopen was omdat ik al thuis was.

25

Een zwarte dag

Precies vijf weken na onze bruiloft reden we naar de stad om met mijn ouders te gaan eten. Ze wilden ons na onze huwelijksreis verwelkomen met een lekkere maaltijd in de country club. Ik omhelsde mijn vader en moeder en huiverde: de inmiddels vertrouwde spanning tussen hen was tastbaar aanwezig. Er was duidelijk niets verbeterd sinds ons trouwfeest.

Omdat ik niet langer elke dag getuige was van het instorten van hun huwelijk was ik de afgelopen weken, tijdens de huwelijksreis, het wennen aan ons nieuwe huisje en de eerste bruisende dagen van ons huwelijk, gaan geloven dat het niet per se hoefde te gebeuren.

Een halve minuut in hun aanwezigheid maakte daar een eind aan.

We bestelden biefstuk en gebakken aardappelen en salade en een dessert, maar vreemd genoeg wist ik bij de tweede hap vlees dat ik niets meer naar binnen kon krijgen. De gedachte aan vlees stond me plotseling tegen. Ik voelde me weer net zo misselijk als toen in het beste restaurant van Sydney. O nee, dacht ik, het is terug. Ik zei niets en bleef met mijn vork in mijn eten prikken terwijl Marlboro Man en ik de leukere details van onze huwelijksreis vertelden.

Toen we afscheid namen en ik mijn ouders in hun auto zag stappen – mijn moeder staarde uit het raam terwijl mijn vader schakelde en recht voor zich uit keek – wist ik dat de situatie erger was geworden.

Terwijl Marlboro Man en ik naar onze auto liepen hield ik hem stevig vast en ik nam me voor om nooit zo'n kilte tussen ons te laten ontstaan. Ik kon de gedachte niet verdragen, ik kon het me niet eens voorstellen. Ik hield zoveel van Marlboro Man. Hadden mijn ouders zich ooit zo gevoeld? Ik wist dat het zo was. Ik had het gezien. Ik klampte me nog steviger aan Marlboro Man vast terwijl we over het parkeerterrein liepen.

We reden langzaam naar huis, bijna in volkomen stilte. Ik wist dat Marlboro Man er met zijn gedachten niet bij was; de financiële situatie van de ranch drukte zwaar op hem, terwijl ik alleen kon denken aan mijn ouders en mijn stomme evenwichtsorgaanstoornis, die juist vanavond was op gaan spelen. Ik was weer misselijk zoals tijdens het grootste deel van onze huwelijksreis.

Plotseling voelde ik het opkomen.

'Stop!' riep ik net voordat we de districtsgrens overstaken. Nog voordat de pick-up helemaal stilstond gooide ik mijn portier open en sprong naar buiten, waarna ik mijn avondeten in de berm uitkotste.

Op de groeiende lijst met Onwaardige Momenten In Mijn Leven, kreeg dit moment een heel hoge plaats.

De misselijkheid was de volgende ochtend zo erg dat ik nauwelijks uit bed kon komen. Marlboro Man was al weg; ik had hem niet eens op horen staan. Ik hief mijn hoofd van het kussen en liet het onmiddellijk weer vallen. Ik voelde me net zo groen als ik er waarschijnlijk uitzag en ik was zo bang dat ik weer over zou geven dat ik me in foetushouding oprolde en zo nog een uur bleef liggen. Ik wilde dat ik een knop had waarmee ik iemand kon oproepen die Froot Loops-ontbijtgranen voor me ging halen. Het was vreemd genoeg het enige op aarde waar ik op dat moment trek in had.

Halverwege de ochtend lukte het me om op te staan. Ik schuifelde naar de koelkast in ons keukentje en dronk wat koude jus d'orange. De suiker leek onmiddellijk te helpen. Ik zocht in de kasten naar iets wat het misselijkmakende hongergevoel kon stillen, maar alles zag er walgelijk uit. Ik kon de gedachte aan een broodje ham niet verdragen. Toen ik me voorstelde dat er melk door mijn keelgat naar beneden liep, begon ik bijna weer over te geven. Zelfs de crackers hadden net zo goed met haar bedekt kunnen zijn. Dit was erg. Dit was heel, heel erg. Ik moest proberen te douchen en een afspraak met een dokter te maken. Zo kon het niet langer.

De douche bleek heerlijk toen ik het water eenmaal zo koud had gezet dat er geen stoom vrijkwam. Ik waste mijn haar en merkte dat mijn favoriete shampoo plotseling stonk, net als mijn vertrouwde scrubcrème die mijn gezicht op mijn trouwdag zo loyaal had gered. Ik spoelde net het laatste schuim uit mijn haar toen Marlboro Man plotseling de badkamer in stormde. 'Hé!' riep hij.

Ik schreeuwde van schrik en schreeuwde toen nog een keer omdat ik naakt was en me zwak en onaantrekkelijk voelde. Daarna werd ik weer misselijk. 'Hoi,' mompelde ik. Ik pakte een handdoek van het rek en wikkelde die zo snel mogelijk rond mijn lichaam.

'Ik had je te pakken,' zei hij met de verleidelijkste glimlach ooit. Plotseling keek hij me aandachtig aan. 'Is alles goed met je?' Hij had de groene kleur van mijn gezicht blijkbaar gezien.

'Ik zal eerlijk tegen je zijn,' zei ik terwijl ik naar onze slaapkamer liep. 'Het is behoorlijk erg. Ik ga proberen of ik vandaag een afspraak met de dokter kan maken om te vragen of hij er iets aan kan doen.' Ik liet me weer op bed vallen. 'Mijn oren hebben vast een permanente beschadiging of zo opgelopen.'

Marlboro Man liep naar me toe met de gezichtsuitdrukking van een kat die net een kanarie had verslonden. 'Ik heb je laten schrikken, nietwaar?' Hij grinnikte terwijl hij zijn armen rond mijn in een handdoek gewikkelde lichaam sloeg. Ik ademde in en sloeg mijn armen om hem heen.

Daarna sprong ik overeind en rende naar de badkamer om over te geven.

Marlboro Man ging weer aan het werk – Tim en hij kregen een lading stieren binnen – en ik reed naar de stad voor mijn afspraak met de enige dokter die me op zo'n korte termijn kon inplannen. Ik wilde een kno-arts spreken, omdat ik al wist dat het een evenwichtskwestie was, maar die zaten de komende twee weken helemaal vol. Ik kon de gedachte niet verdragen dat ik zo lang misselijk zou zijn. Na een hele serie vragen, het betasten van mijn lymfklieren en een kijkje in mijn oren leunde de dokter tegen zijn bureau, sloeg zijn armen over elkaar en zei: 'Is er een kans dat je zwanger bent?'

Ik wist dat het dat niet was. 'Tja, dat zou niet onmogelijk zijn,' gaf ik hem zijn zin. 'Maar ik weet dat het dat niet is. Ik heb hetzelfde tijdens onze huwelijksreis gehad, toen we net in Australië waren. Het heeft absoluut met mijn evenwichtsorgaan te maken.' Ik slikte en wilde dat ik Froot Loops had meegenomen.

'Wanneer ben je getrouwd?' vroeg hij terwijl hij naar de kalender aan de muur van de onderzoekskamer keek.

'Eenentwintig september,' antwoordde ik. 'Maar echt... ik weet dat het mijn oren zijn.'

'Goed, laten we dat dan eerst maar eens uitsluiten,' zei de dokter. 'Ik stuur de assistente zo meteen naar binnen, oké?'

Wat een verspilling van tijd, dacht ik. 'Goed, maar... denkt u dat u iets aan mijn oren kunt doen?' Ik wilde me echt niet meer zo ziek voelen.

'Marcy is zo meteen bij je,' herhaalde hij. Hij bevestigde mijn zelfdiagnose helemaal niet. Wat voor soort dokter was dit?

Marcy kwam vlak daarna binnen met een plastic beker met

een felgroen deksel – precies de kleur van mijn gezicht. 'Denk je dat je me een urinemonster kunt geven, meisje?' vroeg ze.

Ik kan je een braakselmonster geven, dacht ik. 'Natuurlijk,' zei ik terwijl ik de beker aanpakte en als een brave, volgzame patiënt achter haar aan liep naar de toiletruimte. En noem me niet meisje, dacht ik. Ik was chagrijnig. Ik moest iets eten en ik had het gevoel dat ik elk moment in tranen kon uitbarsten.

Even later kwam ik het toilet uit en gaf de beker aan Marcy, nadat ik hem eerst schoon had geveegd met een papieren doekje.

'Goed zo, meisje,' zei ze. 'Je mag terug naar de onderzoekskamer en dan ben ik zo weer bij je.

Noem me niet meisje.

Alles tintelde en ik had het warm en voelde me afschuwelijk. Als ik mijn hoofd te snel een kant op bewoog, moest ik kokhalzen. Plotseling voelde ik heel veel sympathie voor mensen die zich de hele tijd zo voelen, door chemotherapie of gastro-intestinale problemen of andere medische oorzaken. Ik was absoluut niet in staat om lang in deze staat te functioneren. Ik hoopte vurig dat er een afdoende behandeling voor bestond. Ik had er geen idee van wat ze eraan konden doen, maar ik wilde alles proberen om het misselijke gevoel kwijt te raken. Ik had tenslotte dingen te doen. Ik moest een echtgenote zijn.

Mijn benen zwaaiden heen en weer terwijl ik op de onderzoekstafel zat te wachten tot Marcy of de dokter terugkwam. Ik had ineens ontzettend veel trek in een Frosty van Wendy's fastfoodrestaurant. Eindelijk, dacht ik. Ik heb trek in ijs in plaats van Froot Loops. Schiet op, Marcy! Ik moet naar de drive-in.

Even later kwamen Marcy en de dokter samen binnen. Marcy glimlachte.

'Je bent zwanger, jongedame,' zei de dokter.

Mijn hart maakte een sprongetje. 'Wat?' riep ik uit. 'Maar daardoor ben ik toch niet zo misselijk... of wel soms?'

Na een aantal ongemakkelijke vragen van de arts over de diverse data van dit en van dat, gaf hij met zijn pen in zijn hand en met behulp van de kalender aan de muur uitleg. Hij vertelde me wanneer ik waarschijnlijk zwanger was geworden en waarom ik nu, vijf weken na onze trouwdag, mijn ingewanden uit mijn lijf kotste en naar Froot Loops en Frosties hunkerde.

Zwanger.

Zwanger?

Wat moest ik doen?

Moest ik het Marlboro Man vertellen?

Moest ik met mijn voeten op een stapel kussens gaan liggen?

Wat zou dit voor mijn figuur betekenen?

Ik had plotseling heel veel om over na te denken.

Tijdens de terugrit naar de ranch at ik het laatste restje van de allerlekkerste Frosty die ik ooit had gegeten. Ik legde instinctief mijn hand op mijn buik, die plat was als een pannenkoek omdat ik de afgelopen achtenveertig uur nauwelijks iets had gegeten. Zwanger? Nu al? Ik wist dat het kon gebeuren, ik wist dat het mogelijk was, maar ik had niet gedacht dat het zo snel zou zijn.

Mijn gedachten sloegen op hol. Wat had ik de afgelopen weken gedronken? Welke medicijnen had ik geslikt? Wat had ik gegeten? Wat betekende dit voor Marlboro Man en mij? Was hij er klaar voor? Hij had gezegd dat hij kinderen wilde, maar meende hij dat echt? Wat zou het voor mijn lichaam betekenen? Voor mijn ziel? Voor mijn hart? Kon ik mezelf delen met een baby? Deed bevallen pijn?

Ik parkeerde de auto en zag Marlboro Mans pick-up naast het huis staan. Toen ik ons kleine witte huis in liep, zat hij op het bankje en trok zijn rechterlaars uit.

'Hoi,' zei hij terwijl hij tegen de muur leunde. 'Hoe is het met je?'

'Beter,' antwoordde ik. 'Ik heb een Frosty gegeten.'

Hij trok zijn linkerlaars uit. 'Wat zei de dokter?'

'Tja,' begon ik. Mijn lip trilde.

Marlboro Man stond op. 'Wat is er aan de hand?' vroeg hij.

'Ik ben...' Mijn lip begon harder te trillen waardoor ik bijna niet kon praten. 'Ik ben zwanger!' riep ik. De tranen begonnen over mijn wangen te rollen.

'Wat?' riep hij uit terwijl hij naar me toe liep. 'Echt?'

Ik kon alleen knikken. Het brok in mijn keel was te groot om te praten.

'Wauw.' Hij omhelsde me stevig. Ik nam aan dat hij het ook niet had verwacht.

Ik huilde geluidloos, om ons verleden en onze toekomst. Om mijn misselijkheid en mijn vermoeidheid. Om de diagnose die ik had gekregen.

Marlboro Man hield me vast zoals hij altijd deed als ik een van mijn onverwachte huilbuien kreeg, terwijl hij zijn best deed om niet te exploderen van opwinding omdat zijn baby in mijn buik groeide.

Die avond, nadat ik een paar uur aan het nieuws had kunnen wennen, hield Marlboro Man het niet langer uit. Hij wilde het onze families vertellen en hij was niet van plan om te wachten tot het eind van de derde maand of er een paar nachten over te slapen. Er was iets belangrijks gebeurd. Hij zag het nut er niet van in om dat geheim te houden.

'Hoi,' zei hij toen zijn moeder de telefoon opnam. Ik kon haar heldere stem op een afstand horen. 'Ree is zwanger,' flapte hij eruit, net zo open als hij de eerste weken van onze relatie was geweest.

'Yep,' antwoordde hij op een vraag van zijn moeder. 'We zijn heel opgewonden.' Hij bleef nog even met zijn moeder praten. Ik hoorde het enthousiasme in haar stem.

Toen hij het gesprek had beëindigd, gaf hij de telefoon aan mij. 'Wil jij je familie bellen?' vroeg hij. Hij zou zelfs de krant gebeld hebben als hij die had kunnen bereiken.

Hoewel ik meer gefocust was op mijn groeiende misselijkheid dan het bellen van allerlei mensen, pakte ik toch de telefoon en koos het nummer van mijn ouders. Nadat de telefoon een paar keer was overgegaan, nam mijn vader eindelijk op. 'Hallo,' klonk zijn kalme stem.

'Hallo papa,' zei ik.

'Hallo liefje,' antwoordde mijn vader. Zijn stem klonk vreemd. Er was iets aan de hand.

'Wat is er, pap?' vroeg ik.

'Je moeder... je moeder is vanavond bij me weggegaan,' zei hij. 'Ze zegt dat ze een appartement heeft en ze is vertrokken. Ze is weg...' Zijn stem stierf weg.

De moed zakte me in de schoenen. Ik zat op de bank en was niet in staat om te bewegen.

Ik vertelde het meteen aan Marlboro Man – het was het tweede verbijsterende nieuws dat we die dag te horen kregen – en reed daarna naar mijn vader. Ik wilde hem zien om zeker te weten dat het goed met hem ging, en ik wist dat ik alleen moest gaan. Ik kon Marlboro Man zo vroeg in ons huwelijk niet blootstellen aan zulke ernstige problemen in zijn schoonfamilie en ik wist niet zeker of mijn vader het prettig vond om te praten als zijn schoonzoon erbij was.

'Ik blijf niet lang weg,' zei ik tegen hem. 'Ik wil alleen zeker weten dat het goed met hem gaat.'

'Ik vind het zo naar voor je, schatje,' zei Marlboro Man terwijl hij me omhelsde voordat ik vertrok.

Hemel, wat een dag.

Ik belde mijn moeder zodra ik in de auto zat.

'Mam,' zei ik. 'Wat is er aan de hand?'

Ze zweeg even. 'Ree,' zei ze. 'Het zat er al een hele tijd aan te komen.'

'Wat zat eraan te komen?' vroeg ik. 'Een huwelijk van dertig jaar weggooien?' Mijn humeurigheid was terug.

Ze zweeg een hele tijd. Ik passeerde een veerooster terwijl ik naar de hoofdweg reed. 'Het is niet zo eenvoudig, Ree...' begon ze. Het bleef stil terwijl we allebei probeerden te bedenken wat we moesten zeggen. Het had absoluut geen zin om boos te roepen dat mijn moeder bezig was ons gezin kapot te maken. Dat het allemaal te voorkomen was, dat het niet nodig was. Dat ze de grond onder onze voeten weghaalde.

Dat ik een baby kreeg. Dat ik haar nodig had.

Ik hing op. Mijn moeder belde niet terug. Ze besefte waarschijnlijk dat het op dit moment absoluut geen zin had om te proberen een zinnig gesprek met me te voeren.

Toen ik thuis aankwam – het huis waarin ik was opgegroeid – deed mijn vader de deur voor me open. We omhelsden elkaar en huilden: mijn vader jammerde zachtjes en verbijsterd.

'Wat naar voor je, papa,' zei ik terwijl ik hem stevig omhelsde.

Hij kon geen woord uitbrengen.

Ik bleef twee uur bij mijn vader. We praatten tot zijn beste vriend Jack arriveerde. Mijn broer Doug had Betsy gebeld om te vertellen wat er aan de hand was. Ik wist dat het nieuws zich door het stadje begon te verspreiden.

Ik reed naar de ranch terug toen ik zeker wist dat mijn vader geestelijk stabiel was en belde Mike in de auto.

'M-m-m-maar waar gaat mama dan wonen?' vroeg Mike nadat ik had uitgelegd wat er aan de hand was.

'Nou... ik geloof dat ze een appartement heeft. Maar ik weet niet echt wat er aan de hand is,' legde ik uit. 'We moeten het gewoon afwachten, oké?'

'H-h-h-hoe ziet het appartement eruit?' vroeg hij.

'Mikey, dat weet ik niet,' antwoordde ik. 'Ik... ik weet het op dit moment gewoon niet. Maar maak je geen zorgen, goed? Er komt wel een oplossing.'

'Waar gaan we Kerstmis vieren?' vroeg Mike.

Ik slikte moeizaam. 'We vieren het hier, ik weet zeker...' begon ik. Mijn ogen waren nat van de tranen.

'Maar ze gaan toch n-n-n-niet scheiden?' vroeg Mike.

Het zou hem tijd kosten om het te begrijpen.

We praatten nog even met elkaar en zeiden daarna welterusten. Ik hing op en huilde. Dit mocht niet gebeuren – niet nu.

Ik was net voor middernacht terug. Marlboro Man kwam meteen naar mijn auto toe lopen. Ik hoorde alleen de koeien en de krekels toen ik uit de auto stapte en me in zijn armen liet vallen, die sterk en warm en troostrijk waren. Ik was een wrak – met een zieke maag en een nog zieker hart – en Marlboro Man nam me mee naar binnen alsof ik een terminale ziekte had. Ik was volkomen kapot en nauwelijks in staat om te douchen voordat we naar bed gingen. Marlboro Man wreef over mijn rug terwijl ik uit alle macht probeerde om niet over te geven of hysterisch te worden en mijn roodgebloemde sloop doornat te maken met mijn tranen.

26

Een donkere afgrond

Ik werd de volgende dag wakker met het gevoel dat ik uitgeput was, maar gelukkig was ik niet meer zo misselijk. Ik redeneerde dat ik misschien de kortste aanval van misselijkheid in de geschiedenis van de zwangerschap had gehad. Ik stond op en wachtte tot de misselijkheid terugkwam, maar dat gebeurde niet. Hoopvol waste ik mijn gezicht en kleedde me aan. Marlboro Man was natuurlijk weg: hij was opgestaan toen het nog donker was. Ik maakte me op terwijl ik me afvroeg of ik ooit op hetzelfde tijdstip als Marlboro Man uit bed zou komen. Ik vroeg me af of er íémand was die dat deed.

Rond elf uur, nadat ik mijn vader had gebeld om te vragen hoe het met hem ging, doorzocht ik de keuken op zoek naar ideeën voor de lunch. Ik besloot uiteindelijk om chili te maken.

Dat zou een paar uur moeten pruttelen, dus als Marlboro Man thuiskwam zou het klaar zijn. Vrouwen maakten chili voor de lunch, nietwaar? Ik had nog steeds niet helemaal door wat er van me verwacht werd. Ik sneed uien en knoflook terwijl ik door mijn mond ademhaalde om te vermijden dat ik weer misselijk werd en deed de groente in een pan met het gehakt dat ik eerder die week in de koelkast had ontdooid. Ik had geen pakjes chilikruiden in mijn voorraadkast – dat artikel had ik nog niet opgenomen in mijn winkelronde – dus improviseerde ik met chilipoeder, paprikapoeder, cayennepeper, komijn... alles wat ook maar enigszins leek op de geur die ik me van chili dacht te herinneren. Tegen de tijd dat de saus begon te koken, had de geur van chili het universum overgenomen en was de misselijkheid in alle hevigheid terug. Ik had nog nooit iets smerigers geroken dan de scherpe knoflook, de afgrijselijk overheersende komijn en het pruttelende vlees.

Tegen de tijd dat Marlboro Man thuiskwam, roerde ik in de saus met kidneybonen terwijl ik op het punt stond om over te geven.

'Mmm, dat ruikt lekker,' zei hij. Hij liep naar het fornuis, sloeg zijn armen om me heen en legde zijn handen op mijn buik. 'Hoe is het met je, mama?' vroeg hij. De vlinders fladderden wild door mijn buik, ook al maakte de komijn me misselijk.

'Ik voel me vandaag beter,' zei ik terwijl ik me op mijn fysieke conditie concentreerde. 'Hoe is het met jou?'

'Goed,' antwoordde hij. 'Ik maak me zorgen om je.' Zijn handen liefkoosden mijn ribben, mijn armen, mijn zijden.

Marlboro Man raakte me de hele tijd aan; hij had absoluut geen last van fysieke onverschilligheid.

De telefoon ging en ik bleef in de chili roeren terwijl hij naar de zitkamer liep om op te nemen. Hij praatte een tijdje en kwam daarna weer naar de keuken.

'Marie heeft nog maar een paar uur te leven,' zei hij. 'Ze waarschuwen alle familieleden dat het tijd is om afscheid te nemen.'

Ik zette het gas uit. 'O nee,' zei ik. 'Nee.' Het was het enige wat ik kon zeggen.

'Als je je niet goed genoeg voelt, hoef je niet mee te gaan,' zei Marlboro Man. 'Dat begrijpen ze allemaal.'

Ik wilde echter gaan. Haar gevecht liep ten einde en ik kon onmogelijk níét gaan, ook al was ik het nieuwste lid van de familie.

Toen ik het huis van Marie en Tom binnen liep, wilde ik overal ter wereld zijn behalve daar. Familieleden liepen rond, omhelsden elkaar en huilden. Er werd eten geserveerd, maar niemand raakte het aan. Ik wist niet hoe ik de mensen moest begroeten. Of ik moest glimlachen. Of ik anderen moest omhelzen. Of ik moest huilen. Ik dacht aan mijn ouders. Ik had het benauwd omdat ik geen lucht meer kreeg.

Matthew probeerde te glimlachen toen hij ons omhelsde en nam ons mee naar de achterkamer, waar zijn moeder bewusteloos en zwaar ademhalend in bed lag. Maries broer zat naast haar, hield haar hand vast, bracht zijn gezicht teder naar haar toe en praatte zachtjes tegen haar. Haar ouders stonden vlakbij en troostten elkaar met hun armen om elkaar heen geslagen.

Matthew ging naast zijn zusje Jennifer op bed zitten en raakte zijn moeders benen en armen aan... alles om het fysieke contact vast te houden dat al snel niet meer mogelijk zou zijn. Haar man Tom zat op een stoel en keek verdrietig voor zich uit. De sfeer was zo ellendig dat ik het niet kon verdragen om in de kamer te blijven. Mijn schoonmoeder hielp in de keuken met eten klaarmaken en afwassen; ik liep de kamer uit om bij haar te zijn. Marlboro Man liep vlak achter me aan. Nadat hij jaren geleden de dood van zijn broer Todd had moeten verdragen, had hij voor zijn hele leven genoeg van dit soort verdriet meegemaakt.

Op het moment dat ik in de keuken arriveerde, klonk er gesnik uit de slaapkamer. Marie had haar laatste adem uitgeblazen. Ik hoorde Jennifer hardop om haar moeder roepen en Maries ouders die 'nee... nee,' zeiden, telkens weer. Ik hoorde het gehuil van Maries beste vrienden en vriendinnen, die rond haar bed verzameld waren. Ik voelde dat ik brak en ik liep naar het toilet aan de andere kant van het huis.

Ik sloot mezelf op in het toilet en ging op de vloer zitten, met mijn rug tegen de blauwbetegelde muur. Ik voelde me een indringer. Ik hoorde hier niet. Aan de andere kant was ik de vrouw van Marlboro Man. Het was zijn familie, dus ook die van mij. Intussen zat mijn vader alleen thuis. Hij werd waarschijnlijk gek in dat lege huis. Ik moest naar hem toe om hem erdoorheen te helpen, maar ik kon de gedachte niet verdragen om het huis van mijn ouders binnen te gaan zonder dat mijn moeder er was. Ik voelde een golf van misselijkheid en de tranen schoten in mijn ogen – tranen voor Marie, voor mijn vader, voor mijn zusje en broers en mijn grootouders. Tranen voor

Marlboro Man en alle stress die hij de laatste tijd had, voor Maries dochter, die net van de universiteit kwam en haar volwassen leven zonder haar moeder moest beginnen. Ik dacht aan alle gelukkige Kerstmissen uit mijn jeugd en realiseerde me dat ik er nooit meer een zou meemaken. En ik dacht aan Mike, die routine en stabiliteit nodig had. Ik vroeg me af hoe hij met de veranderingen zou omgaan. Ik dacht eraan hoe vriendelijk Marie tegen me was geweest in de korte tijd dat ik haar had gekend. Mijn tranen veranderden in een vloedgolf, mijn gesnotter in zwaar snikken.

Stop daarmee, riep ik mezelf tot de orde. Je mag niet hysterisch worden. Je kunt het niet maken om met rode, gezwollen ogen tussen Marlboro Mans familieleden rond te lopen.

Het was hun verdriet, niet dat van mij. Ik wilde niet dat ze dachten dat ik met mijn emoties speelde. Maar ik kon mijn tranen niet binnenhouden, hoe hard ik het ook probeerde. Ik pakte een washandje en legde dat op mijn gezicht terwijl ik het klaaglijke gehuil van Maries familieleden in de andere kamer hoorde. Het was voorbij: Marie was er niet meer. Mijn ouders waren er niet meer: ze gingen scheiden. Omdat ik wist dat er overal mensen rondliepen, bleef ik in het blauwe toilet, begroef mijn gezicht in mijn handen en huilde ontroostbaar.

Ik zal hier moeten blijven tot ik mezelf in de hand heb, dacht ik. Ik zal hier moeten blijven tot ik zestig ben.

Ik ging niet naar Maries begrafenis. Mijn misselijkheid, die de hele dag duurde, putte me uit en beheerste mijn lichaam vanaf het moment dat ik wakker werd. Wat ik een paar weken eerder had meegemaakt, was niets vergeleken met de kwelling die ik nu moest verdragen.

Ik voelde me afschuwelijk. Ik wilde een jonge, bruisende vrouw vol pit en energie zijn. In plaats daarvan zag ik olijfgroen, was ik aan mijn bed gekluisterd en niet in staat om mijn hoofd van het kussen op te heffen zonder een handje chocopops te eten. Elke keer dat Marlboro Man de slaapkamer in kwam om te controleren hoe het met me was, stapte hij op een chocopop. Ik hoorde het kraken in het tapijt en hij keek naar de kruimels op de zolen van zijn laarzen. Het enige wat ik kon doen was toekijken. Als ik het al kon verdragen om rechtop te staan rook ik aan halve citroenen om de misselijkheid te onderdrukken. Overal in huis lagen halve citroenen want ik was bang om langer dan tien seconden zonder zo'n citroen te zitten.

Ik was een toonbeeld van schoonheid – charmant op alle mogelijke manieren – en een grote hulp op de ranch. Marlboro Man werkte hard. Al het vee dat hij de maand voor onze trouwdag had gekocht begon binnen te komen en ik wilde hem daarbij helpen. Maar de stank van mest was te veel voor me. Ik moest al kokhalzen als ik gewone lucht rook, zelfs met een citroen onder mijn neus. Ik kon niet koken. Appels, brood, vlees: ik kon niets verdragen. Ik reed vijfentwintig minuten naar de stad om een pizza te halen, om daarna halverwege de weg naar huis te stoppen en hem in de kofferbak te leggen omdat de geur zo verschrikkelijk overweldigend was.

Marlboro Man deed zijn uiterste best om mee te leven met mij, zijn door hormonen vergiftigde, gedeprimeerde vrouw, maar hij begreep het gewoon niet. 'Misschien voel je je beter als je gedoucht hebt,' zei hij terwijl hij mijn rug streelde.

Hij begreep het niet. 'Ik kan geen douche nemen,' huilde ik. 'Ik kan het niet.' Ik wilde naar huis, naar mijn moeder, ik wilde in mijn oude bed liggen. Ik wilde dat mijn moeder me soep bracht. Maar ik had geen thuis meer waar ik naartoe kon gaan.

Ik was op een nieuwe plek, in een nieuwe wereld. Plotseling was mijn leven volkomen onherkenbaar. Ik wilde niet zwanger zijn. Als ik naar Chicago was verhuisd, was dat niet gebeurd. Dan had ik de scheiding van mijn ouders niet meegemaakt en had ik geen last van zwangerschapshormonen gehad en droeg ik nu misschien een zijdeachtige zwarte coltrui tijdens een Italiaans etentje met vrienden.

Italiaans…

Ugh. Ik was kotsmisselijk.

27

Buitenbeentje

De misselijkheid hield weken aan. Tegelijkertijd probeerde ik mijn best te doen om te wennen aan het leven buiten de bewoonde wereld. Ik moest wennen aan het feit dat ik dertig kilometer bij de dichtstbijzijnde levensmiddelenwinkel vandaan woonde, dat ik niet gewoon naar de winkel kon lopen als ik geen eieren meer had, dat er geen sushi te koop was. Niet dat dat wat uitmaakte, trouwens. Geen enkele cowboy op de ranch zou het aanraken. Dat is aas, zouden ze zeggen, lachend om de stadsmensen die zichzelf ervan overtuigden dat zulk voedsel lekker was.

Er was geen vuilniswagen. In deze vreemde, nieuwe omgeving bestond geen infrastructuur voor het ophalen van vuilnis. Er liepen koeien in mijn tuin die overal poepten: op de veranda, in de tuin, zelfs op mijn auto als ze daar toevallig in de buurt liepen op het moment dat ze een lading lieten vallen. Er was geen tuinpersoneel om het op te ruimen. Ik wilde mensen aannemen, maar die waren er niet. De realiteit van mijn situatie werd me met de dag duidelijker.

Op een ochtend, nadat ik moeizaam een kom cornflakes naar binnen had gewerkt, keek ik uit het raam en zag ik een poema op de motorkap van mijn auto zitten. Hij likte zijn poten, waarschijnlijk nadat hij de vrouw van een naburige rancher had verscheurd en haar bij wijze van ontbijt had opgegeten. Ik rende naar de telefoon en belde Marlboro Man om hem te vertellen dat er een poema op mijn auto zat. Mijn hart bonkte. Ik had er geen idee van dat ze in dit gebied voorkwamen.

'Het is waarschijnlijk alleen een lynx,' stelde Marlboro Man me gerust.

Ik geloofde hem niet.

'Natuurlijk niet, hij is hartstikke groot,' riep ik. 'Het moet echt een poema zijn!'

'Ik moet ophangen,' zei hij. Ik hoorde de koeien op de achtergrond loeien.

Ik legde de telefoon weg, ongelovig dat Marlboro Man helemaal niet bezorgd was, en sloeg met mijn handpalm op het raam om het beest weg te jagen. Hij keek op en staarde naar me, terwijl hij zich waarschijnlijk voorstelde dat ik op een bord lag, met een bijgerecht van gepureerde forel.

Mijn verkering met Marlboro Man, die vol bruisende romantiek was geweest, had me niet voorbereid op de muizen die ik in de muur naast ons bed hoorde krabben en op alle lekke banden die ik kreeg omdat ik over de scherpe grindwegen moest rijden. Voordat ik trouwde, wist ik niet hoe ik met een autokrik of een koevoet moest omgaan... en ik wilde het nu niet leren. Ik wilde niet weten dat de stank in de wasruimte afkomstig was van een dood knaagdier. Ik had nog nooit een dood knaagdier geroken: waarom werd ik nu als jonge, pasgetrouwde vrouw gedwongen dat te doen?

Overdag was ik chagrijnig, 's avonds was ik uitgeput. Ik had niet één nacht doorgeslapen sinds we van onze huwelijksreis terug waren. Naast de misselijkheid, waarvan de tweede piek me meestal rond bedtijd trof, was ik doodsbang. Ik lag naast Marlboro Man, die elke avond sliep als een baby, en dacht aan monsters en seriemoordenaars: Freddy Krueger en Michael Myers, Ted Bundy en Charles Manson. In de absolute stilte van het platteland werden alle geluiden versterkt. Ik wist zeker dat de moordenaar achter het raam me te pakken zou krijgen als ik in slaap viel.

En alsof het vooruitzicht van seriemoordenaars niet voldoende was, gingen mijn gedachten onveranderlijk naar mijn ouders en mijn familie. Naar mijn moeder, die gelukkig was in haar eenkamerappartement. Zou ik ooit in staat zijn haar te vergeven? Naar mijn vader, die ernstig depressief in zijn lege huis zat. Stel dat hij op een dag doordraaide en zelfmoord pleegde? Zou mijn zusje, die het uitstekend naar haar zin had op de universiteit, ooit weer thuis willen komen? Naar mijn broer Doug, wiens verbittering over de scheiding van mijn ouders tastbaar was. En naar Mike, die precies hetzelfde was als hij altijd was geweest. Ik vroeg me af waarom de rest van ons zich niet zo heerlijk onbewust kon zijn van alle menselijke complicaties om ons heen.

Ik was uitgeput en niet in staat om een dag door te komen zonder te huilen of te kokhalzen of me zorgen te maken. Ik was verliefd geworden, met een cowboy getrouwd en naar het vredige platteland verhuisd, maar het was de rust waar ik de meeste moeite mee had.

De wittebroodsweken waren voorbij voordat ze begonnen waren.

We hadden heel veel zaken waarover we ons als pasgetrouwd stel druk moesten maken, en ik besloot dat we één van die dingen, de renovatie van het gele huis, van de lijst zouden schrappen. Marlboro Man was vastbesloten geweest om het project af te maken, maar ik vermoedde dat het meer voor mij dan voor hem was. Terwijl de bouwvakkers dag na dag arriveerden en pallets en dozen en materialen uitlaadden, kon ik dat niet in overeenstemming brengen met de financiële situatie waarin de ranch zich bevond. Marlboro Man wilde doorzetten en het afmaken, hij wilde een echt, volwaardig huis als de baby kwam. Maar zelfs al lukte het om het gebouw voor die tijd te renoveren, dan moesten we het daarna inrichten. Ik kon me niet voorstellen dat ik te midden van alle financiële stress scharnieren en deurknoppen en banken ging uitzoeken. Ik wilde niet bijdragen aan de toch al zo zware last.

'Hé...' zei ik terwijl we op een regenachtige avond in bed stapten. 'Zullen we de renovatie van het huis voorlopig uitstellen?' Ik pakte de halve citroen van mijn nachtkastje en inhaleerde diep. Halve citroenen waren mijn nieuwe verslaving.

Marlboro Man zweeg. Hij schoof zijn warme been onder het mijne, in de inmiddels vertrouwde positie.

'Ik denk dat we misschien pas op de plaats moeten maken,' zei ik.

'Ik heb daar ook over nagedacht,' zei hij zachtjes. Hij wreef zijn been langzaam naar boven en naar beneden.

Nu ik me beter voelde, legde ik de citroen op het nachtkastje, stak mijn arm naar hem uit, rolde op mijn zij en legde mijn been over zijn middel en mijn hoofd op zijn borstkas. 'Ik denk dat het gemakkelijker voor me is als ik me daar geen zorgen over hoef te maken, met mijn ouders en de baby en alle andere dingen.' Misschien had het meer effect als ik de aandacht op mezelf richtte, bedacht ik.

'Tja, dat klinkt logisch,' zei hij. 'Maar laten we daar morgen over praten.' Hij sloeg zijn andere arm rond mijn middel en binnen seconden waren we in een heel andere wereld, waar ouders, bouwplannen en verlammende misselijkheid niet welkom waren.

Na een paar dagen begon ik er weer over. Ik had inmiddels een flink aantal argumenten. *Ik voel me prima in ons huisje. We moeten gewoon wachten. Ik ben nog maar zevenentwintig, ik heb nog geen groot, mooi huis verdiend. Ik zou me een oplichter voelen. Ik heb geen zin om zoveel schoon te maken. Al die ruimte maakt me bang. Ik wil geen meubels uitzoeken. Ik ben niet in de stemming om verfkleuren te kiezen. We kunnen het later afmaken, als de situatie weer normaal is.* Hoewel ik diep vanbinnen wist dat 'normaal' een relatief begrip is in het boerenbedrijf.

Marlboro Man stemde ermee in en na een paar dagen dichttimmeren en afdekken en afsluiten verdwenen de laatste bouwvakkers uit ons half afgemaakt, gele indiaanse huis op de prairie. Wat een moment van teleurstelling of verdriet had moeten zijn, had eigenlijk het tegenovergestelde effect: het kon me helemaal niets schelen. Ik glimlachte omdat ik me realiseerde dat alle fijne dingen die ik me over mijn huwelijk had voorgesteld inderdaad klopten, dat het al het andere overtrof. Dat ik, hoe graag ik ook een afwasmachine en een wasruimte in huis zou willen hebben, het meest van alles Marlboro Man wilde. En ik had hem.

We waren nog geen twee maanden getrouwd en dit was een heerlijk moment van bevestiging en helderheid.

Tot ik me realiseerde dat ik over een paar maanden een baby zou krijgen en dat ik dan geen afwasmachine zou hebben.

Mijn hart sloeg op hol van paniek.

28

De kerstman als cowboy

November bracht nieuwe hoop met zich mee. Ik werd op een koude, winderige ochtend wakker en voelde dat de misselijkheid verdwenen was. Ik kon mijn hoofd opheffen zonder eerst op chocopops te moeten kauwen. Ik hoefde niet te kokhalzen als ik inademde, ik kon me bewegen zonder te huiveren en douchen zonder te braken. Marlboro Man werkte nog steeds keihard, maar ik was plotseling in staat om er voor hem te zijn, op een manier zoals ik de weken ervoor niet had gekund. Ik sorteerde de was, verwijderde modder en mest en bloed uit zijn spijkerbroeken, vouwde zijn sokken en ondergoed op en stopte die in de tweede la van de kleine grenenhouten ladekast die nauwelijks in onze slaapkamer paste.

Het maakte alle verschil van de wereld. Mijn ouders waren

nog steeds gescheiden, maar op de een of andere manier was ik door mijn herwonnen fysieke kracht in staat om het een plek te geven en niet telkens een steek in mijn hart te voelen als ik eraan dacht. Eindelijk kon ik een hele dag doorkomen zonder te huilen.

Omdat de geur van rauw vlees en uien me niet langer tegenstond, kon ik weer koken. Ik leerde mezelf gerechten maken zoals gestoofd rundvlees en gehaktballen en stoofschotels. Ik leerde langzaam, door vallen en opstaan, dat sommige stukken vlees lastig zijn door hun hogere concentratie bindweefsel. Die stukken moesten urenlang stoven om mals te worden. Ik sloeg door met mijn nieuwe kennis en stoofde borststukken en ribbetjes, schouder en achterbout, ervan overtuigd dat ik een soort heilige graal van culinaire kennis had ontdekt. Ik stoofde bijna elke dag vlees en nu de misselijkheid weg was kon ik er borden vol van eten. Ik at tenslotte voor twee. Dat was ik verschuldigd aan mijn groeiende baby.

Nu de misselijkheid weg was, begonnen de avonden met Marlboro Man langzamerhand weer te lijken op hoe ze waren geweest. We keken samen op de bank naar films: zijn hoofd aan een kant, mijn hoofd aan de andere kant, onze benen verstrengeld. Hij speelde met mijn tenen. Ik wreef over zijn kuiten, die keihard waren van dag na dag paardrijden. Na de hel van de afgelopen weken was het leven weer heerlijk.

Marlboro Man was heerlijk. Na een van liefde doordrenkte huwelijksreis in Australië waren we thuisgekomen in de bittere realiteit die een plotseling einde had gemaakt aan wat de meest romantische periode van ons leven samen had moeten zijn.

Omdat mijn misselijkheid zo erg was geweest dat ik zelfs ziek werd van de geur van Marlboro Mans huid, had ik het soms moeilijk gevonden om 's nachts naast hem in bed te liggen, laat staan aan andere dingen te denken. Het was op meer dan één manier een kille herfst geweest. Als Marlboro Man niet zo blij was geweest met het groeiende kind in mijn buik, had hij me misschien teruggebracht en zijn geld teruggevraagd. Ik was dolblij dat deze periode eindelijk voorbij was.

De temperatuur daalde en het werd Thanksgiving Day. We gingen 's middags naar mijn schoonouders voor een uitgebreide, warme lunch en daarna naar mijn vader voor een verdrietig diner. Het was de eerste keer dat mijn broers, mijn zusje en ik bij elkaar waren sinds onze ouders uit elkaar waren gegaan en de afwezigheid van mijn moeder was een zichtbaar, gapend gat. Het was afschuwelijk en ik had er alles voor over om de schrijnende pijn niet te voelen. Mijn vaders ogen stonden dof, zijn gezicht was vertrokken, hij was gedeprimeerd. Betsy en ik deden ons best om de illusie te creëren dat onze moeder erbij was, maar het was geforceerd en nutteloos. Ik wilde dat ik de tijd kon doorspoelen tot na Kerstmis. Ik wilde die gevoelens voorlopig niet meer hebben.

Mijn broer Doug had zich helemaal afgekeerd van onze moeder. Hij en mijn schoonzusje stonden op het punt hun eerste kind te krijgen en het was logisch dat hij woedend was omdat we moesten leren omgaan met deze nieuwe ontwikkeling in ons gezin, terwijl we zouden moeten genieten van elkaars gezelschap en babynamen bedenken en wegzakken in een door de kalkoen veroorzaakte coma. Hij vond dat het geen zin had om te doen alsof we een gelukkig gezin waren door Thanksgiving zowel bij onze vader als onze moeder te vieren. Eerlijk gezegd vond ik dat ook. Het was zo'n vermijdbaar gemis. We waren onze moeder kwijt door huwelijksproblemen, terwijl andere gezinnen hun moeder kwijtraakten door een auto-ongeluk of kanker. Onze collectieve woede was een bitter bijgerecht.

Mijn moeder, die heel goed wist hoe rauw onze emoties waren, vierde een rustige Thanksgiving in Ga-Ga's huis. Ze belde me toen Marlboro Man en ik die avond weer thuis waren.

'Fijne Thanksgiving, Ree,' zei ze met haar kalme, maar toch zangerige stem.

'Dank je,' antwoordde ik beleefd en koud. Ik wilde er niets mee te maken hebben. Ik voelde me net weer sterk.

'Heb je een fijne dag gehad?' ging ze verder.

'Ja,' antwoordde ik. 'We hebben eerst heerlijk geluncht op de ranch en daarna zijn we naar... papa gegaan.' Het was alsof ik met een vreemde praatte.

Ja...' Haar stem stierf weg. 'Ik heb je vandaag heel erg gemist.'

Ik probeerde iets te zeggen, maar kon het niet. Ik wist niet alles over het huwelijk van mijn ouders en wie wie wanneer wat had aangedaan. Ik wist alleen dat mijn ouders gelukkig waren geweest. We waren een gezin geweest. Mijn vader had hard gewerkt, mijn moeder had vier kinderen opgevoed, en juist in de periode waarin ze hadden moeten genieten na al het werk dat ze hadden verzet, had mijn moeder besloten dat ze er genoeg van had.

Diep vanbinnen wist ik dat het leven niet zwart-wit was,

maar die eerste Thanksgiving, toen mijn emoties zo vlak onder de oppervlakte lagen en zo vers waren, was mijn moeder de onverlaat die een bom op ons gezin had laten vallen. En nu zwierven we rond in de smeulende puinhopen.

'Fijne Thanksgiving, mam,' zei ik voordat ik ophing.

Ik was zo woedend op haar dat ik niet onpartijdig kon zijn.

Ik ging naar bed en sabbelde op Rennies.

Marlboro Man besteedde de rest van het Thanksgiving-weekend aan het scheiden van de in het voorjaar geboren kalveren van hun moeders. Omdat ik me duidelijk beter voelde had ik geen 'blijf uit de gevangenis'-kaart (of 'slaap uit tot negen uur'-kaart) meer. Hij maakte me die zaterdagochtend wakker door met zijn wijsvinger in mijn ribben te prikken.

Ik kreunde en trok het dekbed over mijn hoofd.

'Tijd om donuts te maken,' zei hij terwijl hij het dekbed wegtrok.

Ik knipperde met mijn ogen. Het was nog donker in de slaapkamer. De wereld was nog donker. Het was nog geen tijd om op te staan. 'Donuts... huh?' kreunde ik terwijl ik doodstil bleef liggen zodat Marlboro Man zou vergeten dat ik er was. 'Ik weet niet hoe ik dat moet doen.'

'Ik bedoel het niet letterlijk,' zei hij terwijl hij naast me kwam liggen. Donuts maken? Wat? Waar was ik? Wie was ik? Ik was gedesoriënteerd en in de war.

'Kom,' zei hij. 'Ga met me mee om de kalveren apart te zetten.'

Ik deed mijn ogen open en keek naar hem. Mijn gespierde echtgenoot was helemaal aangekleed. Hij droeg een spijkerbroek en een licht gesteven, blauwgeruit overhemd. Hij wreef over mijn ronde buikje, iets waar ik de afgelopen weken gewend aan was geraakt. Hij vond het fijn om mijn buik aan te raken.

'Ik kan niet,' zei ik klagerig. 'Ik ben zwanger.' Ik ging tot het uiterste.

'Yep, dat weet ik,' zei hij terwijl hij me weer begon te prikken.

Ik spartelde en kronkelde en gilde en gaf uiteindelijk toe, kleedde me aan en ging samen met mijn gespierde cowboy op pad.

We reden een paar kilometer naar een weiland naast het huis van zijn ouders, waar de andere cowboys al wachtten. Ik reed met een van de oudere cowboys in de voedertruck mee terwijl de rest van de mannen de kudde op een paardenrug volgde. Ik genoot van het perfecte uitzicht dat ik door het passagiersraam op Marlboro Man had. Hij galoppeerde en zigzagde door de kudde met zijn trouwe paard Blue, waarmee hij communiceerde door zijn lichaamsgewicht te verplaatsten en van houding te veranderen. Ik ademde langzaam in en voelde de trots plotseling door me heen stromen. Het had iets om naar mijn echtgenoot te kijken – de man op wie ik stapelverliefd was – die op zijn paard door het hoge prairiegras reed. Het was meer dan de fysieke aantrekkingskracht, meer dan de opwindende aanblik van zijn lichaam in het zadel. Het was duidelijk dat hij werk deed waar hij van hield en waar hij heel goed in was.

Ik sloeg minstens honderd van dit soort beelden in mijn geheugen op. Ik wilde dit moment nooit vergeten, zolang als ik leefde.

Toen de kudde verzameld was brachten de mannen de kalveren voorzichtig en methodisch naar een afgescheiden deel. De koeien loeiden en hun kalfjes gaven antwoord toen ze beseften hoe ver ze bij elkaar vandaan stonden. Mijn onderlip begon meelevend te trillen. Ik had geen praktische ervaring met de kracht van het moedergevoel en de tastbare band tussen moeder en kind, of dat nu een rund, een paard of een mens was. En hoewel ik wist dat ik ooggetuige was van een overgangsrite, een normaal onderdeel van het boerenbedrijf, realiseerde ik me voor het eerst dat wat er over een paar maanden ging gebeuren, dit moederding, een ernstige zaak was.

Het had me een ochtend tussen de koeien gekost om dat te begrijpen.

Ik werd sterker en stabieler, en tegen Kerstmis was ik Wonder Woman. Ik had totaal geen last meer van misselijkheid en had het gevoel dat ik alles aankon. Ik kocht een kerstboom en versierde die met de gehaakte sneeuwvlokken die ik jaren eerder van de lieve moeder van mijn ex J had gekregen. Mijn spijkerbroeken, die tijdens het Thanksgivingsweekend al tamelijk strak hadden gezeten, konden niet meer dicht. Wanhopig zocht ik naar een oplossing. Ik haalde een haarelastiek door het knoopsgat en bevestigde dat aan de knoop. Het werkte fantastisch. Ik bedacht dat ik steeds meer elastiekjes kon gebruiken naarmate mijn buik dikker werd en dat ik mijn normale kleren waarschijnlijk kon blijven dragen als ik op mijn gewicht lette en niet te veel aankwam.

Na de krankzinnige herfst die we achter de rug hadden, kozen Marlboro Man en ik ervoor om kerstavond samen te vieren. Ik wilde niet herinnerd worden aan de scheiding van mijn ouders en Marlboro Man wilde thuisblijven en ontspannen naar films kijken. Hij wilde genieten van een van de weinige dagen in het jaar dat de markten en het vee op een laag pitje stonden. Ik zette een cd van Johnny Mathis op en kookte voor ons: biefstuk, gepofte aardappelen en salade met Hidden Valley Ranchdressing. Ik schonk Dr Pepper in wijnglazen en stak twee dunne kaarsen aan, die ik op onze kleine eettafel in onze piepkleine keuken neerzette.

'Het is zo vreemd dat het kerstavond is,' zei ik terwijl ik met hem toostte. Het was de eerste keer dat ik deze avond zonder mijn ouders vierde.

'Ik weet het,' zei hij. 'Daar dacht ik ook net aan.' We stortten ons op onze biefstuk. Ik wilde dat ik er twee voor mezelf had gebakken. Het vlees was zacht, smakelijk en perfect mediumrare. Ik voelde me Mia Farrow in *Rosemary's Baby*, op het moment dat ze een biefstuk heel kort bakte en die verslond als een wolf. Behalve dat ik geen kort haar had. En dat ik het kind van de duivel niet droeg.

'Hé,' begon ik terwijl ik in zijn ogen keek. 'Het spijt me dat ik zo... zo vreselijk ben geweest sinds we getrouwd zijn.'

Hij glimlachte en nam een slok Dr Pepper. 'Je bent niet vreselijk geweest,' zei hij. Hij was een verschrikkelijk slechte leugenaar.

'Niet?' vroeg ik ongelovig terwijl ik genoot van het verrukkelijke rode vlees.

'Nee,' antwoordde hij. Hij nam nog een hap en keek me nauwelijks aan. 'Dat ben je niet.'

Ik wilde mijn gelijk bewijzen. 'Ben je de evenwichtsstoornis vergeten waardoor ik overal in Australië heb gekotst?'

Hij zweeg even en wierp toen tegen: 'Ben je de auto vergeten die ik voor ons heb gehuurd?'

Ik lachte en sloeg terug. 'Ben je de vergiftigde kreeft vergeten die ik voor ons heb besteld?'

'Ben je vergeten dat we al dat geld zijn kwijtgeraakt?' pareerde hij.

Ik was niet van plan te verliezen. 'Ben je vergeten dat ik ontdekte dat ik zwanger was toen we terug waren van onze huwelijksreis en dat ik mijn ouders heb gebeld om het hun te vertellen en dat ik de kans niet kreeg omdat mijn moeder weg was bij mijn vader? En dat ik een zenuwinzinking kreeg en zes weken lang misselijk ben geweest en dat mijn spijkerbroeken niet meer passen?' Ik was overduidelijk de winnaar.

'Ben je vergeten dat ik je zwanger heb gemaakt?' zei hij met een grijns.

Ik glimlachte en nam de laatste hap van mijn biefstuk.

Marlboro Man keek naar mijn bord. 'Wil je een stukje van de mijne?' vroeg hij. Hij had nog maar de helft op.

'Graag,' zei ik uitgehongerd. Ik stak mijn vork ongegeneerd in een groot stuk van zijn ribeye. Ik was voor zoveel dingen dankbaar – Marlboro Man, zijn uitingen van liefde, het nieuwe leven dat we samen deelden, het kind dat in mijn lichaam groeide – maar op dat moment was ik vooral dankbaar dat ik weer vlees at.

Na het avondeten nam ik een douche en trok een comfortabele pyjama aan. Ik was klaar om me op te bank te nestelen en wat films te kijken. Ik herinnerde me alle andere kerstavonden met etentjes en cadeautjes en de nachtmis. Het leek allemaal heel lang geleden.

Toen ik de zitkamer in liep, zag ik een stapel prachtig ingepakte rechthoekige dozen naast de kleine, altijd groene boom waarin witte lampjes glansden. Dozen die er daarnet niet hadden gestaan.

'Wat...' zei ik. We hadden afgesproken dat we dat jaar geen cadeaus voor elkaar zouden kopen. 'Wát?' vroeg ik dwingend.

Marlboro Man glimlachte en genoot van zijn verrassing.

'Je hebt een ernstig probleem,' zei ik. Ik gluurde naar hem terwijl ik op het beige berberkleed naast de boom ging zitten. 'Ik heb niets voor jou gekocht... dat mocht niet van je.'

'Ik weet het,' zei hij terwijl hij naast me kwam zitten. 'Maar ik wilde toch niets, behalve een grijper.'

Ik gaf geen antwoord. Ik wist niet eens wat een grijper was.

Ik streelde met mijn hand over de bovenste doos, die sober en eenvoudig was verpakt in bruin papier en touw, en stelde me voor dat Marlboro Man hem zelf had ingepakt. Nadat ik het touw had losgemaakt, maakte ik de eerste doos open. Er zat een boot-cut jeans in. Het wijde marineblauwe elastieken taillestuk verraadde dat hij speciaal voor de zwangerschap was.

'Hemel,' zei ik terwijl ik de spijkerbroek uit de doos haalde en voor me op de grond legde. 'Ik vind hem prachtig.'

'Ik wil niet dat je de komende maanden met haarelastiekjes in de sluiting van je spijkerbroeken moet rondlopen,' zei Marlboro Man.

Ik maakte de tweede doos open en daarna de derde. Toen ik bij de zevende doos was, was ik de trotse eigenares van een complete zwangerschapsgarderobe die Marlboro Man en zijn moeder de afgelopen weken stiekem voor me hadden gekocht. Ik had zwangerschapsspijkerbroeken en leggings, zwangerschaps-T-shirts en jasjes, zwangerschapspyjama's en zwangerschapstruien. Ik streelde elk kledingstuk en glimlachte bij de gedachte hoeveel tijd het hen had gekost om alles bij elkaar te krijgen.

'Dank je...' begon ik. Mijn neus prikte terwijl de tranen in mijn ogen sprongen. Ik kon me geen perfecter cadeau voorstellen.

Marlboro Man pakte mijn hand en trok me naar zich toe. We sloegen onze armen om elkaar heen zoals die keer op zijn veranda toen hij voor het eerst tegen me had gezegd dat hij van me hield. In het grote geheel was er maar heel weinig tijd voorbijgegaan sinds die eerste avond onder de sterren, maar er was zo veel veranderd. Mijn ouders. Mijn buik. Mijn garderobe. Niets van mijn huidige leven leek op mijn leven zoals dat die avond was, toen ik me nog heerlijk onbewust was van de op handen zijnde onweersbui in het huis van mijn jeugd en ik aan het inpakken was voor Chicago. Niets behalve Marlboro Man, de enige realiteit te midden van alle conflicten en opschudding.

'Huil je?' vroeg hij.

'Nee,' zei ik met een trillende lip.

'Yep, je huilt,' zei hij lachend. Het was iets waaraan hij gewend was geraakt.

'Ik huil niet,' zei ik terwijl ik mijn neus ophaalde en het snot weg wreef. 'Echt niet.'

We keken die avond geen films. In plaats daarvan tilde hij me op en droeg me naar onze gezellige slaapkamer, waar mijn tranen – een combinatie van geluk, melancholie en feestdagennostalgie – helemaal verdwenen.

29

Losgaan bij McDonald's

De eerste winter op de ranch was lang en bitter koud. Ik ontdekte al snel dat zware sneeuwbuien en ijs op een ranch niet betekenen dat je gewikkeld in een donzige deken dicht bij een warm vuur kunt kruipen om warme chocolademelk te drinken. Integendeel. Hoe meer sneeuw er viel en hoe dikker het ijs werd, des te zwaarder werd Marlboro Mans dagelijkse werk. Ik besefte al snel dat het vee op de ranch volkomen afhankelijk van ons was. Als de dieren niet elke dag voer en hooi kregen hadden ze geen voedsel en geen warmte. Ze zouden binnen drie dagen bezwijken aan de kou. Water was een ander probleem. Een aantal dagen met temperaturen onder nul betekende dat de vijvers op de ranch waren bedekt met een twintig centimeter dikke laag ijs – te dik voor de dieren om doorheen te breken om te kunnen drinken. Marlboro Man maakte zijn ronde over de ranch, stopte bij elke vijver en gebruikte een zware bijl om gaten langs de oever te slaan, zodat het vee water kon drinken.

Ik ging vaak met hem mee om het vee te voeren. Ik had geen reden om het niet te doen: ons huisje was heel gemakkelijk schoon en netjes te houden en na 08.00 uur 's ochtends had ik niets meer te doen. Onze satellietontvanger was trouwens bedekt met ijs, en als ik op de bank ging liggen en probeerde een boek te lezen, wilde mijn zwangere lichaam alleen in slaap vallen. Dus als Marlboro Man net nadat het licht was geworden uit bed stapte en zijn winterkleren aantrok, rekte ik me uit, gaapte, rolde uit bed en deed hetzelfde.

Mijn kleding voor het koude weer liet veel te wensen over: een zwarte zwangerschapslegging onder een boot-cut zwangerschapsspijkerbroek en een paar van Marlboro Mans witte T-shirts onder een extragroot ASU-sweatshirt. Ik was zo blij dat ik iets warms had om te dragen dat het me niet eens kon schelen dat ik de letters van mijn football-rivalen droeg. Voeg daar Marlboro Mans oude houthakkerspet en laarzen die vier maten te groot waren aan toe en ik was een echte schoonheid. Ik wist echt niet hoe het Marlboro Man lukte om zijn handen van me af te houden. Als ik een glimp van mezelf opving in de weerspiegeling van de voedertruck huiverde ik.

Maar eigenlijk kon het me niet schelen. Hoe ik er ook uitzag, ik wilde Marlboro Man niet dag na dag in zijn eentje de koude wereld in laten gaan. Ook al was het huwelijk nieuw voor me, ik voelde toch dat ik op de een of andere manier – door biologische of sociale omstandigheden, een religieus mandaat of misschien de stand van de maan – het kussen tussen Marlboro Man en de wrede, harde buitenwereld was. Dat ik degene was die het stof elke dag van zijn schouders moest kloppen. En hoewel hij het niet zei, wist ik dat hij het prettig vond als ik rond en zwanger van zijn kind naast hem in de voedertruck hobbelde.

Af en toe sprong ik uit de pick-up om hekken te openen. Andere keren sprong hij eruit om ze te openen. Soms reed ik terwijl hij hooi van de laadbak van de auto gooide. Af en toe kwam ik vast te zitten en zei hij 'shit'. Soms reden we zonder iets te zeggen en huiverden we als de portieren open en dicht gingen. Andere keren waren we diep in gesprek of stopten we om in de sneeuw te zoenen.

De hele tijd rustte onze ongeboren baby in de warmte van mijn lichaam, zich heerlijk onbewust van al het werk dat op hem wachtte op de ranch waar zijn vader was opgegroeid. Terwijl ik Marlboro Man gezelschap hield tijdens die lange, ijskoude ochtenden, vroeg ik me af of ons kind ooit zou weten hoe leuk het was om van een golfbaanheuvel te sleeën... of van welke heuvel dan ook. Ik woonde inmiddels vijf maanden op de ranch en kon me niet herinneren dat ik had gehoord dat iemand had gesleed of gegolfd of zich met andere recreatieve activiteiten had beziggehouden. Ik begon te begrijpen hoe het dagelijkse leven zich hier afspeelde: vroeg opstaan, werken, eten, ontspannen en naar bed gaan. Dat herhaalde zich elke dag. Er was geen agenda met avondjes uit en dinerafspraken met vrienden in de stad of momenten voor ontspanning, omdat dat betekende dat je twee keer zo hard moest werken als je terugkwam. Ik vond het moeilijk om me niet af te vragen of iemand hier ooit naar buiten ging om pret te hebben of een sneeuwpop te maken.

Of na vijf uur 's ochtends nog sliep.

Toen het voorjaar inviel, begon het ijs te smelten en verdween de ijzige kou. Mijn buik bleef groeien. Er werden kalfjes geboren en de geur van brandend gras hing boven het platteland.

Tegelijkertijd met mijn groeiende omvang nam mijn ijdelheid toe, ongetwijfeld omdat ik de behoefte voelde om het gevreesde 'sjofele blootsvoetse zwangere'-stereotype dat op de een of andere manier wortel had geschoten in mijn hersenen te bestrijden. Ik bracht veel tijd door met scrubben en boenen en opmaken, alles om er thuis sexy en levendig uit te zien. Ik probeerde uit alle macht om mijn gewichtstoename onder controle te houden door de Cheetos en het snoep weg te stoppen en elke avond een kilometer of drie te gaan lopen. Ik koesterde het wonder van het leven dat in me groeide, maar ik wilde er ook goed uitzien. En dus deed ik wat ik moest doen om dat voor elkaar te krijgen.

De paar dagen voor mijn maandelijkse zwangerschapscontrole was ik extra waakzaam. Ik hield een zwangerschapsboekje bij waarin ik mijn gewicht noteerde en mijn emotionele welzijn was afhankelijk van de bewondering van het verplegend personeel omdat het me bij elke afspraak lukte om binnen het aanbevolen gewicht te blijven. Ik had het goedkeurende knikje van mijn kieskeurige dokter nodig als hij mijn gewicht bekeek. Het was als levensbloed dat door mijn aderen stroomde en het appelleerde aan mijn oppervlakkige ambitie om Dé Sexy Zwangere Vrouw Van De Eeuw te zijn. En eerlijk gezegd gaf het me een doel om naar te streven tot de afspraak van de volgende maand.

Bovendien betekende het dat ik onmiddellijk na mijn maandelijkse controle mocht losgaan bij McDonald's. Ik maakte altijd een afspraak om negen uur 's ochtends en ontbeet van tevoren niet, om het weegresultaat gunstig te beïnvloeden. Tegen de tijd dat ik de rit van een uur naar de praktijk van de arts en mijn afspraak van een halfuur achter de rug had was ik uitgehongerd en was McDonald's het enige wat voldeed.

Zodra ik de praktijk uit kwam, rende ik naar mijn auto, waarvan ik alle snelheidsrecords verbrak. Ik scheurde naar de grote gele M om me op mijn maandelijkse feestmaaltijd te storten: twee ontbijtburrito's, een broodje kaas/ei/bacon en – perfect voor mijn groeiende baby – een grote Dr Pepper. Ik kon zelfs niet wachten tot ik het parkeerterrein af was gereden. Seconden nadat ik was opgetrokken, nam ik een hap van de eerste burrito. Ik had hem op voordat ik bij de hoofdweg was. Ik had maar één doel: ik moest de ontbijtburrito onmiddellijk opeten, anders ging ik dood van de honger. Ik stopte de burrito zo ver mogelijk in mijn mond en beet er ongeveer de helft van af, kauwde en slikte zo snel als ik kon, zodat ik de onmiddellijke bevrediging voelde van een zwanger lichaam dat eindelijk de calorieën kreeg die het verdiende.

Ik had nog nooit zo'n honger gehad.

Dit ging door tot Pasen, toen een goede vriendin van de familie mijn zusje Betsy en mij uitnodigde voor een feestje ter ere van de aanstaande bruiloft van hun dochter. Het was de eerste keer sinds mijn huwelijk dat ik mijn officiële opwachting maakte in mijn geboortestad en ik zorgde ervoor dat ik tot in de puntjes gekleed en opgemaakt was. Ik zou waarschijnlijk veel mensen uit mijn leven voor mijn huwelijk zien en ik wilde dat iedereen zag dat ik gelukkig was en opbloeide in mijn leven als zwangere vrouw van een rancher.

Toen ik aankwam zag ik direct de moeder van een ex-vriendje. Hij was het soort ex-vriendje voor wie je er zo goed mogelijk uit wilt zien als je zwanger bent en zijn moeder tegenkomt op een feestje. Ze zag me, glimlachte en kwam naar me toe. We omhelsden elkaar en praatten elkaar bij over wat we de afgelopen tijd hadden gedaan. Terwijl we praatten, fantaseerde ik erover wat ze de volgende dag aan haar zoon, mijn ex, zou vertellen. *O, je had Ree moeten zien. Ze straalde gewoon! Je had moeten zien hoe ze eruit zag. Vind je het niet jammer dat jij niet met haar getrouwd bent?*

We waren al een tijdje in gesprek toen ik opmerkte dat we elkaar al zo lang niet hadden gezien. 'Maar ik heb je pas geleden nog gezien,' antwoordde ze. 'Ik geloof alleen dat je mij niet zag.'

Ik kon het me niet voorstellen. 'Echt?' vroeg ik. 'Waar dan?' Ik kwam bijna nooit in de stad.

'Ja,' ging ze verder. 'Ik zag je een paar weken geleden op een ochtend wegrijden bij de McDonald's aan hoofdweg 75. Ik zwaaide naar je... maar je zag me niet.'

Mijn binnenste begon plotseling te verschrompelen terwijl ik me voorstelde hoe ik onbeheerst een burrito in mijn mond propte. 'McDonald's? Echt?' zei ik, onwetendheid veinzend.

'Ja,' antwoordde de moeder van mijn ex glimlachend. 'Je zag er nogal hongerig uit.'

'Hmm,' zei ik. 'Ik denk niet dat ik dat was.'

Ik sloot me op in de badkamer, waar ik mezelf plechtig beloofde om de rest van mijn zwangerschap muesli te eten.

30

Koningin van de prairie

Het voorjaar vloog voorbij en het werd al snel zomer. Mijn buik groeide samen met de daglelies, zinnia's en tomaten die ik met de moeder van Marlboro Man in de kleine tuin naast het huis had geplant. Voor Marlboro Man bleek de komst van de baby een doeltreffende afleiding van de nasleep van het rampzalige instorten van de graanmarkten afgelopen herfst. Het leek er steeds meer op dat Marlboro Man wat van zijn land zou moeten verkopen om de rest van de ranch drijvend te houden. Ik was niet opgegroeid op een ranch en begreep de ernst van de situatie daarom niet. Je hebt een probleem. Je hebt een bezit. Je verkoopt het bezit. Je hebt het probleem opgelost. Voor Marlboro Man was het echter niet zo simpel. Het kost tijd om een ranch op te bouwen: soms wachten families jaren of zelfs generaties geduldig af tot er een bepaald stuk grasland vrijkomt. Voor een rancher zijn de woorden van Pa in *Gone With The Wind* prachtig en pijnlijk waar: Land is het enige wat het waard is om voor te werken... om voor te vechten... om voor te sterven. Omdat dat het enige is wat blijft... De gedachte om afscheid te moeten nemen van een deel van de ranch was een pijnlijk vooruitzicht en Marlboro Man voelde die pijn dagelijks. Voor mij leek het een gemakkelijke oplossing. Voor Marlboro Man was het een persoonlijke mislukking. Er was niets wat ik kon doen om het te verzachten, behalve er zijn en hem elke avond in mijn armen opvangen, wat ik graag en met enthousiasme deed. Ik was een zacht, vormeloos kussen. Met maagzuur en gezwollen enkels.

'Je buik begint heel dik te worden,' zei hij op een avond.

'Ik weet het,' antwoordde ik terwijl ik naar beneden keek. Ik kon het moeilijk ontkennen.

'Ik hou van je buik,' zei hij, waarna hij hem streelde. Ik deinsde een beetje achteruit terwijl ik terugdacht aan de zwarte bikini die ik tijdens onze huwelijksreis had gedragen en hoe plat mijn buik toen was geweest. Ik hoopte dat Marlboro Man dat beeld lang geleden uit zijn hoofd had gezet.

'Hé, hoe gaan we dit ding eigenlijk noemen?' vroeg hij op hetzelfde moment dat het 'ding' in mijn buik bewoog en schopte.

'Hemel...' zuchtte ik. 'Ik heb geen idee. Zachary?' probeerde ik.

'Eh... Shane?' zei hij ongeïnspireerd. O nee. De oude films.

'Ik ben naar mijn gala geweest met een Shane,' antwoordde ik terwijl ik terugdacht aan de donkere en mysterieuze Shane Ballard.

'Oké, schrap die naam maar,' zei hij. 'Wat denk je van... Ashley?' Hoe ver was hij van plan die oude films door te drijven?

Ik herinnerde me een film die we tijdens ons vijftiende afspraakje of zo hadden gezien. 'Wat denk je van Rooster Cogburn?'

Hij grinnikte. Ik vond het heerlijk als hij dat deed. Het betekende dat alles goed was en dat hij zich geen zorgen maakte en niet gestrest of verstrooid was. Het betekende dat we afspraakjes maakten en op zijn oude veranda zaten en dat mijn ouders niet gingen scheiden. Het betekende dat mijn navel niet uitpuilde en misvormd was. Zijn gegrinnik was als een drug voor me. Ik probeerde dagelijks mijn portie te krijgen.

'En als het een meisje is?' vroeg ik.

'Het is een jongen,' zei hij zelfverzekerd. 'Dat weet ik zeker.'

Ik gaf geen antwoord. Wat moest ik daartegenin brengen?

Ik begon steeds meer te helpen. Ik leerde hoe ik mijn John Deere moest besturen zodat ik het gazon rond ons huis – en ons half gerenoveerde, afgesloten gele stenen huis – netjes gemaaid kon houden. Marlboro Man werkte keihard in de zomerse hitte van Oklahoma en ik wilde dat ons huis een oase voor hem was. Het was echter zo snikheet dat ik niets aan mijn lichaam kon verdragen, alleen een loszittend zwangerschapshemd en een van Marlboro Mans boxers, die ik elegant tot onder mijn enorme buik optrok. Als ik hoogzwanger op de hobbelende grasmaaier zat dacht ik vaak terug aan de lange rit over het platteland die Marlboro Man en ik hadden gemaakt toen we verloofd waren, en de oude woning die we waren tegengekomen met de halfnaakte vrouw die haar gazon maaide. Inmiddels was ik die vrouw geworden en dat was in minder dan een jaar gebeurd. Ik ving een glimp van mezelf op in de weerspiegeling van ons slaapkamerraam en kon niet geloven wat ik zag. De Playtex-beha was het enige wat ontbrak.

Ik kreeg nesteldrang en stond machteloos tegenover de behoefte om ons huis, de tuin en de garage dagelijks grondig schoon te maken. Om een onverklaarbare reden maakte ik voor het eerst in mijn leven plinten schoon. Ik sopte de binnenkant van de kasten en stelde lijsten op met wat ik op welke dagen van de week moest afnemen. Maandag de bovenkant van de koelkast. Dinsdag de bovenkant van de kast in de badkamer. Elke dag waste ik rompertjes, slabbetjes en piepkleine sokjes in een bedwelmende cocktail van wasmiddel en wasverzachter. Ons hele huis rook als een witte, pluizige wolk.

Marlboro Man was heel opgewonden dat hij bijna een zoon had. We hadden besloten om geen geslachtsbepalende echo te laten doen, maar hij was er net als ik van overtuigd dat het een jongen was. Marlboro Man was opgegroeid in een huis met twee broers en een ranch vol cowboys. Zijn eerste kind was een zoon; dat was gewoon voorbestemd.

Marlboro Man en ik hadden samen een leven opgebouwd. De situatie was natuurlijk anders, maar het verbaasde me hoezeer deze periode leek op de tijd voordat we getrouwd waren, toen we elkaar ontmoet hadden en verliefd op elkaar waren geworden. We leefden toen heel erg in ons eigen wereldje en brachten vijfennegentig procent van de tijd met z'n tweeën door. Nu, in ons kleine huis op de prairie, waren we nog steeds met z'n tweeën. In een poging om het verdriet over de scheiding van mijn ouders optimistisch te benaderen, zei ik tegen mezelf dat hun scheiding Marlboro Man en mij nog dichter bij elkaar had gebracht. Als ik een ouderlijk huis had gehad om naartoe te gaan – een huis met een vader en een moeder en alle warmte waarmee ik als kind was omringd – dan was ik misschien in de verleiding geweest om vaker op visite te gaan. Om samen met mijn moeder de was te vouwen. Om samen te koken en te bakken en misschien wat minder tijd door te brengen met mijn echtgenoot die me de afgelopen maanden heel erg nodig had gehad. Het was dus goed, zei ik tegen mezelf. Op de lange termijn zou het hele scheidingsdrama positief blijken te zijn.

In werkelijkheid was het echter helemaal niet goed. Mijn vader had het moeilijk, en omdat ik me steeds ongeruster over hem maakte, ging ik elke week bij hem op visite om te kijken hoe het met hem was. Als ik dan zag hoe terneergeslagen hij was, kon ik het niet helpen dat ik mijn irritatie op mijn moeder projecteerde. Waarom moest ik de last van de zorg voor mijn vaders emotionele gezondheid dragen terwijl ik eigenlijk mijn tijd zou moeten besteden aan het toeleven naar de geboorte van mijn baby?

Ik kon er niet tegen. Wat zou er gebeuren als ik de baby eenmaal had? Bij zo'n belangrijke gebeurtenis hadden mijn ouders natuurlijk allebei het recht om naar het ziekenhuis te komen, een scenario dat zo afschrikwekkend was dat ik er slapeloze nachten van kreeg. Mijn ouders hadden elkaar niet meer gezien sinds mijn moeder uit huis was vertrokken. Hoe moest ik zo'n ontmoeting overleven terwijl ik aan het bevallen was of herstelde? Nadat ik er een aantal nachten over had gepiekerd, besloot ik dat ik geen andere keus had dan mijn moeder bellen en haar eerlijk vertellen waar ik bang voor was.

'Hoi, mam,' zei ik, mijn stem zo koud als ik kon opbrengen. 'Ik wil graag iets met je bespreken.'

'Natuurlijk, Ree Ree,' zei ze vriendelijk en opgewekt.

Ik zei dat ik het heerlijk zou vinden als ze in het ziekenhuis zou zijn, maar dat ik niet zeker wist of dat het beste moment was om mijn vader voor het eerst weer onder ogen te komen. Het was niet dat ik haar er niet bij wilde hebben, legde ik uit, het ging om mezelf. De bevalling zou al spannend genoeg zijn zonder dat ik me zorgen hoefde te maken over de gevoelens van anderen.

Ze begreep het. En als ze het niet begreep, was ze niet van plan om te redetwisten met een vrouw die negen maanden zwanger was.

Ik streepte het punt van mijn lijst, samen met de gesteriliseerde koelkast, de glanzende plinten, de met wattenstaafjes schoongemaakte deurknoppen en de geboende vloeren.

Alles was in gereedheid.

Ik was er klaar voor.

31

De heuvels kleuren roze

De week voordat ik uitgerekend was, moest Marlboro Man honderd koeien op zwangerschap testen. Ik zou tot mijn afgrijzen leren dat koeien op zwangerschap testen niet betekende dat de koe op een staafje plast en je minstens drie minuten moet wachten om het resultaat af te lezen. In plaats daarvan stopt een dierenarts zijn arm in een lange wegwerphandschoen en steekt zijn arm daarna zo ver in het rectum van de koe dat zijn arm helemaal verdwenen is. Als zijn arm diep in het lijf van de koe zit, kan de dierenarts de omvang en de hoek van de baarmoeder voelen en daar twee dingen uit concluderen:

1. Of de koe zwanger is.
2. Hoe ver ze is.

Met deze informatie besluit Marlboro Man of hij de niet zwangere koeien opnieuw zal laten bevruchten en in welk weiland hij de zwangere koeien zal zetten; koeien die op hetzelfde moment drachtig zijn, staan in hetzelfde weiland omdat ze allemaal in ongeveer dezelfde periode bevallen.

Natuurlijk wist ik dat allemaal niet toen ik zag hoe de dierenarts zijn arm in honderd verschillende koeienkonten stak. Ik wist alleen dat hij zijn arm erin stak, de koe loeide, hij zijn arm eruit trok en de koe poepte. Elke keer als er een nieuwe koe in de kooi werd geleid, kromp ik instinctief in elkaar. Ik was net zo zwanger als veel van die koeien. Mijn onderlijf voelde al onprettig genoeg. De gedachte dat iemand zijn…

Ik had die ochtend waarschijnlijk niet mee moeten gaan.

'God help me!' jammerde ik toen Marlboro Man en ik wegreden nadat de laatste koe was getest. 'Wat wás dat in vredesnaam daarnet allemaal?'

'Hoe vond je het?' vroeg Marlboro Man met een tevreden glimlach. Hij vond het heerlijk om nieuwe werkzaamheden op de ranch aan me te introduceren. Hoe schokkender ik ze vond, hoe meer het hem vermaakte.

'Serieus,' mompelde ik terwijl ik mijn enorme buik vastpakte alsof ik mijn baby wilde beschermen voor de realiteit van deze bizarre, verontrustende wereld. 'Dat was gewoon… zoiets heb ik nog nooit gezien!' Daarbij vergeleken was het rectaal temperatuur opnemen dat ik maanden geleden had gedaan een tuinfeest.

Marlboro Man lachte, legde zijn hand op mijn knie en liet hem daar de rest van de rit liggen.

Om elf uur die avond werd ik wakker. Marlboro Man en ik waren net in slaap gevallen en mijn buik voelde strak en vreemd. Ik staarde naar het plafond en haalde diep adem in een poging het gevoel weg te krijgen. Maar daarna telde ik een en een bij elkaar op: het trauma van wat ik eerder die dag had gezien, had waarschijnlijk meegeholpen. In mijn sympathie voor de op zwangerschap geteste koeien was ik een paar keer te vaak ineengekrompen.

Ik ging rechtop zitten. De bevalling was begonnen.

Ik kwam onmiddellijk in actie en deed wat het plan voorschreef: ik stapte uit bed, nam een douche en waste elke centimeter tot ik brandschoon was. Ik schoor mijn benen tot aan mijn kruis, föhnde mijn haar, krulde het en bracht daarna glanzende make-up op mijn gezicht aan. Tegen de tijd dat ik Marlboro Man voorzichtig op zijn schouder tikte om hem het nieuws te vertellen, zag ik eruit alsof ik klaar was voor een avondje uit. De weeën waren inmiddels zo hevig dat ik niets meer kon als ik er een kreeg en moest wachten tot hij voorbij was.

'Wat?' Marlboro Man hief zijn hoofd van het kussen en keek me verward aan.

'Het is begonnen,' fluisterde ik. Waarom fluisterde ik?

'Echt?' vroeg hij. Hij ging zitten en keek naar mijn buik, alsof die er ineens anders uit zou zien.

Marlboro Man trok zijn kleren aan en poetste zijn tanden. Binnen een paar minuten zaten we in de auto om naar het ziekenhuis honderd kilometer verderop te rijden. Ik voelde dat mijn bevalling vorderde. Het was alsof er iets in mijn lichaam zat dat eruit wilde. Een normaal gevoel gezien de omstandigheden.

Een uur later stopten we op het parkeerterrein van het ziekenhuis. Met glanzende haren en volledig opgemaakt liep ik samen met Marlboro Man naar de ingang van het ziekenhuis. Ik moest zes keer stoppen en vooroverbuigen voordat we er waren. Ik kon letterlijk geen stap zetten voordat de wee voorbij was. Binnen een uur nadat we ons hadden gemeld, lag ik op een ziekenhuisbed te woelen van de onbeheersbare pijn en wilde ik opnieuw dat ik naar Chicago was verhuisd. Het was mijn standaard antwoord geworden als de dingen in mijn leven verkeerd liepen. Zwangerschapsmisselijkheid? Ik had naar Chicago moeten verhuizen. Koeienmest in mijn tuin? Chicago was een betere keus geweest. Weeën met minder dan een minuut ruimte ertussen? Chicago, kom me halen.

Op een gegeven moment kon ik het niet meer verdragen. Nadat ik had geprobeerd om sterk en flink te zijn in het bijzijn van Marlboro Man, gaf ik het uiteindelijk op, pakte het laken en beet op mijn tanden. Ik kreunde en steunde en drukte op de alarmknop en jammerde tegen Marlboro Man: 'Ik kan dit niet meer.' Toen de verpleegster even later de kamer in kwam, smeekte ik haar om me uit mijn ellende te verlossen. Mijn redding arriveerde vijf minuten later in de vorm van een naald van twintig centimeter, en toen het middel werkte begon ik te huilen. De opluchting was fantastisch.

Ik was zo heerlijk pijnvrij dat ik in slaap viel, en toen ik een uur later verward en gedesoriënteerd wakker werd, vertelde een verpleegster die Heidi heette dat het tijd was om te persen. Vlak daarna kwam dokter Oliver de kamer binnen, volledig schoongeboend en met een masker voor.

'Ben je er klaar voor, mama?' vroeg Marlboro Man, die bij mijn hoofdeind stond terwijl de verpleegster mijn benen goed legde en de monitor waarmee de baby in de gaten werd gehouden rond mijn middel bevestigde. Ik had het gevoel dat ik midden in een feestje wakker was geworden. Het was het vreemdste feest ooit – een waar de gastvrouw mijn voeten in beugels legde.

Ik beval Marlboro Man om ten noorden van mijn navel te blijven terwijl de verpleegsters zich naar hun plek haastten. Ik had het hem van te voren heel duidelijk gemaakt: ik wilde niet dat hij daar beneden ging staan. Ik wilde dat hij me op de ouderwetse manier bleef kennen en bovendien betaalden we de dokter daarvoor.

'Oké, je mag een keer voor me persen,' zei dokter Oliver.

Ik deed het, maar zo voorzichtig dat ik zeker wist dat er geen gênante dingen mee naar buiten kwamen. Ik kon me geen grotere vernedering voorstellen.

'Zo werkt het niet,' berispte dokter Oliver me.

Ik perste weer.

'Ree,' zei dokter Oliver terwijl hij tussen mijn benen door naar me keek. 'Je kunt wel beter dan dat.'

Hij had me zien opgroeien in het balletgezelschap in ons stadje. Hij had me zien rekken en springen en draaien in allerlei voorstellingen, van *De Notenkraker* en *Het Zwanenmeer* tot

Een Midzomernachtsdroom. Hij wist dat ik de kracht had om een baby uit mijn schaamstreek te persen.

Op dat moment pakte Marlboro Man mijn hand alsof hij mij, zijn zwetende, tamelijk uitgeputte vrouw, een deel van zijn kracht en uithoudingsvermogen wilde geven.

'Vooruit, liefje,' zei hij. 'Je kunt het.'

Een paar spannende momenten later was onze baby geboren.

Het was alleen geen jongen. Het was een 3175 gram zwaar en 53 centimeter lang meisje.

Het was het belangrijkste moment van mijn leven.

En op meer dan één manier was het een cruciaal moment voor Marboro Man.

32

Een nieuw leven

Ik lag uitgeput op bed, opgelucht dat wat in mijn lichaam had gezeten er nu uit was. Marlboro Man was echter verbijsterd. Terwijl hij me liefhebbende klopjes gaf staarde hij naar ons pasgeboren meisje met een geschokte gezichtsuitdrukking die hij onmogelijk kon verbergen. 'Gefeliciteerd,' had dokter Oliver zojuist gezegd. 'Jullie hebben een dochter.'

Jullie hebben een dochter. In de afgelopen maanden van mijn zwangerschap was ik zo geïndoctrineerd geweest met het idee dat we een jongen zouden krijgen, dat het niet eens bij me was opgekomen dat het ook een meisje kon zijn. Ik kon me Marlboro Mans verbazing niet eens voorstellen.

'Goed gedaan, mama,' zei hij terwijl hij zich bukte en een kus op mijn voorhoofd gaf. De verpleegsters wikkelden ons kleintje in een witte deken en legden haar op mijn borst. Plop. Daar was ze. Boven op me. Wriemelend en roze en geluidjes makend en kostbaarder dan alles wat ik ooit had gezien. Marlboro Man greep mijn hand en kneep er zachtjes in. 'Wauw,' zei hij bijna fluisterend. Hij staarde en staarde. We waren doodstil en konden ons nauwelijks bewegen.

Ik kreeg een brok in mijn keel toen ik me realiseerde wat er daarnet was gebeurd. Het wezen dat in mijn buik was gegroeid, dat de laatste weken tegen mijn ribben en mijn blaas had geduwd en geschopt en gestompt, dat me maagzuur en uitputting en een wekenlange uitputtende misselijkheid had bezorgd, lag op mijn buik en keek om zich heen in de vreemde nieuwe wereld waarin ze was terechtgekomen. Het was een onwerkelijk moment, onwerkelijker dan elk verrassend moment tijdens mijn verkering met Marlboro Man, de vader van dit nieuwe mensje dat net op het toneel was verschenen en alles veranderde. Ze had armen en benen en een neus en een tong, die ze langzaam in en uit haar piepkleine mond duwde in een poging vertrouwd te raken met het gevoel van lucht. Ze was een levend persoontje dat zich in de echte wereld bewoog. Ik realiseerde me dat er tranen over mijn wangen liepen. Ik had niet eens gemerkt dat ik huilde.

Toen Marlboro Man en ik trouwden, wilde hij het liefst zo snel mogelijk een gezin. Ik was terughoudender: ik wist dat we op een bepaald moment in de toekomst waarschijnlijk een kind zouden krijgen, maar ik stond niet bepaald te popelen om me voort te planten. Toen ik vijf weken na onze trouwdag zwanger bleek te zijn was niemand enthousiaster dan Marlboro Man.

Dat was deels omdat hij zeker wist dat we een zoon zouden krijgen. Behalve af en toe een nichtje dat op visite kwam hadden Marlboro Man en zijn broers niet veel contact met meisjes gehad. Zijn moeder was een positief vrouwelijk rolmodel geweest, maar het grootste deel van de dagelijkse werkzaamheden op de ranch werd voornamelijk door mannen gedaan.

Ik voelde zijn teleurstelling zwaar in de lucht hangen. Hoewel hij zijn uiterste best deed om enthousiast en blij te lijken, wist ik dat Marlboro Man diep geschokt was. Dat gold voor iedereen wiens leven zojuist – in één enkel, met vruchtwater doordrenkt moment – was veranderd in iets compleet anders dan hij zich altijd had voorgesteld.

Toen de baby was onderzocht en gezond verklaard en de verpleegsters zich aan de gênante taak wijdden om mijn onderlijf schoon te maken, pakte Marlboro Man de telefoon om zijn ouders te bellen. Die waren toevallig net twee dagen weg omdat ze niet hadden verwacht dat ik al zou bevallen.

'Het is een meisje,' hoorde ik Marlboro Man tegen zijn moeder zeggen. De verpleegsters depten mijn onderlijf met gaas. 'Ree heeft het fantastisch gedaan,' ging hij verder. 'En de baby is gezond.' De dokter pakte zijn hechtspullen.

Ik haalde een paar keer diep adem en staarde naar het gestreepte, gebreide mutsje dat een van de verpleegsters op het hoofdje van onze baby had gezet. Marlboro Man praatte zachtjes met zijn ouders, beantwoordde hun vragen en gaf details over wanneer we naar het ziekenhuis waren gegaan en hoe het allemaal was verlopen. Ik hoorde maar half wat hij vertelde; ik had het te druk met verwerken wat er daarnet met me was gebeurd. Aan het eind van het gesprek hoorde ik dat hij zijn moeder een vraag stelde.

'En... wat doe je met meisjes?' vroeg hij.

Zijn moeder wist het antwoord natuurlijk. Hoewel ze zelf geen meisjes had gehad, was ze het oudste kind van een rancher en was ze in haar jeugd haar vaders belangrijkste ranchhulp geweest. Ze wist beter dan wie dan ook 'wat je met meisjes moest doen'.

'Hetzelfde wat je met jongens doet,' antwoordde ze.

Ik grinnikte zachtjes terwijl Marlboro Man nadacht over het antwoord van zijn moeder. Voor het eerst in onze relatie bevond hij zich op onbekend terrein.

Een tijd later werd ik verzwakt en misselijk wakker uit een diepe slaap. Ik lag in een ziekenhuiskamer. Gedesoriënteerd keek ik om me heen en zag uiteindelijk Marlboro Man, die in een gemakkelijke stoel in de hoek zat en ons in flanel gewikkelde bundeltje vasthield. Hij droeg een verbleekte spijkerbroek en een wit T-shirt – het enige wat hij de vorige avond in de haast had kunnen vinden. De aanblik van zijn gespierde armen met daarin onze baby was bijna te veel voor me. Op het moment dat ik overeind wilde komen om het beter te kunnen zien strekte de baby haar armen uit en maakte een serie zachte, murmelende geluidjes.

'Hé, mama,' zei Marlboro Man glimlachend.

Ik glimlachte terug, niet in staat om mijn ogen van het schouwspel af te halen. Die Hallmark-reclames hadden helemaal gelijk. Een man die een pasgeboren baby vasthield was onweerstaanbaar om naar te kijken. Mijn maag knorde en borrelde daarna.

'Wauw,' zei ik. 'Ik heb heel erge honger.' Op dat moment overviel het me ineens vanuit het niets: ik keek koortsachtig om me heen, in de wetenschap dat ik mijn maaginhoud binnen seconden op de grond zou deponeren. Gelukkig zag ik een schone prullenbak naast mijn bed en ik pakte hem net op tijd om hem met mijn braaksel te vullen. Het spoot er overvloedig uit en kletterde als een Pollock-schilderij in de lelieblanke prullenbak. Ik snoof en hoestte en voelde me alsof ik door de duivel bezeten was.

Ik hoorde Marlboro Man opstaan. 'Alles goed?' vroeg hij, duidelijk niet wetend wat hij in vredesnaam moest doen. Ik pakte een paar papieren zakdoekjes en veegde mijn mondhoeken schoon. Hoewel ik vernederd was, voelde mijn maag veel beter.

Vlak nadat ik de prullenbak had neergezet, kwam er een verpleegster binnen. 'Hoe gaat het met je?' vroeg ze met een lieve glimlach. Ze wist niet hoeveel pret ze net had gemist.

'Eh... ik...' begon ik.

'Ze heeft net overgegeven,' zei Marboro Man, die de baby nog steeds vasthield. Ik rook een vleug braaksel en hoopte dat Marlboro Man het niet rook.

'O ja?' vroeg de verpleegster terwijl ze op zoek naar het bewijs om zich heen keek.

'Ja,' zei ik. 'Ik denk dat het door de medicijnen komt. Ik voel me nu een stuk beter.' Ik hikte en leunde met mijn hoofd tegen het kussen.

De verpleegster nam de prullenbak mee terwijl ik naar het plafond lag te staren. Ik voelde me fysiek beter, maar het schokte me hoe diep ik gezonken was. Maanden geleden had ik de gedachte om in het bijzijn van Marlboro Man te zweten niet eens kunnen verdragen. Nu spoot er een heldere groengele vloeistof uit mijn maag terwijl hij onze vredig slapende baby vasthield. Ik zag het laatste restje van mijn waardigheid wegspoelen in een grote, lelijke rioolput in de vloer.

Voordat ik van onderwerp kon veranderen en met Marlboro Man over het weer kon beginnen, kwam de vrolijke verpleegster terug. Ze ging met een klembord aan het voeteneind van mijn bed zitten.

'Ik moet je vitale functies controleren,' legde ze uit. Ik was een paar uur geleden bevallen. Ik nam aan dat het routine was.

Ze voelde mijn pols, betastte mijn benen, vroeg of ik ergens pijn had en drukte licht op mijn buik, op zoek naar tekenen dat ik geen verstopping, bloedprop, koorts of bloeding had. Ik staarde dromerig naar Marlboro Man, die een paar keer naar me knipoogde. Ik hoopte dat hij het braaksel mettertijd zou vergeten.

De verpleegster begon een aantal vragen te stellen.

'Je hebt dus geen pijn?'

'Nee. Ik voel me goed.'

'Geen koude rillingen?'

'Helemaal niet.'

'Heb je de afgelopen paar uur winden gelaten?'

(Voeg tien seconden gegeneerde pauze toe.)

Ik had haar blijkbaar niet goed verstaan. 'Wat?' vroeg ik terwijl ik naar haar staarde.

'Heb je de afgelopen paar uur winden gelaten?'

(Opnieuw een gegeneerde pauze.)

Wat voor soort vraag was dat? 'Wacht...' zei ik. 'Wát?'

'Heb je de afgelopen paar uur winden gelaten?'

Ik staarde haar wezenloos aan. 'Ik...'

'Winden? Jij? Vandaag?' Ze was onverzettelijk. Ik bleef wezenloos en wanhopig naar haar staren en was absoluut niet in staat om haar vraag te registreren.

Gedurende mijn zwangerschap had ik mijn uiterste best gedaan om een bepaalde mate van glamour en ijdelheid te bewaren. Zelfs toen ik aan het bevallen was, had ik geprobeerd een frisse en levendige vrouw te blijven. Ik had voordat ik mijn ruggenprik kreeg zelfs gekleurde lippenbalsem aangebracht zodat mijn lippen niet zo bleek zouden zijn. Ik had mezelf ook ingehouden tijdens het persen, bang dat ik de controle over mijn darmen zou verliezen. Dat zou de doodsteek zijn geweest voor mijn trots en mijn huwelijk; dan had ik namelijk moeten scheiden van mijn echtgenoot en iemand anders moeten zoeken om opnieuw te beginnen.

Ik had nog nooit een wind gelaten in het bijzijn van Marlboro Man. Voor zover hij wist, bezat mijn lichaam die functie helemaal niet.

Waarom moest ik nu dan antwoord op die vraag geven? Ik had niets verkeerd gedaan.

'Het spijt me...' stamelde ik. 'Ik begrijp de vraag niet...'

De verpleegster begon opnieuw, blijkbaar niet bezorgd over mijn gebrek aan bevattingsvermogen. 'Heb je...'

Marlboro Man, die onze baby aan de andere kant van de kamer teder vasthield en de hele tijd geduldig had geluisterd, kon het niet meer verdragen. 'Schat! Ze wil weten of je vandaag al een scheet hebt gelaten!'

De verpleegster giechelde. 'Oké, misschien is dat inderdaad iets duidelijker.'

Ik trok het dekbed over mijn hoofd.

Ik was niet van plan deze discussie te voeren.

Die avond smeekte ik Marlboro Man om naar de ranch te gaan om te slapen. We hadden visite gehad van mijn vader, onze grootouders, mijn beste vriendin Becky en Mike. Mijn moeder had haar hoofd zelfs even om de hoek gestoken toen ze had vastgesteld dat de kust veilig was. Ik was de hele dag geprikt en geduwd en gecontroleerd door de verpleegsters. Ik was moe en voelde me vreselijk omdat ik nog geen toestemming had gehad om onder de douche te gaan en ik wilde niet dat hij op een hard veldbed in de kamer moest slapen. Bovendien wilde ik het risico niet lopen dat er in zijn aanwezigheid nog meer vragen over mijn lichamelijke functies werden gesteld. 'Ga naar huis om wat te slapen,' zei ik. 'Ik ben hier morgenochtend ook nog.'

Hij bood niet veel weerstand. Ik merkte aan alles dat hij uitgeput was. Ik was ook uitgeput... maar dat hoorde zo. Marlboro Man moest de sterkste van ons tweeën zijn.

'Welterusten, mama,' zei hij, waarna hij een kus op mijn voorhoofd gaf. Ik vond dat nieuwe mama-gedoe prachtig. Hij kuste onze baby op haar wang. Ze knorde en spartelde. Ik hield mijn gezicht vlak bij haar en inhaleerde haar geur. Waarom had niemand me ooit verteld dat baby's zo lekker ruiken?

Toen Marlboro Man weg was, was het heerlijk rustig in de kamer. Ik liet me nog dieper in het verrassend comfortabele ziekenhuisbed zakken en pakte de baby vast als een voetbal, knoopte mijn perzikkleurige pyjamajasje open en legde haar voor de tiende keer de afgelopen uren aan. Het was haar tijdens de andere pogingen niet gelukt, maar dit keer – bijna in een poging om me te troosten nu Marlboro Man weg was – deed ze haar mondje open en greep mijn tepel. Ik deed mijn ogen dicht, liet mijn hoofd op het kussen zakken en genoot van de eerste momenten alleen met mijn kind.

Seconden later ging de deur open en kwam mijn zwager Tim binnenlopen. Hij had net een lading vee verwerkt. Marlboro Man zou hem geholpen hebben als ik vannacht niet was bevallen.

'Hallo!' zei Tim enthousiast. 'Hoe gaat het?'

Ik rukte het laken ver genoeg naar boven om het hoofdje van de baby en mijn ontblote borst te bedekken. Hoeveel ik ook om mijn zwager gaf, ik voelde geen behoefte om zo intiem met hem te zijn. Hij begreep het onmiddellijk.

'Oeps, ben ik op een verkeerd moment gekomen?' vroeg Tim. Hij keek als een verschrikt hert.

'Je hebt je broer net gemist,' zei ik. De lippen van de baby lieten mijn tepel los en ze wroette rond en probeerde hem weer te vinden. Ik probeerde me te gedragen alsof er niets onder het laken gebeurde.

'Echt waar?' vroeg Tim terwijl hij zenuwachtig om zich heen keek. 'Ik had natuurlijk eerst moeten bellen.'

'Kom binnen,' zei ik. Ik maakte me zo lang mogelijk. De effecten van de ruggenprik begonnen te verdwijnen en mijn onderlijf schrijnde.

'Hoe is het met de baby?' vroeg hij. Hij wilde haar zien, maar wist niet of hij in haar richting moest kijken.

'Fantastisch,' antwoordde ik terwijl ik mijn kleintje onder het laken uit trok. Ik bad dat ik mijn tepel snel genoeg kon bedekken.

Tim glimlachte terwijl hij zijn nieuwe nichtje bekeek. 'Wat is ze lief,' zei hij teder. 'Mag ik haar vasthouden?' Hij stak zijn armen uit als een kind dat een puppy vast wilde houden.

'Natuurlijk,' zei ik. Ik gaf haar aan hem terwijl ik pijnscheuten in mijn onderlijf voelde. Het enige waaraan ik kon denken was onder de douche gaan en mezelf besproeien met de douchekop die ik eerder die dag had gezien toen een verpleegster met me mee was gegaan naar de badkamer. Het werd een obsessie voor me. De douchekop was het enige waaraan ik kon denken.

Tim leek net zo verrast over het geslacht van de baby als zijn broer was geweest. 'Ik was verbijsterd toen ik het hoorde,' zei hij glimlachend. Ik lachte en stelde me voor wat de vader van Marlboro Man zou denken. Dat het eerste kleinkind in zo'n door mannen gedomineerde rancherfamilie een meisje bleek te zijn vond ik met de minuut grappiger worden. Het zou een avontuur zijn.

Terwijl Tim de baby vasthield liet ik mijn hoofd tegen het kussen zakken. Ik was uitgeput.

'Hoe eet ze?' vroeg Tim. Een grappige vraag, maar het leek hem echt te interesseren.

'Vrij goed,' antwoordde ik een beetje gegeneerd. 'Ik denk dat ze het snel doorheeft.'

'Je geeft haar je eigen melk, nietwaar?' vroeg Tim onbeholpen.

Je geeft haar je eigen melk? Hemel.

'Eh, ja...' antwoordde ik. 'Ik geef haar b-b-borstvoeding.' Tim, kun je nu alsjeblieft weggaan?

Daarna kwam het. 'Weet je, je moet ervoor zorgen dat je geen uierontsteking krijgt.'

Ik staarde wezenloos voor me uit. Ik wist nog niet dat dit een van de vele keren was dat mijn zwager een parallel zou trekken tussen mij en het vee.

33

Een onwennig begin

Twee dagen later, op een snikhete midzomermiddag, zette Marlboro Man mijn ziekenhuistassen in zijn pick-up, gespte ons 3175 gram zware meisje in haar naar verhouding enorme autostoeltje en hielp mij op de achterbank voor onze rit naar huis. Ik zou dolgelukkig moeten zijn – ik had de man en de baby en ze was gezond en de zon scheen – maar het was geen goed gevoel om uit het ziekenhuis weg te gaan. Ik was eraan gewend geraakt dat de verpleegsters me elke paar uur kwamen controleren en dat de voedingsassistenten me stoofschotels met aardappelpuree en sperziebonen brachten. In het ziekenhuis wist ik wat ik kon verwachten. In twee korte dagen had ik het onder de knie. Ik had er geen idee van wat me thuis te wachten stond.

Toen Marlboro Man wegreed bij het ziekenhuis overviel me

onmiddellijk een gevoel van wanhoop en eenzaamheid. Ik drukte mijn gezicht tegen het raam en deed net of ik sliep terwijl ik de hele rit naar huis zachtjes huilde. Ik wilde mijn moeder, maar ik had haar zo ver weggeduwd dat ze uit respect voor mijn wensen afstand hield. Als zij aan de andere kant van deze rit van een uur op me zou wachten, zou alles goed zijn.

Thuis liepen er twintig koeien in onze tuin rond. 'Verdomme,' mompelde Marlboro Man, alsof dit het laatste was wat hij op dat moment kon gebruiken. Daardoor moest ik nog harder huilen en kon ik het geluid ervan niet langer verbergen voor Marlboro Man. Terwijl we uitstapten keek hij achterom en zei: 'Wat is er aan de hand?' Hij liep naar me toe, meer dan een beetje bezorgd door de onverwachte aanblik van mijn gezwollen, rode gezicht. 'Wat is er gebeurd?'

'Ik wil terug naar het ziekenhuis,' huilde ik. Een koe liet een verse groene lading op mijn lelies vallen.

'Wat is er dan met je?' vroeg Marlboro Man. 'Heb je pijn?'

Door die vraag voelde ik me belachelijk, alsof ik alleen een goed excuus had om emotioneel te zijn als ik uit mijn oren bloedde. Ik huilde nog harder en de baby begon te spartelen. 'Ik voel me gewoon niet goed,' huilde ik. 'Ik voel me... ik weet helemaal niet wat ik moet doen.'

Marlboro Man nam me in zijn armen. 'Laten we naar binnen gaan,' zei hij terwijl hij over mijn rug wreef. 'Het is warm buiten.' Hij maakte het stoeltje van de baby los en tilde haar uit de auto, en we liepen met z'n drieën langs de koeien naar het huis. Mijn echinacea hadden geen bloemblaadjes meer. Stomme konijnen, dacht ik. Ik vermoord ze met mijn blote handen als ze weer in de buurt van mijn bloemen komen. Daarna begon ik nog harder te huilen omdat ik zoiets zelfs maar dacht.

We liepen ons huis binnen, dat brandschoon was en naar schoonmaakmiddel en citroen rook. Op de eettafel in de ontbijthoek stond een vaas met verse bloemen. Alles lag op zijn plek. Ik haalde diep adem… en plotseling voelde ik me een stuk beter. De baby begon onrustig te worden – ze had vanaf het moment dat we bij het ziekenhuis waren weggereden in haar autostoeltje gezeten – dus haalde ik haar eruit, ging samen met haar op bed liggen en begon haar te voeden. We vielen bijna onmiddellijk in een diepe slaap. Toen ik wakker werd was het bijna donker. Ik hoopte dat het de volgende ochtend vroeg was, wat zou betekenen dat we de hele nacht hadden geslapen, maar in werkelijkheid was er maar een uur voorbij.

Ik gooide koud water in mijn gezicht en dronk jus d'orange. Onze eerste avond thuis was onwerkelijk: Marlboro Man en ik aten van de stoofschotel die zijn moeder eerder die dag in de koelkast had achtergelaten. Het dessert was een eigengebakken cake die zijn oma, Edna Mae, had gebracht. Edna Mae's cakes waren luchtige perfectie. Ze had extra haar best gedaan op deze cake en hem bedekt met een roomwitte laag glazuur, waarna ze de geglazuurde cake had gekoeld. Ik at drie stukken zonder dat ik zelfs in de gaten had dat ik een hap had genomen. Het was levensbloed voor mijn postnatale lichaam.

Na het eten gingen Marlboro Man en ik op de bank in ons schemerig verlichte huis zitten en bewonderden we het nieuwe leventje voor ons. Haar lieve geknor. Haar onmogelijk kleine oortjes, hoe vredig ze sliep, zo rimpelig en warm. We haalden haar uit haar omslagdoek en wikkelden die opnieuw om haar heen. Daarna haalden we haar er weer uit en gaven haar een schone luier, waarna we haar weer in de doek wikkelden. Daarna legden we haar voor de nacht in haar wiegje, klopten op haar schattige buikje en gingen zelf ook naar bed. Daar vielen we als een blok in slaap in elkaars armen, dolgelukkig dat het moeilijke deel voorbij was. Het enige wat ik nodig had was een nacht goed slapen, dacht ik, zodat ik me weer mezelf zou voelen. De zon zou morgen opkomen... daar was ik zeker van.

We sliepen diep toen ik de baby twintig minuten later hoorde huilen. Ik schoot uit bed en ging naar haar kamer. Ze heeft vast honger, dacht ik, en ik voedde haar in de schommelstoel, waarna ik haar in haar wiegje legde en zelf ook weer naar bed ging. Drie kwartier nadat mijn hoofd het kussen had geraakt, werd ik weer wakker door gehuil. Ik keek naar de klok, ik was ervan overtuigd dat ik een nare droom had. Met een wazige blik strompelde ik naar haar kamer en herhaalde het voedingsritueel. Hmm, dacht ik terwijl ik probeerde niet in de stoel in slaap te vallen. Dit is vreemd. Ze moet ergens last van hebben. Misschien een koliek of zo waarover ik een keer in een film had gehoord? Of jicht? Vreemde diagnoses dwarrelden door mijn door gebrek aan slaap verdoofde hersenen. Voordat de zon de volgende dag opkwam was ik nog zes keer opgestaan, elke keer in de veronderstelling dat dit de laatste keer zou zijn en als het dat niet was, dat ik er waarschijnlijk aan onderdoor zou gaan.

Ik werd de volgende ochtend wakker van de verblindende zon die in mijn ogen scheen. Marlboro Man liep de slaapkamer in met ons hysterisch huilende babymeisje in zijn armen.

'Ik probeerde je te laten slapen,' zei hij. 'Maar daar wil ze niets van weten.' Hij keek hulpeloos, als een man die niet meer weet wat hij moet doen.

Ik kreeg mijn ogen nauwelijks open. 'Geef maar.' Ik stak mijn armen uit en gebaarde naar Marlboro Man dat hij haar op de warme plek naast me op bed moest leggen. Met mijn ogen nog steeds dicht knoopte ik mijn pyjamajasje op de automatische piloot open en bracht mijn borst naar haar gezicht terwijl het me helemaal niets kon schelen dat Marlboro Man naar me stond te kijken. De baby kreeg wat ze wilde en begon te zuigen.

Marlboro Man zat op het bed en speelde met mijn haar. 'Je hebt vannacht niet veel slaap gekregen,' zei hij.

'Klopt,' zei ik. Ik was me er absoluut niet van bewust dat wat vannacht was gebeurd volkomen normaal was en op zijn minst de komende maand elke nacht zou gebeuren. 'Ik denk dat ze zich niet lekker voelde.'

'Ik krijg zo een vrachtwagen binnen,' zei Marlboro Man. 'Maar ik ben rond elf uur terug.'

Ik zwaaide naar hem zonder op te kijken. Ik kon mijn ogen niet van mijn baby afhouden. Terwijl ze naast me lag te zuigen, begon ik me vreemd te voelen. Mijn borstkas voelde strak en warm en ik zag dat mijn borsten groter waren dan ooit, groter zelfs dan in de laatste dagen van mijn zwangerschap. Toen de baby weer sliep nam ik een douche. Dat was het enige wat een beetje leven in mijn van slaap beroofde lichaam kon brengen. Ik liet het warme water over mijn gezicht en in mijn ogen stromen, in de hoop dat het de uitputting zou wegspoelen. Na een paar minuten begon ik me beter te voelen... Net op tijd om te merken dat het strakke, onaangename gevoel in mijn borstkas in alle hevigheid terug was. Ik keek naar beneden en zag tot mijn afgrijzen dat mijn borsten tapkranen waren geworden, die de melk twintig centimeter ver spoten. Ze vertoonden absoluut geen tekenen om ermee te stoppen. Ze sproeiden en sproeiden.

Hoewel ik, de dochter van een arts, voorbereid zou moeten zijn op de medische kant van een zwangerschap en een bevalling, was ik volkomen uit het veld geslagen. Niets had me kunnen voorbereiden op het gevoel van afgrijzen dat me overviel.

Marlboro Man had Tim uitgenodigd om die avond langs te komen. Ik verstopte me de hele tijd in mijn slaapkamer, klemde handdoeken tegen mijn borsten en probeerde wanhopig om mijn humeurige, trappelende baby de groeiende druk in mijn borsten te laten verlichten. Ondertussen probeerde ik elke interactie met Marlboro Man en Tim te vermijden. Ik had het veel te druk met me aanpassen aan wat er met mijn lichaam en mijn geest gebeurde – laat staan met mijn leven – om een samenhangend gesprek te kunnen voeren.

De mannen in de zitkamer waren indringers die niet in mijn nest met mijn nieuwe babyvogeltje hoorden. Ze waren dodo's... misschien beo's. Ik zou ze pikken als ze te dichtbij kwamen. Wat deden ze trouwens in mijn nest?

Later die avond, toen ik net in slaap begon te vallen, hoorde ik geschreeuw in de zitkamer. Marlboro Man en Tim zagen hoe Mike Tyson het oor van Evander Holyfield live op de televisie afbeet. De baby, die eindelijk een paar minuten ervoor in slaap was gevallen, werd wakker en begon weer te huilen.

Het was officieel: ik bevond me in de hel.

34

Postnatale wanhoop

Mijn melkproductie kwam goed op gang en drinken werd de favoriete bezigheid van de baby. De volgende twee weken van haar leven markeerden het eind van mijn leven zoals ik dat had gekend: ik was de hele nacht op en Marlboro Man was volkomen aan zijn lot overgelaten. Ik wilde niets met iemand anders te maken hebben, met inbegrip van mijn echtgenoot.

'Hoe gaat het vandaag met je?' vroeg hij af en toe. Ik voelde me geïrriteerd omdat ik energie moest verbruiken om antwoord te geven.

'Wil je dat ik de baby een tijdje vasthou zodat jij op kunt staan en je aan kunt kleden?' bood hij aan. Ik kromp in elkaar bij het idee dat hij mijn badjas niet mooi vond.

'Hé, mama, zullen we een eindje met de baby gaan rijden?'

Niet gewoon nee, maar absoluut nee. We gaan dood als we onze cocon verlaten. De zonnestralen zullen ons roosteren en in as veranderen. Trouwens, dan moest ik kleren aantrekken. Vergeet het maar.

Ik ging in de meest letterlijke zin van het woord in de overlevingsstand. Ik liet niet alleen de was liggen, maar bemoeide me ook niet met het eten, voerde geen luchtige gesprekken en sloot me voor iedereen af. Ik was een lege dop, niet menselijker dan een roestvrijstalen melkmachine in een melkbedrijf in Wisconsin, en maar half zo interessant. Mijn vroegere identiteit als vrouw, dochter, vriendin en productief lid van het menselijke ras was verdwenen op het moment dat mijn melkklieren zich met melk hadden gevuld. Mijn moeder kwam een paar keer langs om te helpen, maar ik kon haar aanwezigheid emotioneel niet verwerken. Ik verstopte me in mijn kamer met de deur dicht terwijl zij zonder hulp of inbreng van mij afwaste en de was deed. Marlboro Mans moeder kwam ook helpen, maar ik kon mezelf niet zijn met haar om me heen en trok me terug in mijn kamer. Ik was zo afgestompt dat ik niet eens probeerde om hulp te bidden. Niet dat dat geholpen zou hebben: roestvrijstalen melkmachines hebben geen ziel.

Betsy kwam twee weken nadat ik uit het ziekenhuis was logeren, hoewel ik niet zeker wist of het me iets kon schelen. Ze deed het huishouden, draaide was na was en hield de baby tussen alle voedingen door zelfs twee minuten vast. Zonder enige inbreng van mij maakte mijn kleine zusje noedelsoep en taco's en de verrukkelijke lasagne van onze moeder. Ze leerde zelfs hoe ze de zwervende koeien die in onze tuin kwamen moest wegjagen. Ik waggelde op een ochtend naar de keuken om een glas water te halen toen ik haar zwaaiend met een bezem door de tuin zag rennen. Misschien kan ze hier komen wonen en mijn plaats innemen, dacht ik. Ze vindt het hier prettig en ze is leuk en grappig en slank... Marlboro Man en zij zouden uitstekend bij elkaar passen.

Ik bevond me diep in de klauwen van postnatale wanhoop en wilde nergens iets mee te maken hebben. Niet met de koeien, niet met de tuin, niet met de was. Zelfs niet met de cowboy die erbij hoorde, degene die dag in dag uit keihard werkte, zich probeerde aan te passen aan de voortdurend veranderende markten en probeerde uit te zoeken wat hij het beste kon doen voor zijn ranch en nieuwe baby en vrouw. De echtgenote die van de jonge, levenslustige vrouw met wie hij tien maanden geleden was getrouwd was veranderd in iemand die nauwelijks nog bestond.

Toen Betsy tweeënzeventig uur bij ons was, had ze alles door. Ze wachtte tot Marlboro Man die ochtend naar zijn werk was voordat ze erover begon.

'Je ziet er niet uit,' zei ze.

'Hou je mond,' blafte ik. 'Probeer jij dit maar eens!'

'Ik bedoel, het is natuurlijk allemaal niet eenvoudig en zo...'

Ik stak mijn hand op. 'Waag het niet,' snauwde ik. 'Je hebt er echt geen idee van.' De tranen sprongen in mijn ogen.

'Dan niet,' zei ze terwijl ze een spijkerbroek opvouwde. 'Maar je zou in elk geval een douche kunnen nemen en leuke kleren aantrekken. Misschien dat je je daardoor beter zult voelen.'

'Kleren zorgen er niet voor dat ik me beter voel,' riep ik terwijl ik de baby dicht tegen me aan hield.

'Ik weet zeker dat dat wel zo is,' ging ze verder. 'Ik ben ervan overtuigd dat je niet gelukkig kunt zijn zolang je die badjas draagt.'

Ik negeerde haar opmerking en bleef in bed. Betsy rommelde in de keuken en maakte broodjes. Ik at ze, maar alleen om mijn melkproductie op gang te houden. Daarna at ik vier van haar chocoladekoekjes om dezelfde reden, en toen ik me nog steeds onfris en verfomfaaid voelde, ging ik terug naar bed.

Marlboro Man kwam aan het eind van de middag terug en kwam de slaapkamer in terwijl hij een chocoladekoekje at. De baby en ik waren net wakker van een dutje van twee uur en hij ging naast ons liggen. Zonder iets te zeggen streelde hij met zijn wijsvinger over haar hoofdje. Ik keek de hele tijd naar hem; hij kon zijn ogen niet van haar afhouden. Het was stil in de slaapkamer, net als in de rest van het huis. Betsy was waarschijnlijk naar de wasruimte om een nieuwe lading in de wasmachine te stoppen. Zonder erover na te denken kroop mijn arm naar zijn rug. Het was de eerste keer dat ik hem aanraakte sinds ik uit het ziekenhuis terug was. Hij keek naar me, glimlachte flauw en sloeg zijn arm rond mijn middel. We vielen alle drie in slaap: Marlboro Man in zijn kleren met moddervlekken, ik in mijn pyjama met melkvlekken en ons perfecte kindje vredig slapend tussen ons in.

Toen ik een uur later wakker werd was er iets veranderd. Misschien was het de slaap, misschien het tedere moment met Marlboro Man, misschien de opmerkingen van mijn zusje, of een combinatie van die drie. Ik glipte voorzichtig uit bed en liep naar de douche, waar ik mijn lichaam waste en scrubde en boende met elk doucheproduct dat ik kon vinden. Tegen de tijd dat ik de kraan dichtdeed, rook de badkamer naar citroengras en lavendel, blauwe regen en watermeloen. De aromatherapie werkte: hoewel ik me niet bepaald mooi voelde, had ik minder het gevoel dat ik Jabba the Hut was. Ik keek langs de badkamerdeur de slaapkamer in. Marlboro Man en de baby sliepen nog steeds. Ik bracht doorzichtige poeder, rouge, oogschaduw en twee dikke lagen mascara aan. Met elke streek van het borsteltje, met elke zwaai van het toverstafje, voelde ik me meer mezelf worden. Een laag gekleurde lipgloss maakte het af.

Ik was nu op dreef, liep op mijn tenen de slaapkamer in en zocht in de kast naar mijn zachte zwarte zwangerschapslegging, de legging die ik veertien dagen geleden had vervangen voor lelijke geruite pyjamabroeken. Ik gleed met mijn hand langs de rij shirts die aan de stang hingen en koos instinctief een losvallend lichtblauw shirt dat ik in de eerste maanden van mijn zwangerschap had gedragen. Het was mooi en licht en vrouwelijk: een sterk contrast met de donkergroene badstoffen badjas die ik de afgelopen dagen aan een stuk door had gedragen. Ik glipte terug naar de badkamer, kleedde me aan en maakte het af met de lange paarlemoeren oorbellen die ik in een cadeauwinkel in Sydney had gekocht, waarschijnlijk nog voordat ik zwanger was. Ik wilde de lawaaiige föhn niet aanzetten, dus kneep ik mijn haar tussen mijn vingers om het wat volume te geven. Ik deed een stap naar achteren en keek aandachtig in de spiegel.

Ik herkende mezelf weer. De bleke, bloedeloze geest was vervangen door een lichtelijk vermoeide en enigszins opgeblazen versie van mijn vroegere ik. Ik was geen schoonheidskoningin, bij lange na niet, maar ik was mezelf weer. De douche was misschien geen uitdrijving geweest, maar wel een doop. Ik huiverde bij de gedachte aan wat Marlboro Man had doorgemaakt, telkens als hij me in mijn groezelige witte badstof slippers had zien langs schuifelen, mijn haar met een neongroen elastiek boven op mijn hoofd gebonden. Ik poetste mijn tanden, schudde mijn haar uit en liep de badkamer uit op het moment dat Marlboro Man wakker werd.

'Wauw,' zei hij terwijl hij stopte met uitrekken. 'Je ziet er goed uit, mama.'

Ik glimlachte.

Die avond kwam Tim op visite. Betsy maakte drumsticks en brownies en Marlboro Man, Tim, Betsy, de baby en ik praatten en lachten en keken naar een film van John Wayne.

Ik was uitgeput, maar het was een van de mooiste avonden van mijn leven.

Ik werd de volgende ochtend om negen uur wakker, met overvolle borsten en het gevoel dat ik leefde.

Mijn baby – gerimpeld, mager en hulpeloos – had bijna de hele nacht vredig naast me geslapen en was maar twee keer wakker geworden om te drinken. Het was bijna alsof ze een memo had gekregen met betrekking tot het nieuwe optimisme in huis. Ik streelde met mijn wijsvinger over haar armpje, dat nog steeds was bedekt met zacht, doorzichtig donshaar, en mijn liefde voor haar overspoelde me in een haastige golf. Na de eerste nacht thuis was de wanhoop binnengeslopen, waardoor ik niet van haar had kunnen genieten. Tot nu. Ik staarde naar haar oortjes, inhaleerde haar heerlijke geur en legde mijn handpalm op haar perfecte hoofdje, waarna ik mijn ogen dichtdeed en God bedankte voor zo'n onverdiend cadeau. Ze was perfect.

Toen we eindelijk uit de slaapkamer kwamen, roerde Betsy in een pan op het fornuis. Marlboro Man was met Tim naar een stuk tarweland in het zuiden van het district vertrokken. Het was Betsy's laatste dag op de ranch; haar zomercursus zou de week daarna beginnen en ze ging terug naar de echte wereld. En dat was goed. Haar taak zat erop.

'Wat is dat?' vroeg ik terwijl ik naar het fornuis keek.

'Kaneelbroodjes,' zei ze terwijl ze een pak gist uit de kast pakte.

Het water liep me meteen in de mond. De kaneelbroodjes van onze moeder. Ze waren overheerlijk, een feit dat niet alleen werd bevestigd door onze naaste familie, maar ook door buren, kerkleden en vrienden, die ze in mijn jeugd elk jaar met kerst hadden gekregen. Het was een feestdagritueel dat vierentwintig jaar had geduurd. Mijn moeder stond vroeg op, mengde bijna kokende melk, suiker en olie in verschillende grote pannen en gebruikte dat mengsel om deeg te maken. We rolden het deeg met zijn drieën in lange rechthoeken en overgoten die met enorme hoeveelheden gesmolten boter, kaneel en suiker. Daarna rolden we de rechthoeken op en sneden ze in stukken. Als de broodjes gebakken waren besprenkelden we ze met koffie-ahornglazuur. Mijn moeder bracht ze rond als ze nog warm waren.

Het waren de lekkerste kaneelbroodjes die er bestonden. Waarom had ik ze nog niet gemaakt?

Later, toen het deeg klaar was en Betsy en ik rolden en besprenkelden en de baby heerlijk in het wipstoeltje op de grond sliep, dacht ik na over mijn moeder en de ontelbare keren dat we samen kaneelbroodjes hadden gemaakt. Van alle mooie herinneringen die verankerd waren in mijn geheugen stonden deze heerlijke, kleffe kaneelbroodjes helemaal bovenaan. En toen ik mijn vork in een rolletje prikte en mijn eerste hap nam, durfde ik te zweren dat ik de troostende stem van mijn moeder hoorde. Mijn moeder die, zoals ik me nu realiseerde, mijn jeugd had doordrenkt met meer liefde en aandacht en plezier dan een kind nodig had.

Ik stelde me voor dat ze glimlachte en ik glimlachte ook.

35

De wind waait

Marlboro Man en Tim hadden hun schouders eronder gezet en waren in staat geweest om het acute financiële gevaar van de afgelopen herfst te keren. De markten stegen en het licht aan het eind van de tunnel werd helderder. Toch bleef het een klim bergopwaarts. De hypotheek die op de ranch rustte was een voortdurende herinnering dat achterover leunen en uitrusten nooit een optie voor ons zou zijn. Marlboro Man had naast de ranch geen inkomsten die hij als aanvulling kon gebruiken. Hij moest het op de ouderwetse manier doen: met bloed, zweet en tranen. En gebeden.

We hadden het grote indiaanse huis naast ons witte huisje permanent afgesloten om het ongedierte weg te houden. Ik kon me niet voorstellen dat we binnenkort in staat zouden zijn om de financiële verplichting van het renoveren en meubileren aan te gaan. Op een bepaalde manier was het afgesloten huis een fijne, dagelijkse herinnering aan wat we ooit misschien zouden hebben, maar ook dat het allemaal niet zoveel uitmaakte. Onze blauwdrukken waren opgerold en netjes in een kast opgeborgen, naast mijn sluier en trouwschoenen en Anne Klein-jeans van voor mijn zwangerschap, die niet echt een deel van mijn leven meer waren.

Op een warme septembermiddag, toen de lucht een verontrustende roze kleur kreeg, was onze baby twee maanden oud. Ik kende die kleur goed: het was de kleur van een hemel waar de zuurstof uit wordt gezogen door een dreigende kracht. Ik wist dat we storm kregen, ik kon het ruiken. Marlboro Man was op een afgelegen deel van de ranch om Tim te helpen met stieren bewerken. Ik was veel fitter nu de baby 's nachts sliep en ik was de hele dag bezig geweest met de was en het huishouden. Laat in de middag had ik een stoofschotel in de oven staan, toen er donkere wolken aan de hemel verschenen.

'Ik ben over een uur thuis,' zei Marlboro Man, die me met zijn mobiel belde.

'Regent het daar?' vroeg ik. 'Het is heel griezelig hier.'

'Het bliksemt,' zei hij. 'Het is behoorlijk opwindend.' Ik lachte. Marlboro Man was gek op onweer.

Ik hing op en ging verder met het vouwen van de was. Ik merkte dat de wind, die 's middags in kracht was toegenomen, helemaal was gaan liggen. De bomen bewogen niet. De hemel zag er angstaanjagend uit. Ik huiverde, ook al was het helemaal niet koud.

Ik zette de televisie aan en zag een radarkaart met een goedgeklede weerman ervoor. Ik herkende ons district en besefte dat het gebied op de kaart waarover koortsachtig werd gediscussieerd niet ver bij ons vandaan lag. Een donkerrode streep in de vorm van een haak lag rond ons district. Jakkes, zei ik tegen mezelf, dat ziet er niet goed uit.

De baby was diep in slaap in haar schommelstoeltje en schrok niet wakker toen de telefoon opnieuw ging. Het was Marlboro Man.

'Je moet met de baby naar de kelder in het stenen huis gaan,' zei hij met een dringende klank in zijn stem.

'Wat?' zei ik. Mijn hart klopte in mijn keel. 'Wat bedoel je?'

'Bij Fairfax beweegt zich een tornado in oostzuidoostelijke richting,' zei hij snel. 'Je moet naar de kelder, voor het geval dat.'

'Alleen voor het geval dat?' Ik haastte me door de kamer op zoek naar mijn schoenen. 'Wacht... waar pas jij in dit scenario?'

'Luister, ga daar gewoon naartoe!' zei hij. 'Het kost me twintig minuten om thuis te komen.' Hij maakte geen grapje, en dat terwijl Marlboro Man gek was op storm. Dit was ernstig. Ik trok een paar van Marlboro Mans rubberlaarzen aan. Het was het beste wat ik kon vinden.

Ik hing op en rukte een enorme doek van de bank. Ik had er geen idee van waarom maar ik wist gewoon dat ik hem nodig had. Ik pakte ook een kussen, drie flessen water, een zaklamp, een handvol mueslirepen en mijn baby. Daarna deed ik de deur open en holde de vreemde roze wereld in, stak de tuin rond ons huisje over en rende naar de verandatrap van het gele stenen indiaanse huis waar we ooit zouden wonen. Met de flessen water en de deken onder mijn arm gooide ik de zijdeur open – de enige manier om het afgesloten gebouw in te gaan – rende naar binnen en smeet de deur achter me dicht. Het was donker; er was geen elektriciteit. Ik gebruikte de zaklamp om de deur te vinden die naar de keldertrap leidde en liep zonder erover na te denken naar beneden. Niet omdat ik doodsbang was voor de tornado, maar omdat Marlboro Man had gezegd dat ik dat moest doen... Omdat ik nu moeder was. Het was de eerste keer dat ik dit beschermende instinct voelde, het soort waarbij je gewoon geen keus hebt. Het was het enige waardoor ik vergat dat hier ooit een nest ratelslangen had gezeten.

Ik ging op een bank tegen de keldermuur zitten, onzeker over wat er allemaal ging komen. De baby was inmiddels wakker, dus voedde ik haar en luisterde daarna naar tekenen van verwoesting in de stille, donkere kelder. Ik dacht aan Marlboro Man. De cowboys. Naburige ranchers. Onze paarden en het vee. Mijn schoonfamilie. *Waar zijn ze en zijn ze veilig? Krijgt de storm hen te pakken voordat die mij te pakken krijgt? Worden huizen en schuren met de grond gelijkgemaakt terwijl ik hier veilig in deze angstaanjagende kelder zit? Stel dat het huis van zijn fundamenten wordt geblazen en we de lucht in worden gezogen?* Ik wikkelde de zachte deken die ik had meegenomen stevig om de baby heen, legde mijn hoofd boven op haar kale hoofdje en ademde haar heerlijke geur in. De wind huilde.

Ik zat in de duisternis met alleen een vage hint van een vroege avondlucht achter het rechthoekige kelderraam, en terwijl ik mijn kind langzaam wiegde dacht ik na over de afgelopen maanden, over alle ongelooflijke ervaringen en veranderingen die ik had meegemaakt. Ik was van Los Angeles naar het midden van het land verhuisd. Ik was van een zelfstandig persoon die een relatie ontvluchtte veranderd in iemand die stapelverliefd was op een cowboy. Ik was van onafhankelijk meisje veranderd in echtgenote, van echtgenote in vrouw en moeder, van levendig seksueel wezen in babyvoedende machine, van depressieve en wanhopige nieuwe moeder in een iets sterkere en hardere versie van mezelf, van bezorgde dochter van inmiddels gescheiden ouders in een volwassen vrouw met haar eigen gezin.

Het ging niet meer om mij. Ik had een kind en een echtgenoot die me nodig had in een tijd waarin het razend moeilijk was om van het boerenbedrijf te leven. Ik had geen tijd om te blijven hangen in de problemen van mijn ouders. Ik had geen tijd voor het verleden. Mijn gezin – mijn nieuwe gezin – was het enige wat belangrijk was voor me. Mijn kind. En altijd en eeuwig Marlboro Man.

Ineens was hij er. Hij liep de keldertrap af in zijn Wrangler en laarzen die nat waren van de regen en keek naar me met een warme, zachte glimlach op zijn gezicht. Het was Marlboro Man. Hij was er.

'Hallo, mama,' zei hij. 'Alles is in orde.'

De storm was ons gepasseerd, de trechtervormige wolk opgelost voordat die schade aan kon richten.

'Hallo, papa,' antwoordde ik. Het was de eerste keer dat ik hem zo noemde.

Hij keek naar de waterflessen en mueslirepen op de vloer. 'Waar is dat allemaal voor?' vroeg hij.

Ik haalde mijn schouders op. 'Ik wist niet hoe lang ik hier moest blijven.'

Hij lachte. 'Je bent grappig,' zei hij terwijl hij onze slapende baby uit mijn armen pakte en de deken over zijn schouder gooide. 'Laten we gaan eten. Ik heb honger.' We liepen door de tuin naar ons gezellige witte huisje, waar we gestoofd rundvlees met aardappelpuree aten en naar *The Big Country* met Gregory Peck keken. De rest van de avond luisterden we naar het septemberonweer dat regen uit de hemel liet vallen.

De volgende ochtend, nadat de storm was gepasseerd en Marlboro Man op zijn paard was vertrokken, voedde ik de baby in de schommelstoel naast de voordeur. Ik zag de prachtige hemel in het oosten van zwart in azuurblauw en roodpaars in een onmogelijke kleur roodachtig oranje veranderen. Ik ademde de plattelandslucht in terwijl ik genoot van de nieuwe kracht die ik binnen in me voelde groeien. Ik wist dat onze problemen niet voorbij waren. We waren nog maar een jaar getrouwd en hadden al heel veel meegemaakt. Ik wist dat de storm van de vorige avond maar een van de vele was die we de komende jaren moesten trotseren. Ik wist dat er nog voldoende gevechten zouden komen.

Maar toch kon ik het gevoel niet van me afzetten.

Ik kon het zien. Ik wist het.

De zon stond op het punt op te komen.

Recepten

Dit zijn enkele van mijn favoriete recepten uit mijn verleden, uit mijn heden… en uit mijn hart.

PASTA PRIMAVERA

Voor 8 personen

Ter ere van mijn vroegere vegetarische leven

500 gram penne
4 eetlepels boter
2 eetlepels olijfolie
½ ui, fijngesneden
4 teentjes knoflook, geperst
1 mok broccoli, in stukjes
2 wortels, geschild en in reepjes gesneden
1 rode paprika, in reepjes
1 gele kalebas, in stukjes
2 courgettes, in dunne plakjes
200 gram kastanjechampignons, in plakjes
1 tot 2 glazen droge witte wijn
½ mok groente- of kippenbouillon (meer indien nodig)

1 kop slagroom
½ mok geraspte Parmezaanse kaas (extra voor garnering)
½ mok doperwtjes
8 basilicumblaadjes, gesneden (extra voor garnering)
zout naar behoefte

Kook de pasta volgens de gebruiksaanwijzing op de verpakking.

Verwarm 2 eetlepels boter en de olijfolie in een grote braadpan op middelhoog vuur. Voeg de ui en knoflook toe en bak 1 tot 2 minuten, tot ze doorzichtig beginnen te worden. Voeg de broccoli en wortel toe en roer. Bak ongeveer 1 minuut en leg de groente op een groot bord.

Doe de rode paprikareepjes in de braadpan. Roerbak ongeveer een minuut, leg ze daarna op het bord.

Voeg 1 eetlepel boter toe. Voeg de kalebas en courgette toe, bak de groente en leg ze op het bord. Bak de champignons 1 tot 2 minuten, voeg zout naar smaak toe en leg die ook op het bord.

Schenk de wijn en de bouillon in de pan. Voeg een eetlepel boter toe en schraap de aanbaksels van de bodem van de pan. Kook 2 tot 3 minuten, tot de vloeistof begint in te dikken.

Voeg de slagroom, de Parmezaanse kaas en zout en peper toe.

Doe de groenten, de doperwtjes en de basilicum bij de saus. Voeg de pasta toe en roer. Doe er nog wat bouillon en room bij als de saus te dik is of als er niet voldoende saus lijkt te zijn.

Schep de pasta primavera op de borden en garneer met Parmezaanse kaas en basilicumblaadjes.

TIRAMISU

Voor 12 personen

Mijn enige echte liefde... tot ik Marlboro Man ontmoette.

5 eierdooiers
¼ mok + 4 eetlepels suiker, apart
¾ mok marsala
500 gram mascarpone op kamertemperatuur
1 mok slagroom
1½ mok gezette koffie of espresso
1 eetlepel vanillepoeder
200 gram lange vingers
cacaopoeder om te bestuiven

Kook water in een pan. Doe de eidooiers in een middelgrote glazen kom. Voeg 50 gram suiker toe en klop tot de eidooiers lichtgeel zijn. Zet de glazen kom in de pan kokend water.

Voeg onder voortdurend kloppen geleidelijk ½ mok van de marsala toe.

Kook dit mengsel, terwijl je af en toe de zijkanten en de bodem van de kom schoon schraapt, ongeveer vijf minuten. Dek de kom af met plasticfolie en zet hem minstens 45 minuten, of tot hij is afgekoeld, in de koelkast (dit mengsel heet zabaglione).

Doe de mascarpone in een kom en roer tot deze zacht is. Doe de slagroom en de resterende 4 eetlepels suiker in een grote mengkom en klop tot de slagroom stijf is. Roer de mascarpone en de zabaglione voorzichtig door elkaar. Bedek met plasticfolie en zet 1 tot 2 uur in de koelkast.

Meng de espresso of de koffie, de overblijvende ¼ mok marsala en het vanillepoeder.

Leg de lange vingers in een langwerpige schaal. Lepel het koffiemengsel over de lange vingers. Schep ⅓ van de zabaglione boven op het koffiemengsel en verspreid dit voorzichtig. Bestuif met een dunne laag cacaopoeder. Herhaal dit proces nog twee keer.

Dek de tiramisu af en koel hem een paar uur.

Let op! Tiramisu blijft niet langer dan 24 tot 36 uur goed, omdat het mengsel na verloop van tijd waterig zal worden.

LINGUINI MET MOSSELSAUS

Voor 6 personen

500 gram linguini
1 eetlepel olijfolie
2 eetlepels boter
3 teentjes knoflook, geperst
500 gram gepelde mosselen
eventueel visbouillon
¾ mok witte wijn
sap van ½ citroen, plus partjes citroen voor garnering
2 eetlepels peterselie
¾ mok slagroom
zout en versgemalen zwarte peper naar smaak
Parmezaanse kaas voor garnering

Kook de linguini al dente volgens de aanwijzingen op de verpakking.

Verwarm een grote braadpan op middelhoog vuur, voeg de olijfolie en 1 eetlepel boter toe.

Voeg de knoflook en de mosselen toe en bak deze 3 minuten.

Schenk de witte wijn erbij en schraap de aanbaksels van de bodem van de pan. Kook 3 tot 4 minuten tot de saus ingedikt is. Voeg de resterende eetlepel boter toe en roer.

Zet het gas laag en doe het citroensap bij de saus.

Voeg daarna de peterselie en de room toe. Breng op smaak met zout en peper en voeg eventueel wat visbouillon toe. Kook 3 minuten.

Doe de pasta in een voorverwarmde serveerschaal. Schenk de mosselsaus over de pasta. Roer door elkaar en strooi de Parmezaanse kaas erover. Garneer de borden met een schijfje citroen.

GEMARINEERDE BIEFSTUK VAN DE HAAS

Voor 4 personen

Eindresultaat mag niet op leer lijken.

½ mok sojasaus
½ mok sherry
3 eetlepels honing
2 eetlepels sesamolie
2 eetlepels kleingesneden gember
5 knoflookteentjes, geperst
½ theelepel geplette rode peperkorrels
1 biefstuk van de haas

Meng alle ingrediënten behalve de biefstuk in een glazen of aardewerken schaal. Leg de biefstuk in de marinade. Dek de schaal af met plasticfolie en zet deze minstens 3 tot 6 uur in de koelkast.

Verwarm een grillpan op hoog vuur. Gril de biefstuk 2 minuten per kant, waarbij je het vlees aan beide kanten één keer 90 graden draait om mooie grillstrepen te krijgen.

Leg het vlees op een snijplank en laat het een paar minuten rusten voordat je het snijdt.

Snijd het vlees dwars op de draadrichting in plakken en serveer met aardappelen of pasta.

TAGLIARINI QUATTRO FORMAGGI

Voor 6 personen

Kook de pasta niet te lang, zodat het niet papperig wordt.

1 mok slagroom
500 gram tagliarini of engelenhaarpasta
2 eetlepels boter
½ mok geraspte Fontina kaas
½ mok geraspte Parmezaanse kaas
½ mok geraspte Romano kaas
100 gram geitenkaas
zout en versgemalen zwarte peper naar smaak
¼ theelepel nootmuskaat
1 knoflookteen, doormidden gesneden (om de kommen mee in te wrijven)

Verwarm de slagroom boven een matig vuur in een steelpan.

Kook de pasta al dente volgens de aanwijzingen op de verpakking.

Giet de pasta af en doe deze in de pan terug. Voeg de boter, de verwarmde slagroom en de kaas toe. Roer voorzichtig, waardoor de kaas smelt. Breng op smaak met zout, peper en nootmuskaat.

Wrijf pastakommen in met knoflook. Serveer de pasta in de kommen.

GEROOSTERDE OSSENHAAS

Voor 8 personen

Serveer aan vegetariërs die bekeerd moeten worden.

Een ossenhaas van ongeveer 3 kilo
2 eetlepels grof zout
3 theelepels zwarte peper
1 eetlepel suiker
⅓ mok + 1 een eetlepel olijfolie
2 eetlepels baconvet
1 eetlepel boter

Verwarm de oven voor op 225 graden.

Haal al het vet van de ossenhaas (of laat de slager dat doen),

Meng zout, peper, suiker, ⅓ mok olijfolie en het baconvet in een kleine kom.

Verwarm een braadpan op hoog vuur. Voeg de boter en de eetlepel olijfolie toe. Leg de ossenhaas pas in de pan als deze heel heet is. Bak beide kanten 1 tot 1 ½ minuut tot het vlees begint te bruinen.

Leg het vlees in een ovenschaal met een grillrek en schenk het olijfoliemengsel erover. Wrijf het in het vlees met je vingers en zorg ervoor dat al het vlees ermee bedekt is. Steek een thermometer in het dikste deel van het vlees en rooster het 15 tot 20 minuten, tot de thermometer 50 graden aangeeft.

Haal het vlees uit de oven en laat het 10 minuten rusten op een snijplank.

Snijd en serveer.

TOMATENBASILICUMPIZZA

Voor 8 personen

Waar is het vlees?

BODEM

½ pakje gedroogde gist
4 mokken meel
1 theelepel grof zout
½ mok extra virgin olijfolie, plus meer om te besprenkelen

BELEG

5 eetlepels pesto
grof zout
500 gram mozzarella, in dunne plakjes
5 romatomaten, in plakjes
½ mok geraspte Parmezaanse kaas

Schenk 1,5 mok warm water in een kom. Doe de gist erbij en zet weg.

Meng meel en zout in een mengkom.

Schenk de olijfolie bij het meel en meng handmatig of met een elektrische mixer op lage snelheid tot een egale massa is ontstaan.

Roer het gistmengsel voorzichtig door, voeg toe aan het meel en meng tot zich een deegbal vormt.

Schenk een beetje olijfolie in een grote, schone kom. Doe de deegbal in de kom en zorg dat deze bedekt is met olijfolie. Dek de kom af met een vochtige theedoek en zet deze 1 tot 2 uur op een warme plek om te rijzen, of bedek de kom met plastic folie en zet hem (tot twee dagen) in de koelkast.

Verwarm de oven voor op 260 graden.

Deel het deeg in tweeën en bewaar een helft voor een andere keer (het deeg kan ingevroren worden). Vet een pizzapan of bakplaat met rand in met olijfolie.

Gebruik je handen om het deeg in de gewenste vorm te krijgen en druk het met je vingers op de plaat. Hoe dunner hoe beter!

Verspreid de pesto over de bodem en bestrooi licht met grof zout.

Beleg de bodem met de helft van de gesneden mozzarella.

Leg de plakken tomaat op de mozzarella.

Dek af met de overgebleven mozzarella en bestrooi ruim met Parmezaanse kaas.

Bak 8 tot 11 minuten, tot de kaas gesmolten en de bodem goudbruin is.

LASAGNE

Voor 8 personen

Iets beters is er niet.

1 eetlepel olijfolie
zout
285 gram lasagnevellen
750 gram gehakt
500 gram worstvlees (van saucijsjes)
4 knoflookteentjes, geperst
2 blikken hele tomaten à 400 gram
2 blikjes tomatenpuree
versgemalen zwarte peper
10 – 12 basilicumblaadjes, fijn gehakt
¼ mok fijngehakte peterselie
3 mokken cottage cheese
2 losgeklopte eieren

1 mok geraspte Parmezaanse kaas
500 gram mozzarella in dunne pakken

Breng een grote pan water aan de kook. Voeg de olijfolie en wat zout toe. Kook de lasagnevellen volgens de aanwijzingen op de verpakking tot deze al dente zijn. Laat de vellen uitlekken en leg ze op een stuk aluminiumfolie.

Bak het gehakt, de inhoud van de saucijsjes en de knoflook in een grote pan boven middelhoog vuur tot het bruin is. Giet overtollig vet af.

Voeg de tomaten met sap, de tomatensaus, ½ theelepel zout en versgemalen zwarte peper toe. Meng goed. Laat dit mengsel op een zacht vuur, zonder deksel, 45 minuten onder af en toe roeren pruttelen.

Voeg de helft van de basilicum en de helft van de peterselie aan het vlees toe en roer.

Doe de cottage cheese, de eieren, ½ mok Parmezaanse kaas en de overgebleven kruiden in een kom en roer goed door elkaar.

Verwarm de oven voor op 180 graden.

Leg 4 lasagnevellen op de bodem van een diepe rechthoekige ovenschaal. De vellen moeten elkaar licht overlappen.

Schenk de helft van het cottage-cheesemengsel op de vellen en zorg dat alles bedekt is. Leg de helft van de mozzarrella op de cottage cheese, en daarna de helft van het vlees.

Herhaal deze lagen, waarbij je eindigt met een laag vlees. Strooi daar de rest van de Parmezaanse kaas over en zet 35 tot 45 minuten in de oven.

Laat 10 minuten rusten voordat je de lasagne in porties snijdt.

SPAGHETTI MET KIP

Voor 8 porties

Kalmeert de ziel... en verwarmt een cowboy.

1 flinke braadkip
500 gram spaghetti, gebroken in stukken van 5 centimeter
2 blikken geconcentreerde champignonroomsoep
2½ mok geraspte cheddarkaas
1 kleine ui, gesnipperd
¼ mok groene paprika, fijngesneden
1 blik rode paprika's
1 theelepel zout
versgemalen peper naar smaak
cayennepeper naar smaak

Doe de kip in een soeppan, schenk er water bij en breng aan de kook. Zet het vuur laag en laat de kip koken tot deze gaar is.

Haal de kip met een tang uit het water en leg op een bord om af te koelen.

Haal 2 mokken kippenbouillon uit de pan en houd deze apart.

Breng de rest van de bouillon aan de kook en voeg de spaghetti toe. Kook al dente. Giet de spaghetti af en doe deze in een ovenschaal.

Haal het vlees met twee vorken (of je vingers) van de kippenbotten. Snijd het vlees in stukjes en doe deze bij de spaghetti.

Verwarm de oven voor op 180 graden.

Voeg champignonroomsoep, 2 mokken cheddarkaas, ui, groene paprika, rode paprika, zout, zwarte peper, cayennepeper, kip en de bewaarde bouillon toe. Roer goed en proef of er nog kruiden bij moeten.

Strooi de resterende kaas over het mengsel en zet de schaal 35 tot 45 minuten in de oven.

CHILI

Voor 8 porties

Kan prima ingevroren worden.

1 kilo gehakt
2 knoflookteentjes, geperst
1 blik tomatensaus
1 theelepel gemalen oregano
1 eetlepel gemalen komijn
¼ theelepel cayennepeper (eventueel)
2 theelepels chilipoeder
1 theelepel zout
¼ mok maïsgriesmeel of maïsmeel

OPTIONELE INGREDIËNTEN
1 blik kievietsbonen, zonder nat
1 blik kidneybonen, zonder nat

1 jalapeñopeper, ontdaan van zaadjes en fijngesneden
1 blik tomaten in stukjes

OPDIENEN MET
Geraspte cheddarkaas
Gesneden ui
Doritos

Verwarm een grote pan of braadpan boven een middelhoog vuur en bak het vlees en de knoflook tot het vlees bruin is. Giet het overtollige vet af.

Doe de tomatensaus, de kruiden en het zout bij het vlees. Roer door elkaar en temper de warmte. Laat 1 uur sudderen terwijl je af en toe roert (voeg wat water toe als de chili te droog wordt).

Meng het maïsmeel met een halve mok water in een kom, en doe dit mengsel bij de chili. Roer goed, proef om te controleren of er nog kruiden bij moeten en kook nog 10 minuten.

Voeg desgewenst de optionele ingrediënten toe en kook nog 10 minuten.

Serveer de chili met geraspte cheddarkaas, gesneden uien en maïschips.

STOOFVLEES

Voor 6 personen

Heerlijk, om heel vaak te eten.

Zout en zwarte peper naar smaak
Een stuk stoofvlees van ongeveer 2 kilo
2 tot 3 eetlepels olijfolie
2 uien, gepeld en in stukken gesneden
6 wortels, in stukken van 5 cm
1 glas rode wijn (optioneel)
3 of 4 mokken runderbouillon
3 takjes verse tijm
3 takjes verse rozemarijn

Verwarm de oven voor op 140 graden.

Wrijf het vlees aan beide kanten ruim in met peper en zout.

Verwarm een grote stoofpan op middelhoog vuur. Voeg 2 eetlepels olijfolie toe en verwarm deze. Doe, als de olie heet is, de uien erbij en bak tot ze bruin beginnen te worden. Leg de uien op een bord.

Doe de wortel in de hete pan en roer tot ze beginnen te bruinen. Leg de wortels op het bord.

Voeg zo nodig nog wat olijfolie toe, doe het vlees in de pan en bak het aan alle kanten tot het mooi bruin is. Leg het vlees op het bord.

Doe de rode wijn of een beetje bouillon in de pan en schraap de aanbaksels weg.

Doe het vlees terug in de pan en voeg zoveel bouillon toe dat het vlees half bedekt is (2 of 3 mokken). Voeg uien, wortels, tijm en rozemarijn toe.

Doe het deksel op de pan en laat het vlees ongeveer 3 uur (voor 1,5 kg vlees) of 4 uur (voor 2 tot 2,5 kilo vlees) sudderen. Het vlees is klaar als het zacht is en gemakkelijk met twee vorken uit elkaar getrokken kan worden.

Snijd in plakken en serveer met romige aardappelpuree (pagina 450).

ROMIGE AARDAPPELPUREE

Voor 12 personen

Zondig, op een goede manier.

2,5 kilo aardappelen
200 gram zachte boter (plus 50 gram boter)
250 gram zachte roomkaas
½ mok slagroom
½ theelepel gekruid zout
zout en zwarte peper naar smaak
eventueel melk om te verdunnen
gehakte bieslook, voor garnering

Schil de aardappelen en spoel ze af met koud water. Snijd de aardappelen in stukken, doe ze in een grote pan en voeg voldoende water toe zodat ze onder staan. Breng aan de kook en kook 20 tot 25 minuten of tot ze gaar zijn.

Verwarm de oven voor op 180 graden.

Giet de aardappelen af en doe ze terug in de pan. Maak puree met behulp van een pureestamper.

Voeg boter, roomkaas, slagroom, gekruid zout, zout en peper toe. Meng en voeg eventueel melk toe. Proef en voeg eventueel kruiden toe.

Doe de aardappelpuree in een grote ovenschaal en verdeel de klontjes boter erover. Bedek met aluminiumfolie (je kunt het gerecht vanaf dit punt tot 2 dagen in de koelkast bewaren) en zet de schaal 15 minuten in de oven. Verwijder de folie en bak nog 10 minuten.

Bestrooi met gehakte bieslook en serveer meteen.

RUNDERSTOOFSCHOTEL MET CHAMPIGNONS

Voor 6 porties

Voor lange koude winters op de ranch. Extra wijn helpt ook.

4 eetlepels meel
1 kilo lendenstuk, in blokjes
4 eetlepels boter
2 eetlepels olijfolie
2 sjalotjes, gesneden
3 teentjes knoflook, geperst
250 gram champignons
1 glas rode wijn
150 ml runderfond
zout en peper naar smaak
2 takjes tijm
eiernoedels, gekookt en klaar om te serveren

Strooi twee eetlepels bloem over het vlees en schud een beetje tot het vlees bedekt is met de bloem.

Doe de boter en de olijfolie in een stoofpan of gietijzeren braadpan op hoog vuur. Voeg het vlees in gedeelten toe en bak aan alle kanten bruin. Leg het vlees op een bord.

Temper het vuur tot middelwarm, en voeg de sjalotjes en knoflook toe. Bak 2 minuten. Voeg de champignons toe en bak nog 2 minuten. Doe de wijn, de fond en ¼ mok water erbij.

Voeg zout en peper toe en roer. Breng aan de kook, voeg het vlees met het sap van het bord toe. Draai het vuur laag en voeg de tijm toe.

Doe het deksel op de pan en laat 90 minuten stoven of tot het vlees heel zacht is. Meng de overblijvende 2 eetlepels bloem met 50 ml water en schenk dit mengsel bij de stoofschotel. Laat de saus 10 minuten indikken. Draai het vuur uit en laat de stoofschotel 15 tot 20 minuten rusten voordat je hem opdient.

Serveer met eiernoedels.

GEBAKKEN KOGELBIEFSTUK

Voor 6 porties

Verplichte kost voor hongerige cowboys.

½ mok canola-olie
1 mok bloem
1 theelepel gekruid zout
versgemalen zwarte peper
1,5 kilo kogelbiefstuk, die is bewerkt met een vleeshamer
zout
2 eetlepels boter

Verwarm de olie in een grote pan op een middelhoog vuur.

Meng bloem, gekruid zout en 3 theelepels gemalen peper met elkaar.

Kruid beide kanten van de kogelbiefstuk met zout en peper en haal de biefstukken daarna door het bloemmengsel, waarbij je zorgt dat er zo veel mogelijk bloem blijft hangen.

Voeg de boter toe aan de pan. Als de boter is gesmolten, voeg je de biefstuk in gedeelten toe. Draai als het vlees goudbruin is en bak de andere kant nog ongeveer 1 minuut.

Leg op een bord met keukenpapier erop. Serveer het vlees onmiddellijk.

CHOCOLADEKOEKJES

Voor ongeveer 36 koekjes

Als je een opkikkertje nodig hebt... of behoefte hebt aan chocolade.

½ mok zachte boter
½ mok margarine
1 mok bruine suiker
½ mok kristalsuiker
2 eieren
2 theelepels vanille-extract
2¼ mok bloem (plus twee eetlepels)
1 volle theelepel oploskoffie
1 theelepel baksoda
1½ theelepel zout
2 eetlepels lijnzaad, licht geplet met een deegroller (optioneel)

¾ mok pure chocoladesnippers
1 mok melkchocoladesnippers

Verwarm de oven voor op 190 graden.

Meng boter, margarine, bruine suiker en kristalsuiker in een grote kom. Voeg de eieren en het vanille-extract toe en roer goed.

Meng in een andere kom bloem, oploskoffie, baksoda en zout. Voeg het bloemmengsel in gedeelten toe aan het boter/suikermengsel en meng voorzichtig door elkaar.

Roer de chocoladesnippers en eventueel het lijnzaad erbij.

Vorm balletjes van het deeg, leg die op een niet ingevet vel keukenpapier op een bakplaat en bak 11 tot 13 minuten of tot ze goudbruin zijn. Leg de koekjes op een rooster en eet ze warm.

KANEELBROODJES

Voor 48 broodjes (je hebt ongeveer 7 bakplaten nodig – ik gebruik vaak aluminium platen die ik gemakkelijk weg kan geven)

Geneest gegarandeerd een gekwetst hart.

VOOR HET DEEG

1 liter melk
1 mok zonnebloemolie
1 mok suiker
2 pakjes (4½ theelepel) gedroogde gist
9 mokken bloem
1 volle theelepel bakpoeder
1 afgestreken theelepel baksoda
1 eetlepel zout

VOOR DE VULLING

2 mokken gesmolten boter (meer indien nodig)
2 mokken suiker (meer indien nodig)
¼ mok kaneel

VOOR HET AHORNGLAZUUR

500 gram poedersuiker
2 theelepels ahornessence
½ mok melk
¼ mok gesmolten boter
¼ mok koffie
⅛ theelepel zout

Verwarm melk, zonnebloemolie en suiker in een grote pan boven een middelmatig vuur om het deeg te maken. Laat het mengsel niet koken. Zet apart en laat afkoelen tot iets warmer dan lauw.

Strooi de gedroogde gist eroverheen en laat 1 minuut rusten.

Voeg 8 mokken bloem toe en meng dit. Bedek de pan met een schone theedoek en zet 1 uur op een relatief warme plek.

Haal de theedoek weg en voeg bakpoeder, baksoda, zout en de resterende bloem toe. Roer goed. Zet het deeg minstens 1 uur in de koelkast en duw het omlaag als het te veel rijst.

Om de rolletjes te maken, haal je de helft van het deeg uit de pan. Rol het deeg op een met bloem bestoven ondergrond uit tot een groot vierkant van zo'n 25 x 80 cm.

Schenk 1 mok gesmolten boter over het deeg. Gebruik je vingers om de boter gelijkmatig te verdelen.

Strooi 1 mok suiker over de boter en bestrooi daarna met de helft van de kaneel.

Begin met de rand die het verst bij je vandaan ligt en rol de rechthoek strak naar je toe. Gebruik beide handen, werk langzaam en zorg ervoor dat de rol strak blijft. Maak je geen zorgen als de vulling eruit loopt.

Als je aan het eind bent, duw je de rand voorzichtig op het deeg. Snijd plakken van 4 centimeter met een scherp mes. Leg de plakken op beboterde bakplaten en zorg ervoor dat deze niet te vol liggen.

Herhaal met de andere helft van het deeg.

Bedek de bakplaten met theedoeken en laat 20 minuten rijzen. Verwarm de oven voor op 190 graden.

Bak 13 tot 17 minuten, of totdat de broodjes goudbruin zijn.

Terwijl de broodjes in de oven staan, meng je de ingrediënten voor het glazuur in een grote kom, waarbij je delen suiker en vloeistof toevoegt tot je de gewenste dikte hebt.

Schenk het glazuur over de broodjes zodra ze uit de oven komen. Laat het glazuur in de barsten en scheuren lopen.

Serveer warm. Je kunt de kaneelbroodjes ook afdekken en invriezen om ze op een later tijdstip weg te geven.

Woord van dank

Aan mijn vrienden, vriendinnen en de lezers van mijn website www.thepioneerwoman.com, voor al jullie liefde, aanmoediging en steun gedurende de afgelopen jaren. Ik voel het dagelijks. Dank jullie wel.

Aan mijn redactrice, Cassie Jones Morgan, omdat je in me geloofde toen je daar eigenlijk geen reden voor had. Je bent de eerste, de beste, de enige en de laatste redactrice die ik ooit zal hebben.

Aan Sharyn Rosenblum, omdat je me op het juiste spoor houdt en een glimlach op mijn gezicht tovert.

Aan Susanna Einstein, voor je hulp en steun.

Aan mijn oudste vrienden en vriendinnen Jenn, Sarah, Jules, Mitch, Kash, Christy, Shaney, Ang, Kristi, Shelley, Susan en Carrie.

Aan mijn vader, moeder en oma, Chuck, Betsy, Doug, Mike, Missy, Tim, Hyacinth, Connell, Lela, Betty, Becky, Patsy, Edna Mae, Ga-Ga en iedereen die mijn hele leven al van me houdt.

Aan Bartlesville, waar ik ben opgegroeid.

Aan Pawhuska, omdat het mijn thuis is.

Aan mijn kinderen, omdat ze fantastisch zijn.

Aan Marlboro Man, omdat hij van mij is.